KB187564

헝가리 국민작가의 에스페란토 원작

♥러브스토리♡

밤은 천천히 흐른다

이스트반 네메레(ISTVÁN NEMERE) 지음

장정렬 옮김

밤은 천천히 흐른다
인 쇄 : 2022년 4월 11일 초판 1쇄
발 행 : 2022년 4월 18일 초판 1쇄
지은이 : 이스트반 네메레(ISTVÁN NEMERE)
옮긴이 : 장정렬(Ombro)
표지디자인 : 노혜지
펴낸이 : 오태영(Mateno)
출판사 : 진달래
신고 번호 : 제25100-2020-000085호
신고 일자 : 2020.10.29
주 소 : 서울시 구로구 부일로 985, 101호
전 화 : 02-2688-1561
팩 스 : 0504-200-1561
이메일 : 5morning@naver.com
인쇄소 : TECH D & P(마포구)

값 : 15,000원
ISBN : 979-11-91643-48-0(03890)

헝가리 국민작가의 에스페란토 원작

♥러브스토리♡

밤은 천천히 흐른다

이스트반 네메레(ISTVÁN NEMERE) 지음

장정렬 옮김

진달래 출판사

<원서 안내>

==================================

『Pigre Pasas La Nokto』, István Nemere, Fenikso, 1992.

==================================

-주요 줄거리-

작가 이스트반 네메레의 에스페란토 원작 제12번째 작품 『밤은 천천히 흐른다』는 재판에 돌입한 살인 사건의 법정 공방이 배경입니다. 점점 윤곽이 드러나고 섬세한 표현을 통한 증거자료들의 열거는 애독자 여러분의 눈앞에 오십 대 헝가리 남자와 젊은 집시 여인의 아름다운 러브스토리를 펼쳐 놓고 있습니다.

하지만 이 두 주인공의 사랑은 "그 두 주인공을 이상한 짝"으로 여기는 소도시의 보수주의 환경에서는 허용되지 않습니다. 더구나, 아름다운 집시여인에게는 평생을 주먹다짐으로 살아온 범법자 남편이 있습니다. 그 남편은 교도소에서 나오자마자, 자신의 아내를 되찾으러 갑니다. 두 남자가 서로 돌아올 수 없는 싸움을 벌이게 됩니다… 결국에 한 사람은 생명을 잃게 됩니다.

이 작품은 애독자 여러분을 점점 긴장시키면서도 동시에 마음이 짠한 독서 시간을 제공하지만, 한편으로 작가는 우리에게 일상생활의 선입견과 몰이해에 빠질 위험을 함께 경고하고 있습니다.

목　　차

이 책을 구매하신 모든 분께 감사드립니다.
진달래 출판사를 사랑하시는 독자에게 감사드립니다.
출판을 계속하는 힘은 구매자가 있기 때문입니다.
기꺼이 출판을 허락해준 작가와 번역가에게도
감사드립니다.
오태영 (mateno, **진달래출판사 대표**)

1. 밤이 되어도 주인은 외등조차 켜지 않고

그 집은 낮은 산에 자리 잡고 있었다.

아무도 그 집의 주춧돌을 얼마나 오래전에 놓았는지, 그 집의 사방 벽을 누가 언제 쌓아 올렸는지 이를 아는 사람은 없다. 집주인이 바뀔 때마다 뭔가 달라졌다. 새로 벽을 쌓는 주인이 있는가 하면, 이미 있는 벽을 허무는 주인도 있다. 그러니, 세월이 좀 지난 뒤엔 그 집은 원래 모습을 찾아보기가 어려웠다. 지붕이 달라지는가 하면, 한때 있던 굴뚝들이 없어지고, 그 자리에 기와지붕 사이로 새 굴뚝들이 보이기도 했다. 집 정원이 달라지기도 마찬가지였다. 나무들이 자랐다가 시들기도 했다. 어느 주인은 키 작은 나무들을 모두 없애 버렸지만, 또 다른 주인은 거의 바로 그 빈 자리에 쥐똥나무를 심기도 했다. 바깥 울타리에는 라일락꽃이 없애지 않아도 될 정도로 자라나, 이른 봄에 벌써 초록을 자랑했다. 울타리 안에 지금 풀밭이 있는데, 비가 몇 주간 오고 나면 그 풀밭은 파랗고, 웃자라버린다. 과실수들의 딱딱한 외피는 검정을 띠고 있다. 때때로 짹-짹- 우는 새들이 그 과실수로 무리를 지어 요란하게 날아든다.

저녁이 되면, 창문들은 살아 있다. 그 안에서 누른 불빛이 창밖으로 내비치면, 그 집엔 다시 사람이 살고 있구나 하고 누구나 알 수 있다. 사람들이 이 도시를 황급히 떠나 저 멀리 피난하였다가도, 그 사람들이 먼지와 얼음에 때로 몽둥이와 무기에 등이 맞는 때도 정말 많았기 때문이었다. 어떤 때는 주인 없는 집들의 지붕 아래서 비렁뱅이들이 무슨 수상한 낌

새라도 들리면 쏜살같이 달아 뺄 수 있도록 몇 시간을 보낸다. 때로는 며칠 살다 가기도 했다. 당시 국경 근처의 삶은 그러했다.

한때 이곳이 전쟁터가 되어 버린 때도 있었으니, 당시 그곳의 집마다 약탈당했다. 집에 귀한 물건이라도 있는지 찾아보려고 벽이란 벽은 다 망가뜨려 놓고, 더구나 문과 창문도 불 지르기도 하였다. 그러고도 나중에 평화로운 지역이 되지는 못했다.

마침내 사람들이 평화를 되찾자, 이번엔 기후가 그 사람들을 괴롭혔다. 여러 해에 걸쳐 자주 폭우가 쏟아졌고, 거친 바람은 모든 걸 찢어버렸다. 폭우에 그만 나무들은 죽고, 강가에 세워둔 배들은 침몰하기도 하고, 오래된 벽들은 무너지기도 하였다. 강풍에 지붕마저 날아가기도 했다. 아래로, 시내에 걸린 포스터들만 여러 색깔이다. 여기서 그 도시를 보면, 도시가 아래쪽에 자리하고 있음을 알 수 있다. 교회 첨탑들이 이 집 높이와 같은 수준이다.

그 뒤, 이어 평화의 시절이 계속되자, 벌써 그 집의 주인은 뭔가 증축하려고 시도하였지만, 돈이 부족해 그 증축하다가도 완성을 보지 못했다. 그걸 기념이라고 하듯이 집 뒤편에는 아직 완성이 덜 된 건물이 한 채 있다. 언젠가 일꾼들이 다시 올 것이고, 길에는 차량이 요란하게 소리내고, 일꾼이 블록들을 가져올 것이고, 밀어야 움직이는 조그만 수레의 작은 바퀴가 삐꺽거릴 날이 올 것이다. 사다리를 오르는 다리엔 힘이 실릴 것이고, 삽의 뾰쪽한 가장자리로 시멘트 포대를 자를 것이고, 목마른 일꾼은 물병만 찾아올 것이다. 그때 다시 집의 사방 벽이 세워질 것이고, 사람들은 회반죽을 섞고, 지붕의 목수들은 자신이 담당하는 일을 하고, 타일도 붙이게 될 것이다. 그러나 그것은 미래에 대한 약속일 뿐이다.

밤이 되면 집은 어두운 벽돌만 있는 양, 주인은 외등들조차 켜 놓지 않는다. 무슨 이유인가?

만약 손님이라도 찾아와 초인종을 누르면, 전등이 켜지지만, 그때까지 그 집은 어두운 우단에 가려진 채 놓인다.

그 둘은 -그 집주인과 그 집-정말 잘 지낸다.

새벽 비가 내렸지만, 작은 빗소리에는 주인은 깨지 못한다. 주인은 잘도 잔다. 고양이가 밖에서 창문에 뛰어올라, 그곳에 앉아서, 아침 식사가 나올 시각이 다가왔음을 알아차릴 수 있는, 집안의 인기척이 나기만 고대하고 있다. 새 한 마리가 떡갈나무 가지로 날아와, 작은 소리를 날카롭게 질러도, 고양이는 위를 한 번 쳐다볼 뿐, 움직임이 전혀 없다. 그 새가 너무 멀리 있어, 고양이에겐 확실한 먹잇감이 되지 못하는 것 같았다. 집주인이 내주는 아침 식사가 더 확실하다.

때로 흰 담비가 여러 마리 처마 끝에 나타나면, 집주인은 그들의 움직임을 상쾌한 기분으로 바라본다. 하지만 그것은 흔치 않다. 왜냐하면, 동물은 모두 조심하여 움직이기에, 그 집주인의 눈에 간혹 그들 모습이 보일 뿐이다. 주인은 다락방에 누워, 반쯤 잠에서 깼을 때, 그 흰담비들이 그의 머리 위, 지붕 위에서 움직이고 있는 것을 간혹 듣는다.

그때 집 지키는 개도 흥분해, 끙끙거리며 정원을 이리저리 어슬렁거리다가 다시 자신의 잠자리인 차를 주차하는 차고로 돌아온다. 그리곤 새벽이 되자, 회색 그림자들이 아침을 가져다주고 여러 구름이 흩어진다. 도시는 소음으로 깨어나고, 그 소음으로 살아 있음을 나타낸다. 사람들이 움직이기 시작하고, 수천 명이 이곳저곳으로 매일 오고 간다. 집 앞으로 자동차들이 다니고, 불확실한 붉은 빛이 텔레비전 안테나에 앉으면, 제비들이 지그재그로 날아다닌다. 그들에겐 나날이 행복이다. 여러 바다를 함께 건너야 하는 어린 제비들도 이제 자랐다…. 모든 제비의 모든 순간이 천 가지 위험이다. 마치 마지막 순간처럼. 생명은 한 번뿐이지만, 죽음은 수천 가지다.

그때 집주인도 즐겁다. 그는 아침에 정원으로 나가, 새소리를 듣고, 구름의 가장자리에서 싸우고 있는 태양을 응시한다. 신발은 이슬에 젖지만, 그는 그런 상태도 좋아한다. 주방에 열린 창을 통해 찻물을 끓이는 주전자가 삑-하는 소리가 들려오면, 바로 그때 집으로 들어선다. 그는 벌써 자신의 몸 안으로 들어선 온기를 즐기며, 자신의 삶을 사랑한다. 그는 이제 후배를 지도하지도 않고, 저 먼바다를 넘나들지 않는다 해도, 제비들이 느끼는 것에 못하진 않다.

하지만 때로 저녁이 되면 그는 집 앞에 멈추어 서서, 저 멀리 응시한다. 아래, 거리마다 불빛과 사람들. 사람마다 제각기 다른 길로 가고 있다. 그가 다른 사람들과 같은 방향으로 가더라도. 누가 언제 그를 뒤따를 것인가? 그는 그 점에 대해서도 생각해 본다. 그리고 그는 자신의 집이 비어 있다는 사실에 마음이 아프다. 사방 벽이 겨울에도 따뜻함을 보여 주지만, 그에겐 그마저도 자신이 혼자임을 느끼게 한다. 여기에 누군가 다른 사람도 같이 움직인다면 좋을 텐데. 그가 어딜 외출해갔다가도, 나중의 돌아오는 길은 정말 즐겁지 않다. 그를 기다려 주는 사람이 없으니. 겨울에도, 여름에도. 집도 개도 나무도 정원의 모든 키 작은 나무도 그의 소유이다.

하지만, 그 혼자 이 모든 것에 즐거워할 수 있어도 그게 완전한 즐거움은 아니다. 말 없는 면도기를 손으로 누르면서 그는 사람을 그리워한다.

2. 갈색 얼굴의 검은 눈동자들

판사는 자신의 법정을 한번 훑어보았다. 그는 많은 방청 인원을 보았지만, 방청석마다 빈자리만 있는 듯이 행동했다. 그러나 좌석마다 사람들로 꽉 차 있다. 정말이다. 언제나 그렇듯이. 이런 종류의 사건은 그만한 방청객을 몰고 다닌다. 극장이나 영화관을 찾는 관객과 비슷하다. 아니, 축구장을 찾는 관중에 더 가깝다고 해야 할지…. 이런 장면은 관중이 임시로 평온하게 있다고 해도 무대의 한 장면에 더 어울린다. 하지만 한마디의 말, 한 번의 얼굴 찌푸림이면 충분할 것이고, 곧 검객들과 말 탄 투우사들의, 황소나 사자들의 피를 기대하는 관중의 욕심은 곧 폭발할 것이다. 관중이 정말 문명인이라, 지금 그들은 자신의 마음에 들지 않으면 수군댈 뿐이다. 그러나 맘속으로 화가 쌓이면 고함도 내지르게 될 것이다. 그러나 판사는 법정에 그런 방청인은 법정에서 내쫓아야 함도 알고 있다. 그런 처방은 보통 영화에서는 위협처럼 여긴다. 하지만 이 판사는 한 번도 그런 처방을 적용하지 않았다. 그건 불필요하기에. 아니면… 그는 두려워하는가? 지금 판사는 입술을 약간 깨물었다. 그 판사는 옆에, 좌우로 배석한 동료 판사들이 있음을 알았다. 그렇지만, 오늘은 적어도 제일 큰 소리로 떠드는 한두 사람은 내쫓아야 할 첫날이 될 수도 있다. 그는 그런 사람들이 어디에 앉아 있는지 살펴 두었다. 왼편, 출입구 가까이에 있는 그들. 그 사람들이 필시 문제를 일으킬 것이라고 그는 본능적으로 느꼈다. 그렇다. 그 사람들은 말을 잘 듣지 않는 무례한 사람들이다. 그들은 법원 행정 업무를 큰 소리로 방해

할 것이다. 그들 의복만 보아도 확연히 드러나 보인다. 갈색 얼굴에 검은 눈동자. 이들 중 대다수는 오늘 처음 법정에 와 본 것 같다. 판사는 내심 걱정이 되지만, 그걸 밖으로 드러내진 않았다. 판사는 궁금한 체하고는 좌우를 한번 둘러 보았다. 오른편엔 검사가 짧은 머리를 하고는 꼼짝 않고 앉아 있지만, 검사가 쓴 안경은 때로는 반짝였다. 검사 정면의 왼편에 변호사가 앉아 있다. 이 변호사는 변론할 때마다 매번 새 넥타이를 매는 습관이 있다. 이 변호사는 덩치가 큰 청년이다. 그가 매는 넥타이가 언제나 재판에서 '확실한 승소를' 위한 것이라며, 그런 복장으로 지금까지 패소해본 일은 없다는 소문이다. 하지만 그건 듣기 좋아라고 하는 소리이다. 어느 변호사라도 패소할 수도 있고, 때로 패소한다. 그런 운명은 판사들도 마찬가지일까?

판사는 재판의 개정시각이 다가왔음을 알았다. 개정되고 나면 아무도 이를 막거나 멈추게 할 수 없음을 때로 높은 재판석에 앉고부터 자주 느낀다. 법학 대학에 재학 중일 때는 그런 느낌에 대해 전혀 생각하지 못했다. 그런 감정은 벽으로 둘러싸인 이곳에서만 느낄 수 있다. 판사는 10년 이상 재판을 진행하면서 언제나 이런 생각에 잠기게 된다, 시간이 조금씩 지날수록 그런 긴장은 줄어들어, 마침내 맨 처음 말을 꺼낼 때는, 그는 이미 확고한 태도로 말한다. '법원은 가장 오래된 원시 극장이다'라고 말씀하시던 학창시절의 어느 교수님이 생각났다. 법원은 정말 극장이다. 그래 정말 −그럼 왜 법원이 곧장 극장이 되지 않았는가? 하지만, 판사는 진실만 믿지만, 놀음은 믿지 않으려고 언제나 최선을 다해 왔다. 지금 다시 그런 자세로 그 판사는 행동했다. 증인들과 싸움. 사실, 오해, 의도적 실수, 실책, 인간의 기억과 물론 비협조성과 함께. 주로 그 점과 함께. 바로 이젠 중요 사건에 대해 언급할 차례다. 사람이 타인을 죽인 사건이다.

여름이 시작되는 무더운 어느 날, 베르나트는 자신의 자동차를 운전해 가고 있었다. 그는 소도시를 지나가면서도 좌우를 둘러보진 않았다. 이번 여행 목적이 관광에 있지 않았으니까. 이미 오후 나절이라 베르나트는 집을 향해 가고 있었다. 대기의 먼지 냄새가 이 소도시는 농업을 주로 함을 알 수 있고, 자전거를 탄 사람들도 자동차 옆으로 지나가곤 했다. 그 일행은 둘이 짝을 지어 나란히 지나갔다. 베르나트가 그들 곁으로 바짝 붙으면, 그들은 뒤를 돌아보면서 내키진 않아도 더 왼편으로 길을 내어 주었다. 베르나트는 속도를 더 줄여야만 했다. 그는 이와 비슷한 도시에 싫증을 느끼고 있었다. 어느 술집 옆에는 자전거가 많이 보였고, 새빨간 재킷을 입은 집시 여자가 조그만 유모차를 밀고 가고 있었다. 길에는 건초를 실은 큰 마차가 1대, 그 뒤로 트랙터가 1대, 다시 그 뒤로 트럭 2대가 보였다. 베르나트는 앞으로 100㎞를 더 가야 한다는 것을 생각해 내고는 서둘러 달려갈 작정이었다. 그의 시선이 자동으로 손목시계에 갔다. 오후 3시 30분이다. 태양은 여전히 높다랗게 걸려 있고 언제라도 구름과 비를 몰고 올 수 있는 7월 중순이다. 이번 여름엔 정말 비가 많이 왔다.

이런 모든 생각에 잠긴 채 그는 시내 중심 광장을 통과하여 지나기로 했다. 노란 교회와 현대적 블록건축물은 –그래 이

건물은 국가평의회이거나 문화광장이구나. 또 1960년대 지은 건물이라는 생각이 자동으로 들었다. 그의 머릿속은 다른 사람의 건물 인식보다 더 세밀하다. 그는 건축가 시각으로 이 세계를 관찰하는 전문 건축가다.

하지만 그도 때로는 기꺼이 다른 사람이 될 수 있다. 그는 세상을 바꿀 수도 있다. 그가 세상을 많이는 바꾸지 못해도. 그는 자기 자신을 잘 안다. -그 정도라면 세계도 바뀔 수 있을 것이다. 자신이 스스로 개성 있게 개척해가는 세계는 타인의 가면으로 살아가는 세계와는 사뭇 다르다.

베르나트는 이제 이 소도시를 자유로이 벗어날 수 있겠구나 하는 생각이 들었을 때, 좀 경사진 길을 만났고, 그가 운전하는 차량 앞에서 다른 자동차들이 멈추었다. 그는 화가 나 입술을 깨물었다.

'집에 도착하면 이번에도 늦은 밤이 되겠구나.'

그는 그런 지루하고 먼 여행을 좋아하진 않지만, 그런 방식으로 먹고살아야 했다. 그의 고객 중 일부는 신문광고를 통해 접하게 되었다. 고객들은 자주 이 나라의 변방에 살고 있어, 그에게 빌라를 1채 짓고 싶다며, 그에게 문의해 온다. 만약 그가 그 고객들을 위한 건축가가 되면, 때로 그 고객들을 직접 방문해야 했다. 그러나 오늘은 아무 소득이 없었다. 미래 고객이 될 사람이 갑자기 세상을 떠나는 바람에, 그 고인의 미망인은 유명 인공호 주변에 빌라를 짓는 일을 포기해 버렸다.

그래서 베르나트는 화가 나 있고, 돌아오는 길에 그는 여러 번 이번 일이 어긋난 것에 대해 잊으려 했으나, 이 실패로 인해 여러 사건이 연결되어 다시 그의 뇌리에 떠올랐다.

예를 들어 지금처럼 이 길에서의 운행을 막고 있는 것이. 그는 색이 바래진 하얀색과 붉은색이 교차해 있는 쇠막대기를 보았다. 바로 그때 그 막대기가 내려졌고, 신호등은 붉은 신호로 바뀌었다. 그래 여기서는 아무도 일정 시간 통행이나 건너갈 수 없다.

그의 자동차만 그곳에 유일하게 남아 있지 않았다. 벌써 그 자동차 뒤로 행렬을 이루고 있었다. 파란색 트럭을 탄 군인들이 위에서 아래로 내려다보고 있다. 그들의 군대 모자는 짧은 머리카락 위에 얹혀 있다. 또 다른 자동차는 낡았지만, 그 자동차 안에는 요즘 유행하는 수백 벌의 바지가 보였다. 그 자동차 주인은 아마 시장에서 팔고 남은 물건을 싣고 곧장 되돌아가는 상인이리라. 어떤 여자가 운전하는 일제 다이하추 최신형 자동차도 보였다. 그 차에 탄 여성은 자신의 얼굴을 화장품으로 손질하고 있었다. 베르나트가 그녀의 찌푸린 표정을 보자, 이런 시골에서는 그녀가 절대 못 살 것 같음을 그녀 얼굴에서 읽을 수 있다. 잘도 그는 그런 부류의 사람을 알고 있었다. 그런 부류가 그의 고객들이었다.

"그리고 누가 나를 쳐다본다면, 그에겐 무슨 생각이 떠오를까?"

그는 조용히 자신에게 묻는다. 독신이 된 이후로, 자주 그는 자신에게 묻고 자신이 대답한다. 지금 그는 몸을 조금 오른쪽으로 옮겨, 자기 차 안, 가운데의 작은 거울을 통해 자신을 보려고 했다. 주름진 눈가, 햇볕에 그을린 남자 얼굴, 희끗희끗한 귀밑, 좀 높은 이마.

'그래, 내 머리카락도 빠지고 있구나. 내 코는 튼튼해, 사람

들이 그걸 보고 '매부리코'라고 하지. 두 눈은 회색이구나. 그럼, 이런 사람이 나인가?'

그는 자신의 얼굴에, 벌써 오십의 나이에, 자기 얼굴엔 익숙하기가 정말 쉽지 않았다.

비탈길의 도로 좀 아래쪽에 이상하게도 같은 형태의 집들이 아무 장식이 없는 회색 블록처럼 보였다.

'어찌나 볼썽사나운지, 이곳 토지를 내게 맡겨 주면, 전혀 다른 모습으로 바꿔놓을 수 있는데.'

그는 그런 생각을 하고 난 뒤, 이곳이 집시들이 사는 지역이라는 것을 알아차리자, 그의 관심은 반감되었다.

'집시들엔 그런 삶이 맞다. 정말 맞을까…?'

그런데 갑자기 저 아래 도로에서 가장 가까운 집의 출입문이 열렸다. 베르나트는 어떤 사람의 팔이 먼저 나오는 걸 보았고, 그 출입문 앞에서 바깥을 가리키고 서 있는 남자 한 사람을 보았고, 회색 셔츠를 입고 있음을 알 수 있었다. 그리고, 붉은 치마를 입은 여자가 누군가에 떠밀린 듯 그 출입문 밖으로 뛰쳐나왔다. 그때, 그 회색 셔츠를 입은 남자가 그 여자의 목을 한 차례 때리는 것 같았다. 그 여자의 몸이 일순간 무너지는 것 같았기 때문이다. 하지만 그녀 몸이 조금 휘청하더니, 그녀는 마당으로 뛰쳐나왔다. 그녀 뒤로 갈색 손가방이 마치 날 듯이 땅에 떨어졌다. 그 집의 출입문 문턱에는 두 사람 – 남자 한 명과 여자 한 명–이 보였다. 그들은 그 젊은 여자에게 심한 욕설을 하고 있음이 그들의 몸짓에서 보였다.

'이 장면은 무성영화의 한 장면이구나.'

베르나트가 그런 생각을 하는 사이에, 기찻길 위로 기차 바퀴가 지나가는 소리가 들려 왔다. 화물열차가 천천히 돌아가고 있었다.

'그곳에 무슨 일이 벌어졌는가? 얼마나 많은 비슷한 비극이 시간마다 일어나지만, 그런 것들은 우리가 못 보고 지나갈 뿐이다.'

그는 그렇게 덧붙여 생각하고는 더욱 편안한 자세를 취했다. 시선을 돌려 보니, 도로차단기는 아직도 아래에 그대로 있고, 붉고 갈색인 화물열차는 레일 위에 다시 서 있는 것으로 보아, 아직 시간이 더 필요하구나 하고 생각했다. 그는 다시 아래를 내려다보았다. 그곳에는 이런 장면이 있었다.

막대기들 위에 노끈들, 노끈 위에는 널어놓은 마른 옷들, 메마른 마당들, 깡마른 검둥개 1마리. 부서진 유모차1대와 한때의 물통. 홈통이 없는 지붕, 짓이겨 만든 진흙으로 지었으나 허물어진 벽. 그리고 저 멀리서 –정말 대조적으로 푸른 산들이 보였다.

이제 그 젊은 여자는 자신의 몸을 돌렸다. 거리가 멀어 베르나트는 그녀 얼굴을 자세히 잘 볼 수 없다. 다만 그녀 몸과 걸음걸이를 통해서 젊은 여자구나 하는 결론을 내렸다. 부모로 보이는 이들이 고함을 지르자, 그 여자도 화를 내며 대답했다. 베르나트는 이 여자가 더 강한 어조의 낱말을 사용할 용기가 없는 양 느껴졌다.

'아마 그 여자는 아무것도 하고 싶지 않고, 싸움도 정말 끝났나 보다?'

이 여자의 모든 행동으로 보아 그녀가 이곳을 떠나기를 결심한 것 같았다. 아버지 얼굴은 갈색이고, 원시적 모습을 하고 있었다. 하지만 어머니는 소도시의 한풀 꺾인 대다수 여인과 같은 모습이었다. 머리끈을 머리에 동여맨, 단정한 옷차림. 어머니는 집시가 아닌 것 같았다. 이 두 사람이 문 앞에 서 있는 모습은 마치 온몸으로 이 가정을 지키려는 것 같았다.

딸에 대항하여 뭘 지키려는가?

베르나트가 이제 집중해서 보니, 이때 아버지가 다시 손을 들어, "미친년, 뒈져라…!"라고 할 때는 마치 그리스 비극에 나오는 한 장면과 같았다. 그러나 그는 아마 전혀 다른 추하고 독한 말을 했다. 딸은 그 자리에서 물러났다. 아버지 목에서 혈관이 두드러지게 나온 것으로 보아, 뭔가 욕설을 뱉었다.

"난 저런 사람들을 보지 않는 편이 낫겠어."

베르나트는 혼자 속삭였다.

붉은 치마를 입은 아가씨는 자신의 몸을 구부려 땅 위에 떨어진 물건들을 주섬주섬 집어 들었다. 주변의 다른 집에서 벌써 몇 명의 사람이 나와 보고 있다. 특히 어린 아이들이. 갈색 손가방이 불룩해지자, 그 여자는 자리에서 일어났다. 건널목의 도로차단기들 사이로 기관차가 칙–칙–거리며 소리를 내자, 그 화물 기차는 다시 역으로 시끄러운 소리를 내며 되돌아가고 있었다. 먼지가 허공으로 휘몰아치자, 여름을 약속하는 뜨거운 냄새가 진하게 다가왔다. 한편 –원시적 무료함으로 인한 시선.

'저 여자가 무슨 잘못을 저질렀기에?'

이 남자는 생각해 본다. 정말 그에겐 이젠 호기심이 생겼다. 그 여자는 가방을 들고 걷고 있고, 몇 걸음을 간 뒤로 다시 뒤를 돌아보았다. 베르나트는 바로 그 순간을 기다렸다가, 곧장 그 늙은이들에게 무슨 움직임이 있는지 궁금해하며 그 늙은이들을 바라보았다. 그는 그중에 아버지 얼굴만 볼 수 있다. 딱딱하면서 매정한 모습이다. 베르나트는 낮게 휘파람을 불었다. '그럼 그렇지!' 하지만 그 자신의 그런 인식도 정말 정당치 못함을 느꼈다. 그는 정말 무슨 일이 그곳에서 일어났는지 몰랐다.

그 젊은 여인의 하얀 블라우스가 회색 진흙을 배경으로 보아, 불타는 한 개의 점으로 보였다. 그 여인은 이제 집에서 멀어져 걸으면서도 전혀 돌아보지 않았다. 그녀는 위쪽 도롯가로 올라왔으나, 어느 짐을 실은 차량에 가려 보이질 않았다. 베르나트는 조금 더 기다렸으나 그녀는 볼 수 없었다.

기관차는 다시 큰 휘파람 소리를 내더니, 마침내 탁탁거리며 떠나갔다.

건널목의 도로차단기가 이제 올라갔다. 자전거 몇 대가 먼저 그 차단기 밑으로 들이밀었다. 맨 앞의 자동차가 출발하려고 했을 때, 자전거들은 이미 통과하고 있었다. 시꺼멓고 퍼런 배기가스가 차에서 나오자, 뜨거운 고무 타이어들이 흙을 밀어냈다. 맞은 편에서 마차가 오고 있고, 베르나트는 잠시 마차를 끄는 말의 크고 검은 눈을 보았다. 그의 차량 앞에 서 있던 차량이 움직이자 그도 자신의 차에 시동을 걸었다. 다이하추를 모는 여자운전자는 뭔가 지루한 듯이 움직이다가, 피우던 담배를 집어 던지고는 출발했다. 행렬은 움직이기 시작했다.

베르나트는 철길을 지나 즐겁게 달릴 차례였다. 만약 이 모든 것들만 지나가면, 적어도 1시간 안에 이 소도시의 경계로가 있을 것이고, 도시의 외곽 도로의 교통 사정은 이 시간대에는 나쁘지 않다. 그는 여전히 트럭들 뒤로 천천히 가고 있었다.

그가 먼저 어떤 붉은 치마를 먼저 보자, 본능적으로 자동차 속도를 줄여, 오른쪽으로 조금 빠져나갔다. 맞은 편에서 대형 트럭이 한 대 다가왔고, 먼지가 연기와 함께 자욱했다. 베르나트는 다시 하얀 블라우스도 볼 수 있었다. 그의 차량의 앞부분과 앞선 차량의 뒤편 사이로 조금씩 그 여인의 전체 모습을 볼 수 있었다.

그 여인은 도롯가에 서서, 자동차들을 쳐다보고 있었다. 그녀는 도로를 건널 생각을 않고 있었다. 그녀는 어떻게 행동해야 할지, 아직 결정을 못 내린 채 주저하고 있음을 그녀 몸짓에서 보였다. 그 여자는 여러 생각에 빠져 있었고, 어서 어느 자동차에 들어가 앉고 싶은 것 같았다. 그녀 손에는 갈색 가방이 들려 있었다.

"이곳을 떠나자. 되도록 멀리!"

그는 영화의 한 장면을 보고 있구나 하는 생각을 하며, 그의 발은 자신의 차량의 액셀을 천천히 밟았다.

베르나트는 더 가까이 다가가면서 그녀 얼굴을 쳐다보았다. 그 얼굴은 정말 집시 여인 같아 보이지 않고, 그녀의 머리카락은 검기보다는 갈색이 더 많았다. 우뚝 솟은 코, 개방된 시선. 가냘픈 몸매, 길고 가는 두 손. 그가 그녀 곁에 다가갔을 때, 그 정도만 볼 수 있었다. 그녀 시선이 그와 마주쳤다. 그 여인은 아마 눈물을 흘렸나 보다. 베르나트는 나중에 그가 왜 멈추어 섰는지 몰랐으나, 그 눈물이 그를 멈춰 서게 했다고 생각했다.

그가 차를 세우자, 거울을 통해 뒤따라 오는 차들이 함께 서는 것을 보았다. 그래서 그는 다른 차들을 위해 차를 더욱 오른쪽으로 빼내서 그녀를 향해 몸을 돌렸다.

그녀가 그를 쳐다보았다. 베르나트는 손으로 그녀를 불렀고, 자기 차량의 오른쪽 문을 열어 주었다. 그 일은 아주 명쾌했다. 어느 자전거를 타고 가는 사람이 옆을 지나가면서 그 차 내부를 쳐다보았고, 나중에 붉은 치마가 보였다. 그녀가 고개를 숙여 베르나트를 쳐다보았다. 그의 얼굴에는 웃음은 없었다.

"이리로 타세요. 내가 데려다주겠어요."

주저함. 베르나트는 기다렸다. -잠시 몇 초가 흘렀지만, 그녀가 충분히 생각할 정도의 시간으로 느껴졌으나, 곧장 그녀는 그 자리에 앉질 않았다.

그러고는 그녀가 결심했다.

먼저 갈색 가방을 차량 내부의 바닥으로 던져 놓고는, 그녀는 자신의 한쪽 발을 먼저 들이밀었다. 스타킹도 신지 않은 발이다. 갈색의 햇살 같았으나, 그렇게 가냘프지도 않은 발이다.

마침내 그녀가 자리를 잡고는 그를 쳐다보았다. 그때, 그는 그녀의 조금 튀어나온 광대뼈를 볼 수 있었고, 두 눈은 아주 갈색이고, 두 눈 깊숙이는 진한 갈색이다. 입술은 루주를 칠하지 않았어도 붉다. 그녀는 전혀 화장하지 않았다. 그 때문에 그녀는 실제보다 더 창백하게 보였다. 목이 그리 심하게 파이지 않은 옷인, 그녀의 블라우스는 축제 복장이고, 그녀 가슴에 무슨 브로치 같은 것이 보였다. 그의 코엔 값싼 향수 냄새가 느껴졌다.

"안녕하세요."

그녀는 말했다.

'이 여자는 집시 여자는 아닌 것 같군.'

베르나트는 그런데도 동시에 그 여자에게서 집시 여자임이 분명한 뭔가도 느낄 수 있었다. 아마 넓은 빨간 치마 때문에. 집시 여자들만 그런 옷을 입는다.

그는 여전히 옆을 한 번 더 쳐다보고는, 자동차에 가속을 더했다. 그 차량은 이제 도로로 나왔다. 차량 행렬은 어느새 조금 띄엄띄엄해졌다. 일행 중 아무도 말을 시작하지 않자, 그 침묵은 견디기 어려웠다. 베르나트는 그녀가 뭔가 생각에 잠겨 있음을 느꼈다. '내가 모든 걸 모른 척해야겠군' 하고 그는 생각했으나, 뭔가 그녀에게 동정이 갔다. 다시 그는 그녀를 한 번 쳐다보았다. 그 여성은 두 손을 꼭 쥔 채 앉아 있고, 그녀의 두 손가락은 신경질적으로 떨고 있었다. 베르나트는 임시로 여행목적지에 관해 물어보지 않기로 마음을 고쳐먹었다.

"안전띠를 매어 주십시오."

그가 말했다.

"경찰이 요즘 그걸 안 하면 벌금을 매긴답니다."

"죄송합니다." 그녀의 목소리에서 사양한다는 것을 느낄 수 있었다.

'비관주의자인가…?' 베르나트는 비관주의자들을 싫어했으나, 그녀가 지금 마음이 상해 있음을 보고는 이해를 했다. 그녀의 갈색 손이 아무렇게나 안전띠의 끝을 잡고 있었다. 베르나트는 그 안전띠를 매는데 도와주고는 알았다. 그녀는 지금까지 자동차를 타 본 경험이 별로 없는 것 같았다.

"별일 없으면, 1시간 반이면 부다페스트에 도착하게 될 거요.” 그는 말했다. 그러나 그 말에는, 말하진 않았지만, 물음이 담겨 있었다. 그러나 여인은 대답이 없었다. 아래로 도로가 확 뻗어 있었다. 길옆으로 작은 숲들과 트랙터 1대, 키 작은 나무들 위에 붉고 푸른 옷들이 보였고, 길가에는 몇 대의 자전거가 달리고 있었다.

여자들이 오후의 풍성한 햇빛을 즐기고 있었다. 이제 그 차량은 운하 위 다리에서 달리고 있고, 다리 아래에는 영원한 기다리는 이들인 낚시하는 사람들이 서 있었다. 베르나트 차량은 건초를 실은 마차를 지나, 나중에는 독일제 버스를 지나고, 그 뒤로 짐차를 단 차량을 지나갔다. 그는 속도를 즐기고 있고, 누군가 옆좌석에 앉으면, 그의 자동차가 얼마나 잘 달리는가를 보여주기를 좋아했다. 그는 과속의 위험성을 알고 이해하고 있었지만, 속도를 내어 달리는 걸 좋아했다. 모터 소리가 약하게 웅-웅-거렸고, 모든 게 완전히 안정 상태인 것 같았다. 지금까지도 침묵하고 있는 이 여성 동행자를 제외하고는. 베르나트는 우연한 동행자가 끊임없이 재잘대는 걸 기다리는 그런 부류의 사람도 아니었다.

‘이상한 것은 그 30분간이었구나.’ 베르나트는 나중에 그 점을 자주 생각해 냈다. 그 차량은 속도를 더 냈고, 장면은 언제나 바뀌어 갔다. 그들은 다른 도시도 지나갔다. 저 멀리서 창고들, 건초 말리는 곳과 교회 탑이 차례대로 나타났다. 도로 양쪽으로 이젠 더 새롭고 새로운 볼거리가 있었다. 그 여성은 여전히 말이 없다. 베르나트는 한참이 더 지나서야 물었다.

“그곳에, 그 도시에 살고 있나요?”

“네. 하지만, 그건 오래전의 일이었어요.”

그녀는 마지못해 대답했다. 그는 조금 마음이 상했다. '이 여성은 대화하는 걸 싫어하나?' 그러나 그는 주저하지 않았다.

"그럼 옛집을 찾아갔던 것이군요?"

고개를 끄덕임이 그녀 대답이었다. 고개를 끄덕임. 베르나트는 이제 길이 곧장 바로 나 있음을 보고서, 그는 이젠 앞이나 뒤를 돌아보지 않아도 되었다. —이제 그는 그녀에게 고개를 돌려, 그녀를 관찰해보았다. 이제 그 여성도 그를 쳐다보았다. 갈색의 두 눈엔 뭔가 보였고, 부끄럼 때문이 아닌, 따뜻한 흥미였다. 그건 곧 그 남자에게 다른 느낌을 주었다.

'이 여성은 내 딸 나이쯤 되겠구나.' 그는 생각에 잠기고는, '정말 이 여성은 스무 살을 넘지 않았겠구나. 가는 관절이지만 강한 관절과 두 손을 보니, 그녀가 그 두 손으로 먹고살아 왔구나.' 그녀 얼굴에 기쁨이라곤 전혀 보이지 않았다. 베르나트는 그런 장애물을 넘어가려고 결심했다.

"부모가 어떻게 내쫓는지 내가 보았어요."

그 말은 아주 힘을 내서 무심코 던진 말이었지만, 그는 이제 그 말을 다시 집어넣을 수도 없었다. 그는 지금 그녀를 쳐다보지 않았다. 그 자동차는 부다페스트까지는 아직도 65㎞가 더 남아 있음을 알리는 표지판을 바로 지나쳤다.

"그래요. 그분들이 나를 내쫓았어요."

그녀는 좀 온화한 목소리로 말하면서 고개를 숙였다. 그 얼굴에는 굳은 표정은 거의 사라졌다. 베르나트는 다시 활달해져 말했다.

"난 멀리서 그걸 보고 있었고, 물론 아무 말도 들은 것은 없지만, 뭔가 심각한 일이 있었지요?"

"심각했어요." 그녀는 재빨리 고개를 끄덕이며 말했다. "난 이젠 그곳에 되돌아갈 수도 없어요."

"하지만, 어디 갈 곳은 있겠지요."

베르나트는 그 점을 강조했다. 곧이어 도로가 굽어 있어, 그 도로 앞에 갑자기 마차를 달고 가는 트랙터 한 대가 나타나자, 그는 급히 브레이크를 밟았다. 자동차가 그 트랙터 뒤로 천천히 따라가면서, 베르나트는 자신의 자동차를 왼편으로 조금 꺾어, 맞은편 차선에 자동차가 없음을 보고는, 그 트랙터를 추월했다.

"남편 집에 말이에요."

그녀가 말했다.

베르나트는 흠칫 놀랐다. '이 여성에게 남편이 있다니? 이 여성은 이렇게 젊은데. 그래 맞아, 이 사람들은 어릴 때 결혼을 하지. 그런 계약을 일반적으로 결혼이라고 말할 수 있다면….'

하지만 그때 그녀가 말을 계속했다.

"그런데 남편은 절도죄로 교도소에 가 있어요. 그런데 바로 아래 시동생이 내가 자기 아내라도 되는 양, 나를 못살게 괴롭혀 왔어요."

베르나트는 말이 없었다. 그 여성은 잠시 쉬었다가 계속해 나갔다.

"어머니는 내 남편으로 슈치가 되었으면 하고 원했어요. 나는 여전히 그이를 기다릴 생각인데, 어떻게 그렇게 서두는지? 어머니는 나더러 줄곧 시집가라며, 슈치도 늘 날 찾아왔거든요. 아버지는 언제나 술에 취해 살았으니, 난 집에 붙어 있을 수도 없었어요."

'간단한 일이군', 그는 생각했다. 그 자동차는 방금 어느 마을을 지나고 있었고, 다시 길옆에는 자전거를 탄 사람 둘이 나란히 가고 있었다. 어느 젊은이가 길 중앙에서 자전거를 타고 가는 것을 본 베르나트가 경적을 울렸다. 그리곤 그는 이제 속도를 냈다.

"그럼 어딘가 가야겠군요."

그가 말했다. 그 동승 승객은 말이 없었다. 그리고 교통이 더욱 번잡해질 때까지 15분간 말이 없었다. 태양이 앞에서 그의 두 눈과 마주치자, 그는 급히 차양을 내렸다. 그는 그녀도 그런 태양에 부담을 느끼고 있음을 보자, 그쪽에도 차양을 내려 햇빛을 가려 주었다. 그 젊은 여성은 그에게 고마운 뜻으로 한번 보았지만, 아무 말도 하진 않았다.

"그럼, 정말 어디서 내릴 건가요?"

"잘 모르겠어요."

그녀는 조용히 말했다.

사방 벽이 기다리고 있다.

기다리는 것은 소나무들과 견과 나무들도 마찬가지다. 작은 묘목이던 단풍나무가 몇 년 새 이제 큰 나무가 되어있다. 사람들은 이 단풍나무 아래서 쉴 수 있고, 둥치도 두꺼워졌다. 지붕의 처마 홈을 지탱하고 있는 서까래 끝에는 작은 새들이 앉아 지저귀고 있다. 봄이 되면 제비들이 날아온다. 지난해 태어난 그 제비들이 아직 자기 둥지도 갖지 않고, 구월 초순엔 그들은 다른 곳으로 날아간다. -그리고 이제 그 제비들은 생애 처음으로 자기 혼자서 스스로 둥지를 만들려 한다. 제비들은 보통 집의 남향에 둥지를 틀 장소를 고른다. 그리곤 그 자리에서 한 시절을 보내고는 다시 떠나 날아간다. ―그 때문에 홈통은 그들에겐 맞지 않는다.

풀밭에는 간혹 달팽이가 기어 다닌다. 특히 비가 오고 난 뒤, 그 달팽이들은 울타리 근처 습지에 나타난다. 그때엔 집주인이 풀밭을 내려다보며, 조심조심 다가가, 달팽이를 집어본다. 혹시 그게 산 것이면, 다시 습지로 보내 준다. 그 달팽이에게 말을 건네기도 한다. 고양이도 그런 평범한 날의 아침을 좋아한다. 집주인이 정원에 나서기만 하면, 언제나 고양이는 그 주인을 따라다닌다. 고양이는 자주 풀밭에 누워서는 쓰다듬어주기를 간청하며, 몸을 이리저리 뒤척인다. 그러면 그 주인은 그 고양이를 쓰다듬어준다.

다소 키 큰 견과 나무 아래 의자 4개와 탁자 1개가 놓여 있다. 하지만 보통 다른 3개 의자는 넘치고, 한 개만 있으면 충분하다. 그는 한 의자에 앉아 있곤 한다. 바람이 그렇게 세게 불지 않는 날에는 자주 그는 자신의 설계도면을 그곳으로 갖고 나온다. 그는 강변에서 주운 아름다운 조약돌들을 도면 주변에 놓고, 전자계산기 화면에 숫자들이 많아진다. 그의 머리 위로 대형 양산이 펼쳐있어, 여기서 잘 지내고, 그 풍경도 정말 아름답다. 하지만 그는 자주 슬픔을 느낀다. 정말 그는 혼자, 혼자다.

"아마 난 이 모든 것 때문에 많은 문제가 생기겠군." 처음엔 그런 생각에, 나중에는 부끄러운 생각이 들었다. 그에게 무슨 일이 일어날 것인가? 그리고, 더구나, 그는 그 점을 끊임없이 두려워해야 하는가? 그는 이 세상에서 쉰 몇 살의 나이까지 살았는데, 하지만 지금까지 그는 정말 문제를 일으키진 않았다. 그가 법정에 서 본 경우는 단 한 번, 이혼 소송 때였다. 경찰이 한 번도 그를 추적한 적이 없다. 어느 공공기관에서 그를 곤경에 빠뜨린 적도 없다. 하지만, 그의 인생길은 단지 유쾌함만으로 둘러싸여 있는 것은 아니다.

그는 다시 지금 이 순간에 그런 생각을 하고 난 뒤, 다시 그는 그 여인에게 시선을 돌려 보았다. '그녀는 자신이 어디에 내려야 하는지도 모른다? 그녀로서는 어디에 내리든지 똑같은가?'

"부다페스트는 충분히 큰 도시이지요." 그는 조심스럽게 말했다.

"마찬가지예요." 그녀가 고개를 내저었다.

그들 주변에 침묵이 흘렀다. 베르나트는 기계적으로 운전했으나, 그 자동차의 움직임엔 전혀 무관심했고, 마치 자동차 혼자 움직이는 것 같았다. 그는 머릿속에 자신의 집을 그려 보았다. 그가 지금 집에 도착하면, 그곳엔 아무도 자신을 기다리고 있지 않다. 그 출입문 손잡이는 차가울 것이고, 출입문은 끼-익-할 것이고, 그 소리만 유일하게 그에게 인사를 할 것이다. 개는 어떤 경우에도 짖지 않는다는 것을 배웠을 것이고, 그 개는 이웃집 여자가 밥을 주는 걸 잊을만하면 그때 가서야, 자신의 배고픔을 알린다. 그의 고양이의 두 눈엔 말 없는 비난이 -그리고는 끝. 그곳에는 다른 생물은 더 없다. 가구는 일상적으로 가지런해 있고, 어느 마루판이 삐걱거릴 것이고, 수도꼭지에서 물이 떨어질 것이고, 그리고 끝. 그는 자신이 마실 차는 직접 만들어 마시고, 작은 전등을 켜서 잡지와 편지들을 뒤적거리다가, 샤워하러 갈 것이다. 그는 그 샴푸 옆에서 여러번 든 생각은 '머리를 씻어 볼까…? 누굴 위해, 누가 그를 봐 주나?'이다. 나중에 그는 자신의 머리를 물론 씻는다. 하지만 정말 무의미하게만 바라볼 뿐이다. 벌써 여러 해 전부터 그는 아무와도 교제하지 않고 있었다. 하지만…. 그건 옳은 말이 아니다. 그가 부다페스트에 갈 때마다, 그는 이런저런 옛 여자 친구들에게 전화한다. 그들은 모두 이혼녀이다. 그들 중 한 친구는 그에게 오늘 오후에 시간이 있다고 말한다. 그러면 그는 차를 타고 그녀에게 가거나, 그들이 어느 호텔로 간다. 그들이호텔에 들어서면, 호텔 프런트 사람은 그에게 미묘한 웃음을 보내며 그에게 열쇠를 주고, 돈을 받아 호주머니에 넣는다. 그러한 것이 그의 인생이다. 여전히 언제까지?

"이름이 뭐요?" 그는 그렇게 묻는 자신에게 놀라면서도 말했다.

"남편 성을 따르자면, 라카토스요. 그이 이름은 산도르 라카토스이구요" 그리고 지금 그녀는 명쾌하게 이 말을 하면서 따뜻하게 웃었다.

"하지만 카타가 진짜 내 이름이에요."

베르나트도 그녀에게 웃음을 보였다. 잠시 그 웃음이 그 차 안을 가득 채웠다. 그 뒤 그 남자는 다시 자신 앞의 도로를 관찰하여 보았다. 벌써 그들은 부다페스트 부근까지 와 있었다. 카타도 그 점에 대해 뭔가 생각을 하고는 물었다.

"저어, 선생님은…. 부다페스트에 사시나요?"

"아니요, 더 멀리, 다뉴브강 항만(港灣) 쪽에요."

그는 그녀가 그 말을 이해할지 몰랐다. 그래서 그는 그 도시 이름도 말해 주었다. 곧 그는 자신의 앞으로 비탈진 산에나 있는 집들과 좁은 도로들, 저 멀리 푸른 산들, 교회 탑들을 보았다. 그를 기다리는 사람이 없는 집도.

"카타는 갈 곳이 없나 보네요."

그는 나중에 말했다. 카타는 고집스럽게 자신의 입술을 다물고 있었다. 그의 문장은 물음이 아니라, 단정적이었기에, 또 사실대로 말하였기에, 그녀는 할 말이 없었다. 베르나트는 뭔가 다른 걸 생각해 보려고 했으나, 그는 실패했다. 그는 어느 도로 모퉁이에서 그녀가 떠나가는 것을 상상해보았고, 그 혼자서 집으로 가는 걸 상상하면서, 여전히 시선은 내부의 백미러를 통해 붉은 치마와 하얀 블라우스를 입은 여성에 두고 있었다.

그리고… 그리고?

그는 조용히 더 운전하겠는가? 다시 그는 자신의 집을 보고는, 늦은 저녁에 끔찍한 침묵의 소리를 들으면서 잠을 청해야 한다는 생각이 들었다. 이웃집 개들도, 멀리서 달리고 있는 차들도 아무 도움이 되지 않았다. 그 침묵은 그 사방의 벽에 둥지를 틀고 있다. 베르나트는 벌써 그 점을 두려워하고 있었다. 그리고 그는 안다. 앞으로 자신이 병이 들 때도 있다.

'그저 이웃집 여자가 지금까지 그가 없을 때 그의 개를 지금처럼 보살펴 주듯이, 그도 돌봐 줄 것인가?'

"그럼 뭘 할 작정이오?"

그는 다시 물었다.

카타는 대답하지 않았으나, 그녀 존재는 무거웠고, 베르나트는 그 점을 느꼈다. 그가 자신의 차량을 세워 그녀를 태운 것에 대한 무슨 책임을 지려는 것처럼….

아니다, 그것은 이미 아니다! 그로서는 다른 이유로 책임을 느꼈다. 이혼했기에 그런 감정에서 벗어났다. 또는 그가 그 점만 희망했던가…? 베르나트는 지금 그녀를 한 번 더 쳐다보았다. 그 여성은 지금 아가씨처럼 그렇게 젊다…. 그러자 베르나트는 좀 온화한 마음이 생겼다.

'그녀가 뭘 할 수 있을까? 그녀는 집시의 집으로, 악취 나는 남자 녀석들에게로 돌아갈 것인가? 이 도시가 그녀를 집어삼킬 것인가? 창녀촌으로? 아니면 시 외곽의 임차한 방에서, 방직공장에서 일만 죽도록 할 것인가? 5년 뒤면, 그녀의 실제 어머니조차 변해 버릴 딸을 몰라볼 것이다. 그런 종류의 일은 여성을 황폐하게 해 버린다.'

3. 내 제안이 그녀 맘에 들지 않으면

그들 앞에는 벌써 높은 집들이 나타났다. 태양은 산등성이에 걸려 있고, 그 빛은 약했다. 베르나트는 숨을 한 번 크게 쉬었다.

"요리 할 줄 알아요?"

그가 물었다.

카타는 몸을 흔들었고, 아마 그녀 생각은 의식을 아주 저 멀리 안내하고 있었다.

"네."

그녀가 대답했다.

"빨래는요? 다림질은? 건물 청소하는 일은?"

"한때 사무실에서 일했어요," 그녀는 말을 시작했다. "그곳에선 모든 걸 해야 했어요. 커피도 끓여야 했어요." 그녀는 진지하게 덧붙여 말했다. "그리고 몇몇 여성은 나를 자기 집으로 불러 청소 일도 시켰어요."

"한 달에 얼마를 벌였어요?"

"삼천, 그리고 청소까지 해 주면 더 받았어요…."

"당신을 착취했군요."라고 베르나트가 말하고 싶었으나, 그는 이 여자는 그런 말은 정말 이해하지 못하고 있음을 알았다. 그는 여전히 생각에 잠겨, 주저하고 있었다.

'넌 아직도 이 여성을 붙잡아 두고 있을 수 있겠어.' 그는 자신에게 말하고는 곧 결심하여 말했다.

"내 곁에 있으면 더 많이 벌 수 있을 거요."

그는 힘주어 말했다.

카타는 말이 없었다.

베르나트는 조금 쉬었다가 말을 이어갔다.

“난 단독 주택에 혼자 살고 있어요. 그곳엔 청소해야 할 장소가 너무 많아요. 그리고 나는 집에서 일하니, 매일 나의 점심 준비를 해야 하오. 겨울엔 땔감은 준비하지 않아도 되고요. 난 자동 난방 장치가 있어요. 정원은 그리 넓진 않지만, 그곳의 일은 내가 할 것이고. 그리고 한 번씩 시장도 가야 할 거요.”

“나더러 선생님 곁에서 일해 달란 말씀인가요?”

그녀 음성은 지금 진지했고, 놀라웠다.

베르나트는 고개를 끄덕였으나, 그는 그녀를 쳐다보진 않았다.

“내 제안을 고려해 보세요.”

그때 침묵이 흘렀다. 그들은 대도시의 교외를 달리고 있었다. 베르나트는 공항으로 시선을 향하고 있고, 처음의 붉은 신호등에 멈추어 섰다. 그러고 그는 다른 자동차들의 행렬을 따라 더 운전해 갔다. 교통과 어둠이 더욱 혼잡하고 밀집되어 있었다. 전등들이 밝혀지고, 고층건물의 맨 꼭대기에는 햇빛이 남아 있었으나, 그마저도 이제 사라져 버렸다.

둘 중 아무도 먼저 말을 꺼내지 않았다. ‘내 제안이 그녀 맘에 들지 않으면, 그녀는 이 도시에서 내려 달라고 할 것이다.’ 그는 그런 생각을 하며 운전을 계속했다. 다뉴브 다리에서 그는 그녀가 아무 말을 하지 않을 것을 느꼈다. 그리고 그 여인은 아무 말이 없었다. 베르나트로서는 조금 화가 났다. ‘이 여자는 전혀 낯선 남자의 차에 들어와, 어디로 향하는지 모르면서 그녀 자신을 내버려 두고서, 당장 첫 제안을 받아들이다

니?'

그러나 잠시 뒤, 그런 느낌은 그에게서 사그라졌다. '정말 뭘 모르는 부인인…. 라카토스는 그렇게 불행하구나. 그라면 똑같은 상황에서 어떻게 행동할 것인가? 저렇게 젊고, 아무것도 가진 게 없는데?'

그는 그 다리 위를 지나 방향을 틀자, 차에 속도를 더 붙였다. 그들은 이젠 대도시를 빠져나가고 있었다. 카타는 여전히 말이 없었다.

판사는 주위를 둘러보았다.

지금부터는 뭔가를 이제 참고 있을 수 없음을 알자, 심리가 다시 시작되었다. 그들은 벌써 첫 심리를 끝내놓고 있었다. 그 동안 판사는 여러 번 주위를 둘러보았다. 모든 얼굴마다 진지함이 보인다. 그 점 때문에 그는 놀라지 않았다. 사람들의 가장 많은 시선이 그 자신에게 향하고 있었다. 그래서 그는 이제 말을 해야 했다.

"먼저 본 법정은 라카토스 부인이 이 도시로 오게 된 경위를 알아야겠습니다. 사로시 씨 집으로 오게 된 구체적인…. 사로시 씨 인근에 사는 몰나르 부인을 피고인 측 증인으로 채택합니다."

다뉴브 항만에서 그는 운전을 계속하면서 이미 알았다. 카타가 그의 집으로 같이 가기를 결정했음을. 그도 그런 생각에 이젠 익숙해졌고, 그녀가 거주할 곳을 어디로 할지 머릿속에 결정해두어야 했다. '다행스럽게도 그녀는 많은 짐을 갖고 있지 않군.' 그는 그런 생각이었다.

갈색 가방 한 개가 그녀 발아래 놓여 있었다. 그 도로엔 이제 차량도 뜸하고, 해가 지고 있었다. 그들이 어느 마을을 지나고 있을 때, 길가의 가로등이 신경질적으로 뒤로 달아났다.

멀리서 다뉴브강이 반짝이고 있고, 나중에는 —이제 벌써 밤이다. —그 자동차는 어느 시내로 들어섰다. 어둠 속에서 집들이 뛰어나왔고, 전등, 창문과 익숙한 길도. 베르나트는 어느 옆길로 확실히 들어섰고, 그 길은 다른 좁은 길로 네 갈래로 뻗어 있고, 그중에 자신이 사는 거리로 들어섰다. 어느 이웃 여자가 보기라도 한다면, 어느 여자와 함께 온 걸 안다면, 침을 뱉을지도 모를 것이다. 하지만, 그에 대해 누가 잘못된 뭔가를 할 권리가 있는가? 하지만, 이 소도시의 관습을 알고 있는 그로서는 '침을 뱉는 일부터 시작되지 않는 것이 더 나은' 것을 알고 있었다.

그 뒤 그는 그것마저 잊어버렸다.

정원이 있는 대문 앞에 차를 세웠다. 그리고 말했다.

"내가 대문을 열겠어요."

그 문장은 "내가 여기에 살고 있음"과 "당신도 여기서 살게 될 것"을 표시하고 있었다. 카타는 궁금한 듯 주변을 둘러보았지만, 어둠 속에서 그녀가 본 것은 이웃집들의 기둥들이고, 나무 몇 그루 정도였다. 대문이 열리자, 베르나트는 자신의 차에 되돌아와, 차를 마당으로 끌고 가, 다시 그 차에서 내려 대문을 닫았다. 그러자 벌써 개 한 마리가 그에게 다가왔고, 그가 쓰다듬어주는 손에까지 뛰어올랐다. 그리곤 일행이 있음을 알아차리고는, 그 때문에 놀란 듯이, 어떤 행동을 해야 하는지를 몰라, 자동차 옆에서 결정하지 못한 듯이 서 있었다. 베르나트가 자신의 차를 차고에 넣었다.

"자, 우린 집에 도착했어요."

그가 말했다. 카타는 이제 그 차량에서 내렸다. 먼저 그녀는 나무들을 보고, 이곳이 숲이라고 믿었다. 그 뒤 뭔가 그녀 앞에서 움직였다. 개가 주위를 배회하며, 그녀에게 다가와, 그녀 치맛자락에 냄새를 맡기 시작했다. 카타는 이 짐승에게 손을 뻗칠 용기도 나지 않았다. 그녀는 느꼈다. 이 개는 외부의 무서운, 집시들이 사는 구역에 사람들의 발길에 자주 차이는 개들과는 다른 개였다.

차고 출입문이 끼-익- 소리를 내기 시작하더니, 그 안에서 불이 노랗게 켜졌다. 베르나트는 차를 안으로 몰고 들어갔다가 뭔가를 생각해 내고는, 다시 전등 근처로 왔다. 카타는 지금 기회를 이용하여, 그를 살펴보았다. 그는 좀 머리가 하얗지만, 늙지는 않았다. 아직은 아니었다. '여기서 저 사람과 함께 산다니? 저이가 정말 다른 사람 없이 혼자 산다면, 그럼 그들 두 사람, 두 사람만 살게 되는 걸까?' 그 점을 그녀는 이제 조금씩 걱정이 되었다. 정말 그 사람은 전혀 낯선 사람이다. 그녀는 다시 거리를 한번 쳐다보았다. 아직도 그녀는 생각해 볼 수 있을 것이고, 가방을 들고 갈 수도 충분히 있다.

'그런데 어디로 간담…?'

베르나트는 차에서 그녀의 갈색 가방을 꺼내, 그녀에게 건네주고는, 차고 출입문을 닫았다. 개 한 마리가 그들을 따라왔고, 때때로 다정하게 주인에겐 꼬리를 흔들었지만, 손님에게 동시에 주저하며 시선을 보내고 있었다. 그 남자는 외부 전등을 켰다. 작은 테라스에는 열쇠가 자물통 안에서 끼-익- 소리를 냈다. 문 사이로 틈이 생겼을 때, 고양이도 다가와, 자기 집으로 몰래 들어 왔다. 그 고양이는 주방에서 먹이를 구하러 왔다.

카타는 현관 입구에서 멈춰 서서, 깜짝 놀라 말했다.

"정말 큰 집이네요!"

"이곳에선 청소할 일이 많다는 말인가요?" 베르나트는 웃음을 살짝 지어 보이고는 그녀 뒤로 현관문을 닫았다. 이 순간에도 이 여자는 여전히 방문객 같았다. 그녀는 자신의 가방을 내려놓았다.

"이리 와요. 내가 모두 설명해 줄 테니."

카타는 뭔가 이해되지 않음과 걱정이 마음속에 생겨나, 이런 감정을 억제하느라 무진 애를 썼다. 하지만 이 모든 것은 의식의 표면에서 일어났지만, 더욱더 깊은 심층을 건드렸다. 카타는 주방을 한번 둘러보고는 부러움을 감추지 않았다. 그녀 자신이 느끼기를 그녀가 이것저것 건드려 볼 엄두가 나지 않았다. 그 여인은 지금까지 자신이 청소일을 해왔던 집에서조차 한 번도 보지 못한 그릇들이 놓여 있음을 보았다. 얼마나 크고 안락한 아름다운 식탁인가. 가스 요리기구며, 대용량의 냉장고…. 나중엔 그가 욕실로 안내했다. 그녀는 다른 집에서도 이와 비슷한 것을 보았지만, 이 욕실은 그런 집의 것보다 더 크고 휘황찬란했다. 한때 베르나트는 타인을 위한 집을 지을 때면 욕실을 아주 세심하게 설계해 그 집주인이 쓰기 편하도록 배려했다. 그는 크림 색깔의, 파스텔 분위기의 서양식 타일과 아주 엄선해 고른, 어떤 색깔의 꽃이 지저분한 것을 없애려고 단색의 손수건들을 바라보며 뽐내었다. 그는 자신이 소유하고 있는 이 욕실에 대해 자랑하고 싶었지만, 카타의 두 눈에서 경탄의 모습을 보자, 좀 연민의 정을 느꼈다. '이 가난한 여인은 필시 이런 욕실을 한 번도 이용해 본 적이 없구나.'

그는 그녀를 쳐다보았다. 카타가 결혼한 여자로 보이진 않았지만, 집시들 사이에서는 이미 그녀는 결혼했다. 그녀 살결은 더 하얗게 보였고, 그것으로도 그녀 출신이 어딘가를 알아볼 수 있을 정도였다. 그 특징적인 모습과 크지만 어두운 두 눈, 그리고 붉은 치마. 저 옷은 그녀가 벗어버려야 할 것이다. 베르나트는 그때 이미 앞으로 이 여자에 대해 신경을 많이 써야겠다고 생각해 두었다. 그러나 그는 재빨리 생각을 바꿨다.

"이곳으로 와 봐요."

그는 카타에게 먼저 낮에 자신이 일하는 작업실을 보여주고, 나중에 위쪽으로, 한때 단순히 다락으로 썼던 층으로 그녀를 안내했다. 그는 그 다락의 천정을 높여 그 구조를 바꾸었다. 그는 마당에 쌓아둔 수많은 기와 덮개를 기억해 냈다. 두 번이나 거의 떨어질 뻔한, 옥상을 좋아했던 자신의 술 취한 모습이 생각났다. 그러나 그런 생각은 그의 머릿속에만 있었다. 이런 일은 벌써 이혼한 뒤의 일이었지만, 그의 한때의 아내조차도 그 사실을 몰랐다. 그만이, 그 자신만이.

지붕은 지금 새롭고 예쁘게 단장해 두었고, 벽은 사방을 목재가 덮고 있었다. 그것은 정말 성공적이었고, 그로 인해 특별한 분위기를 자아냈다. 작은 방 하나. 큰 방 하나. 창도 없고 그곳엔 가방만 있다. 이젠 사용치 않는 셋째 방이 따로 있었다. 그래 이런 것도 있으니, 좋다.

"모든 것을 갖춘 이곳이 선생님 댁인가요?"

카타는 아직도 적절한 단어를 찾고 있었지만, 베르나트는 그녀가 아직도 그 자신의 이름을 모르고 있다는 생각이 들었다. 그가 그녀 목소리를 들으면서, 그녀가 놀랄 땐 전혀 다른 목소리를 내는구나 하고 생각했다.

"베르나트 사로시라고 해요. 한때 난 아내도 있었지만, 우린 헤어졌어요. 딸도 하나 있지만, 그 아이는 엄마와 함께 살고 있어요."

그러나 그는 자신의 딸에 대해 말하지 않았다. 그는 등을 돌려, 전기 스위치 위치를 그녀에게 가르쳐 주고는, 그녀를 다시 더 작은 방으로 안내했다.

"이 방에서 생활하면 됩니다."

카타는 이 방 문턱을 지나면서 자신의 두 눈을 감았다….

…슈치는 술에 취한 채 웃어댔다. 고약한 술 냄새가 났고, 작은 집 출입문은 발길질할 필요조차도 없었다. 한번 건드리기만 하면 그 출입문은 넘어지니. 아주 고약한 냄새가 그 집 안에 진동했고, 분위기는 답답했다. 슈치는 그녀 어깨를 당기면서, "이리 와, 너-어-어-…." 그곳에선 마침내, 그녀가 그곳 밝음에 자신의 두 눈이 익숙해졌을 때, 보니 사방이 컴컴했다. 그녀 발에 방바닥에서 이미 자는 사람이 건드려졌다. 어린아이였다. 여기서도 -모든 다른 집에서와 마찬가지로 -어디서나, 어른과 아이들이 함께 누워 자고 있었다. 다른 어떤 사람도 주위 사람에 개의치 않고 코를 골며 자고 있었다. 집 밖 마당에는 결혼식에 참석한 손님들이 여전히 떠들어 대고 있었다. 축하하러 온 악사들도 이제 피곤한 채, 자기 악기의

현을 씹고 있었다. 사람들은 춤도 추지 않았다. 새벽이 가까워지고 있었다.

슈치가 어느 매트리스 위로 카타를 밀쳤다. 카타는 아무도 자신에게 말해 주지 않았지만, 이곳이 자신이 살아갈 곳이구나 하는 생각에 잠겨 있었다. 지금 모든 사람의 관심이 자신에게 가 있음을, 또 분명 그들이 그녀 나신을 보고 있음을, 슈치가 자신 위에서 헐떡거리고 있음과, 또 자신이 지저분한 매트리스에 누운 채 좌우로 고개만 흔들고 있음을 알고서 좀 부끄러웠다.

…지금 그녀는 전등을 바라보았다. 이곳에 있는 전등은 얼마나 밝고, 얼마나 푸른가! 향기가 널빤지에서 배여 나오고 있음을 알 수 있었다.

"때로 청소해주는 아주머니가 오긴 하지만, 이젠 그분도 오지 않아도 되겠군요." 그녀 뒤에서 그 남자가 말했다. "침대 아래쪽에 이불 있어요. 오늘은 너무 늦었어요. 샤워하러 먼저 가요. 난 나중에 이용할 테니."

그리곤 문이 닫혔다. 그리고 카타는 혼자 남았다. 그녀는 발뒤꿈치를 들며, 교회에서처럼 조심스레 걸어 보았다.

베르나트는 지금 뭘 더 해야 할 것도 없었지만, 그래서, 그녀를 위한 시간을 내주기로 마음먹었다. 그래서 그는 자신이 평소 일하는 방으로 가, 책상에 놓인 설계도면을 내려다보았다. 그는 아무것도 만지진 않고, 이곳저곳으로 걸어 다녔고, 그가 오늘 한 일이 잘 되었는지 확신이 전혀 서지 않았다. 하지만 그렇게 생각하기엔 시간이 이미 지나버렸고, 베르나트는 무슨 사실을 인식하고 처리하면, 아무것도 후회하지 않는 성격이었다.

잠시 뒤 그는 두려움으로 조심스럽게 발걸음을 내딛는 소리를 들었다. 카타가 계단 아래로 내려가고 있었다. 고양이는 이미 저녁을 먹은 뒤라, 잠시 뒤엔 되돌아갈 걸 알면서 자신의 눈앞에 앉아 있었다. 베르나트는 방문 안쪽에 멈추어 서서, 카타가 얼마나 조심스럽게 욕실 출입문을 여는지, 마치 그녀 앞에 폭탄이 기다리고 있다는 듯이 듣고 있었다.

'두려워하고 있구나, 저 불쌍한 여인은,' 그는 그런 생각으로 안심하는 표정이었다.

그는 밖으로 나와, 고양이를 한번 어루만져 주고는, 밤의 모험을 즐기도록 내버려 두었다. 고양이는 머리와 귀에 상처를 자주 입었다. 이 고양이는 우아한 암고양이를 두고 다른 고양이들과 크게 싸운 적이 있다.

그리곤 그는 출입문을 닫고 여러 전등을 끄고는 자기 방을 갔다.

그곳에서 그는 그녀가 자신의 작은 방으로 되돌아갈 때까지 기다렸다가, 잠옷으로 갈아입고 욕실로 갔다.

그리고 욕실에서 나온 그는 침대에 누워 잠들지 않은 채 오래 있었다.

4. 오셔서 아침 식사하세요

판사는 불만스럽다는 듯이 고개를 가로저었고, 검사도 만족하지 않는 눈치였다. 하지만 이것은 시작뿐이라고 마음속으로 다짐을 한다. 피고인 측의 이웃집 여자의 진술에는 새로운 소식은 없었다. '그럼, 도대체 베르나트 사로시는 그 여인을 어디서 데려왔단 말인가? 어느 날 갑자기 그 여자가 그곳에, 그 도시에, 그 남자 집에 있었다니.' 경찰이 심리에 앞서 등기소에서 확인한 사항뿐이다. 사로시는 자신의 의무를 다했고, 그 여인을 자신의 주소에 등록도 했다. 그 여인이란…. 라카토스를 말하고 있다. 여기 명백하게 드러난 관련 조서에서 그런 사항을 볼 수 있었다. 하지만 소도시에서 이런 일이 쉽게 일어난 적은 한 번도 없었다. 그것도 재판정이 모든 것을 알고 있다면, —아니, 그것을 알고 있다고 믿고 있다.

변호사가 손을 들자, 판사가 그쪽을 쳐다보았다.

"변호사님, 말씀하세요."

젊은 변호사는 본능적으로 자신의 넥타이를 한번 고쳐 맸다. '지금 이 남자는 승리의 넥타이를 매고 있는가?' 판사는 다시 생각에 잠기고는 스스로 그 생각에 깜짝 놀랐다.

"우리가 아는 한, 피고인이 나쁜 의도로는 라카토스 부인을 자신의 차량에 태워 자기 집에 왔다는 걸 전혀 입증할 수 없음을 나는 밝혀 둡니다."

"그 점을 아무도 지적하지 않았습니다." 판사가 말했다.

"감사합니다. 그 점을 듣고 싶었습니다." 그리곤 변호사는 서둘러 자신의 자리에 앉았다.

판사는 자기 입장을 강조해 말했지만, 방청석에서 그의 입장을 알아차린다면 그건 좋지 않다는 생각을 하며 불만스럽게 입맛을 다셨다. 방청객은 일천 개의 눈을 갖고 있다. 피고인들은 보통 판사 표정을 통해, 앞으로 일이 어떻게 진전될지 알려고 한다. 판사는 자신이 그들 입방아에 오르내리는 걸 싫어했다.

"계속합시다." 판사가 재빨리 말했다. "다음 증인…." 그러고 그는 증인 이름을 찾느라고 자신의 서류를 뒤적거렸다.

첫날의 아침은 그들 두 사람의 기억에 오래 남아 있었다. 베르나트는 습관대로 아침 7시에 깼지만, 여전히 몇 분간 바로 누워 있었다. 그러면서 오늘 할 일을 천천히 생각해 봤다. 오늘도 설계 책상 앞에서 일해야 하고, 벌써 오래전에 어느 빌라 설계를 끝마쳤어야 했다. 더 오랫동안 그도 기다릴 수도 없었다. 그 일을 마무리하면, 설계 대금을 받을 수 있기 때문이다. 그 돈으로 생계를 꾸려 나가야 한다.

둘째 생각은 카타에 관한 것이었다. 몇 개의 벽 뒤에 자고 있는 또 다른 한 사람. '그녀는 아직도 자고 있을까?' 그는 궁금했다. 창밖 허공에는 벌써 참새들이 날아다니고 있고, 때로 그는 제비들이 더 빠르게, 더 날카롭게 울어대는 소리도 들을 수 있다. 견과 나무의 나뭇잎들이 벽에 움직이지 않는 그림자를 만들어 놓고 있다. '아주 날씨가 좋구나. 바람 한 점 없는 날씨구먼.' 그는 생각했다. 베르나트는 바람 부는 날이 싫다. 좀 더 누워 있다가, 이제 몸을 일으켜 세워, 자리에 앉았다. '카타는 아마 그가 일어나 움직이는 인기척을 듣지 못했기에 아마 잠자리에서 일어나지 못하는 거야. 불쌍한 여인, 그녀는 이 집의 습관에 대해 아는 것이 전혀 없다. 어제저녁 그녀에게 내가 말해 두는 걸 잊었다. 오늘 아침에 먼저 일어나야 하는 사람이 누구인가? 또 무슨 일을 해야 하는가?'

그래서 베르나트는 서둘러 침대에서 나와, 옷을 갈아입었다. 그는 욕실로 향하면서 의도적으로 소리를 내고는, 재빨리 면도했다. 그는 아침 7시가 되면 세계의 여러 뉴스를 듣지만, 오늘은 라디오를 켜지 않았다. 그가 자기 턱의 비누 거품을 밀어내고 있던 그때, 그는 방문이 조심스럽게 열리는 소리를 들을 수 있고, 나무 계단에서 사뿐사뿐 내려오는 발걸음 소리도 들려 왔다. 그는 급히 얼굴을 씻고는 밖으로 나왔다.

카타는 어젯밤의 입던 옷차림으로 계단에서 아주 멍하니 서서는, 또 아주 긴장하여, 그에게 인사하는 것도 잊어버렸다. 그녀의 두 눈엔 작은 동물에 대한 두려움이 보였고, 베르나트는 그 점을 알아차렸다.

"일어났군요, 카타. 잠은 잘 잤어요?" 그는 그런 두려움을 못 본 체하는 편이 낫겠다고 본능적으로 느꼈다. 그럼 그녀가 다른 뭔가로 무서워할 수 있는가? 베르나트는 그녀가 이미 겪어온 것에 대해 아직 몰랐지만, 지금 그녀가 이곳에선 아주 낯설게 느끼고 있음을 볼 수 있었다. 아직도 낯설다. 그는 카타에게 자신은 매일 아침 욕실에 간다며, 욕실이 하나밖에 없으므로 카타가 그보다 먼저 일어나 이용해 주었으면 좋겠다고 말하고는, 주방에 가서 아침을 준비하는 것이 좋겠다며 조용하고 분별력 있게 설명해 주었다.

"그럼, 무슨 음식을 준비할까요?"

그녀가 물었다. 점차로 그 여인은 정신을 차리고는, 걱정도 사그라졌다. 베르나트는 자신의 경험이 다시 성공했음을 보고는 두 사람이 함께 주방으로 갔다. 그가 앞장서고, 그녀가 뒤따랐다. 카타는 이미 낡은 플라스틱 슬리퍼를 신고 있다. 베르나트는 그런 걸 싫어했지만, 그런 점을 지금 말할 시기가 아니었다. 그는 이 젊은 여성이 마치 우단 같은 얼굴을 하고 있고, 그녀 피부가 흡사 장밋빛 같다는 것 외에 그 점만 주목했다. 그는 그녀가 정말 잠을 푹 잤음도 그는 머릿속으로 확인했다. 그는 그녀에게 무엇이 어디에 있으며, 그가 지금까지 무슨 그릇으로 우유를 데웠는지, 어디에 커피가 있는지, 우유에 커피를 얼마나 섞어야 하는지 등의 모든 것을 가르쳐 주었다. 빵, 칼, 버터가 어디에 있는지도 알려 주었다. 그는 냉장고가 있는 곳도, 소시지가 있는 곳도 또 작은 식품창고도 가르쳐 주었다. 접시, 식기, 테이블 천까지도. 그리고 이젠 더 많이 도와주지 않는 편이 낫겠다고 말하고는 그는 그녀와 헤어졌다.

베르나트는 자신의 방에서 이리저리 어슬렁거리다가, 마당으로 내려왔다. 그는 개와 고양이에게 먹이를 주고는, 이런 일도 나중엔 그녀가 할 것이라는 생각이 들었다. 그는 정원에서 조금 산책하기로 마음먹었고, 아직 시간이 있음을 알았다. 첫날은 '가정부'로서도 정말 힘든 날이었으리라.

그의 배에서 이미 배고픔을 알리는 소리를 들을 정도였다. 베르나트는 큰 소나무 아래 멈추어 섰다. -이 나무는 이 정원에서 키가 가장 큰 나무다. 이 남자는 그가 이 나무를 가까운 숲에서 옮겨 심었을 때, 키가 몇십 센티미터밖에 되지 않았음을 아직도 기억하고 있었다. 그는 어느 해 1월 말에 그 나무를 플라스틱 통에 담아, 그것을 차에 실어 시내로 왔다. 그리고 다시 심었다. 마치 기적이 일어난 것 같았다. 그 봄 이후 그 나무는 자라기 시작했는데, 보통 1년에 10cm 이상 자라지 않는 나무라고 알고 있었지만, 3~40cm 이상씩 자란 것 같았다. 지금 이 나무는 벌써 크게 자라 키가 이 집보다 더 크다. 베르나트는 거의 매일 아침 이 나무 아래 서서는 자랑스럽게 그 나무를 올려다보았다.

이제 그는 시간이 얼마나 더 지났는지 몰랐다. 풀 위로 나 있는 돌로 된 출입구에는 플라스틱 슬리퍼를 끄는 소리가 들려 왔다.

"베르나트 선생님, 오셔서 아침 식사하세요."

"그것 잘 되었군요. 난 벌써 배가 고파요!"

베르나트는 착한 마음씨를 가진 사람이었다. 그는 이제 주방으로 갔으나, 그곳에서는 자신의 즐거운 표정이 곧장 사라졌다.

테이블 천 위에 놓여 있는 음식은 그가 좋아하는 것과는 딴판이었다. 이런 것은 그가 아직 참을 수 있을 것이다. 그는 자리에 앉고서 몇 가지가 부족함을 알았다. 동시에 그는 옆눈으로 그녀를 바라보았다. 그녀는 좀 고개를 숙인 채 서 있었지만, 다시 걱정에 휩싸여 있었다. 베르나트는 한숨을 들이쉬었다.

"그럼요, 시간이 지나면 모든 걸 배우게 될걸요. 커피는 어디 있어요?"

아침 식사는 작은 실수들로 시작되었다. 베르나트는 누군가 자신을 쳐다보고 있음엔 익숙하지 않았다.

'그에게 봉사하기 위해 한 사람'이 주방 한 모퉁이 서 있으니, 마치 그의 얼굴을 유심히 관찰하는 개와 같았다. 그리고 그는 그런 모습을 오래는 참고 있을 순 없었다.

“저어, 이리 와서…. 내 앞쪽에 앉아요. 배고프지 않아요?”

“예…. 정말 배고파요….” 그녀는 조심스레 말했다. “다만 두 사람이…. 같이…. 식사하는 걸 생각해 보지 않았어요.”

“왜, 안돼요?” 베르나트는 빵을 집어 들었으나, 이 빵이 자신이 좋아하는 빵보다 더 두껍게 잘려있었지만, 그 때문에 뭐라고 하진 않았다. ‘시간이 더 필요할 거야.’

그녀는 주저하면서 앉았다. 그녀는 우유를 섞은 커피를 붓고는, 걱정하면서도 마셨다. 베르나트는 말없이 버터를 그녀에게 내밀었으나, 나중엔 그녀를 보지 않는 것처럼 했으나, 눈앞에는 하얀 블라우스와 그녀 팔이 움직이는 걸 보고 있었다. 나중에 그는 다시 눈을 들었다. 카타는 고양이가 나타나 어쩔 줄 모르는 생쥐가 된 것처럼 곧장 가만히 있었다.

“모든 것은 배우면 돼요.” 그는 평온하게 말했다. “지금은 먹도록 해요. 나중에 그릇들을 씻어 주고, 벽장을 들여다보면 뭐가 있는지 알게 될 거요. 식기들은 저 서랍 안에 있어요.” 그는 그 자리를 알려주었다.

“이 빵은 굳지 않도록 천으로 싸 둬요.”

“우리 집에서도 똑같이 해요.” 카타는 마침내 뭔가가 이곳에서도 같음을 발견하고는 기뻐했다. 베르나트는 조금 웃고는 다시 카타를 바라볼 뿐이었다.

그는 지금도 자신이 가정부를 두게 된 걸 믿기지 않았다. ‘이제부터 이 여인이 이 집에서 살게 된다? 얼굴은 긴장되어 있고, 얼굴 중앙의 두 눈은 커다랗다. 머리는 갈색이 아니었다. 모두 검정 머리 같아 보였다. 그래, 언제나 우성이 이기는 법이다. 이 경우에는 그녀 아버지의 유전적 기질이….' 다시 그는 값싼 향수를 맡을 수 있었다. 그는 이런 것에서도 그녀를 벗어나게 해 주어야 했다. 마치 그가 가르쳐야 할 어린아이를 데려온 것과 같은 느낌을 잠시 받았다.

"우린 잠옷도 사게 될 거요. 그리고 슬리퍼도요." 그는 용기를 내서 말했다.

카타는 듣기만 할 뿐, 아무것도 이해되진 않았지만, 고마움을 나타냈다.

그리고 며칠이 지났다. 그 남자에게는 집안에서의 안정뿐만 아니라, 자신에게도 남자로서도 안정이 되찾아 왔다. 건물, 나무, 정원, 가축은 이전과 같았으나, 어찌 되었든지 모든 것이 달라졌다. 그는 자주 화를 좀 내야 했다. 처음에는 카타가 첫날 일찍 말해 둔 것까지도 잊어버렸기 때문이다. 베르나트는 침묵하고 입술을 깨물었다. -그리고 카타는 그게 뭘 의미하는지 재빨리 알아차리고 자신의 잘못임을 깨닫고는 고개를 숙였다. 그가 그 여자를 아무리 비난해도 그 여자는 한 번도 변명하려고 하지 않는다는 점이 그의 마음에 가장 와 닿았다. 그녀는 어떤 변명거리도 찾지 않았고, 회피하려고도 하지 않았다. 그녀는 자신의 커다란 두 눈으로 베르나트를 쳐다볼 뿐이고, 그 때문에 그는 자신이 비난을 끝내기도 전에 말을 거두면서 손을 내저었다. 그리곤 그는 항상 덧붙였다. '시간이 지나면 이 여성도 익숙해질 거야.'

그리고 그는 이미 그런 신호들을 볼 수 있었다. 그 뒤 카타는 첫날처럼 6시 30분에 잠자리에서 일어나, 집안 여기저기로 다녔다. 베르나트는 그때쯤 자기 방에서 깨어나 새가 지저귀는 소리를 듣고 있었다. 매일 아침 약 10분간 그는 자신의 집의 견과 나뭇가지로 찾아와, 지저귀는 새소리도 들었다. 베르나트는 오늘도 잠시 뒤 그 새가 오기를 기다리는 것 같았다. 이 노래하는 새는 갈색의 작은 벼슬과 흑갈색 깃털을 한 채, 가까운 곳에 둥지를 틀고 있었다. 아마 그의 집 처마 밑 어딘가에, 사람들이 잘 다니지 않는 곳에 말이다. 보통 어린 새들은 자기 모습을 사람들에게 발견되지 않으려고 함은 당연하다.

그래서 오늘 아침의 첫 행사가 그 새의 출현이라면, 그 뒤의 행사는 카타의 분주한 움직임이다. 그 여인은 "베르나트 선생님"이 오실까 봐, 걱정이라도 되는 듯이 욕실에 오래 머물지 않는다. 그녀는 언제나 그 남자를 염두에 두고 행동하고 있었다. 그는 원시 율법으로 그녀에게 명령을 내렸던 남자들을 생각하고 있었다. 그녀 아버지만 집시 출신이긴 해도, 그녀 천성에는 이미 비슷한 율법이 많이 배여 있었다. 첫날 아침의 인사에서도, 그 사람 앞으로 아침 식사를 차리는 재빠른 손놀림에서도 그녀는 남자들을 이 세상 주인으로 여기고 있음을 보여 주고 있었다. 하지만, 베르나트는 카타가 자신을 언제나 가정부로 여기는 걸 원치 않았다.

아침나절에, 베르나트는 시내로 뭘 사러 나갔다. 그런 장보기에 그는 익숙해 있었지만, 그런 일도 어느 정도 시간이 지나면 카타에게 맡길 생각이었다. 집에 돌아온 뒤, 그는 작업실로 가서, 비스듬히 세워진 제도판 앞에 섰다.

그리고 나니 벌써 점심시간이 다가왔다. 그는 카타가 현관의 어두운 갈색의 바닥 타일 위에서 걸어오고 있음을 들을 수 있었다. 그 당시 발걸음은 문을 두드릴 때처럼 언제나 두려워하고 있었다.

"점심 식사예요…. 베르나트 선생님."

그는 임시방편으로 "베르나트 선생님"이라는 표현을 그녀가 쓰고 있는 걸 내버려 두었다. '아마 이 점도 시간이 지나면, 바뀌게 될 거야.'

아침 탁자에는 이제 모든 것은 그가 좋아하는 것으로 차려져 있었다. 물건들이 모두 제 자리에 놓여 있었고, 그녀 움직임도 안정되어 보였다. 그 여인은 더는 두려워하지 않았고, 그녀는 조금씩 이 건물의 주방과 청소기와 가구와 출입문들의 안주인이 되어 갔다.

그녀는 집안의 환기를 위해 낮에 열어야 할 것과 밤에 닫아야 할 것을 이미 알고 있었다. 요리하는 것도 그녀는 한층 익숙해졌다. 점심은 아침보다는 간단했다. 베르나트는 수프를 전혀 먹지 않았고, 그녀는 다행히 여러 음식을 만들 줄 알고 있었다. 하지만 아직 썩 많지는 않다. 그가 무슨 요리를 해 먹고 싶으면, 그가 직접 요리책을 가져와, 그 요리에 대해 카타와 상의하고, 카타는 실패하든 성공하든 그 요리를 해냈다.

오후 4시 -언제나 정확히 오후 4시에!- 그녀는 그에게 커피를 준비해 가져왔다. 베르나트는 그 시각엔 정원의 나무 아래 자신이 직접 짜, 만든 나무 탁자에 앉아 있었다. 그런 오후의 커피 한 잔은 하루의 여러 행사 중 절정이 되었고, 그러면서 동시에 라디오를 켜서 방송 프로그램을 듣고 있었다. 그리고 4시가 지나면, 그는 여러 신문을 읽어 나갔다. 날씨가 좋은 날이면, 새들이 그의 주변으로 날아다녔고, 저 멀리 시내에서도 단조로운 소음이 들렸고, 바람이 불면 단풍나무잎들이 소리를 냈다. 이런 것이 행복의 순간들이리라. 베르나트는 이미 잘 알고 있었다. '이 세상에는 위대하면서도 하나뿐인 행복이란 존재하지 않고, 작은 행복들만 있을 뿐이다. 마치 커다란 집을 구성하는 작은 벽돌들처럼, 그리고 우리가 그런 작은 벽돌들만이라도 손에 넣을 수 있다면, 그 벽돌들만이라도 우리 것이 될 수 있고, 커다란 집은 -그런 집은 온전히 실제로 존재하는가?- 누구에게도 속해 있지 않다. 그래서 사람들은 그 벽돌들로 인해 좋아해야 했고, 바로 그 때문에 사람들은 아주 즐거워한다.' 그는 자주 여름의 오후 나절엔 그 점을 생각했다.

그리고 나면 베르나트는 이제 더는 하루 일을 하지 않는다. 그가 온전히 자유로운 독립 건축가가 된 뒤로 그는 생각했다. '정말 오랫동안 나는 국가 기관에서 공무원으로 일했지. 20년 이상이나…. 이젠 내가 내 자신의 주인이 되어야 해.' 그는 그 점을 그렇게 자신에게 설명해 갔다.

여름에 저녁은 일찍 찾아오니, 그는 자신의 방으로 가서, 설계를 맡긴 집주인에게 편지를 써 보냈다. 그는 때때로 잡지에 광고를 내기도 하였다. 이 도시의 많은 사람이 그를 건축가로 알고 있었지만, 광고를 통해 이 나라의 다른 지방 사람들에게도 그가 하는 일을 알려야 했다.

주변에는 그가 손수 설계한 집이 여럿 볼 수 있고, 그는 자주 그 집들의 내부와 벽이 넓음을 기억해 냈다. 아니면, 그는 자신이 기억하고 있는 것만 믿고 있었다. 그의 기억은 지금까지 정상이고, 그렇게 늙지도 않았다. 하지만, 몇 가지 신호가 있고, 그는 이제 이것저것을 기억해 놓으려고 써 두어야 했다.

나중에 'TV 저널' 프로그램이 시작될 시간이고, 그래서 그는 안락의자에 앉아 자주 발을 높이 올려, 그 위에 두기도 하였다. 그는 이 세계를 바라보면서 사람들이 얼마나 미쳤는가를, 사람들이 서로를 어떻게 시간마다, 분마다 죽이는가를 보았다. 그때 그에겐 씁쓸함만 떠올랐다. 왜냐하면, 그는 그런 것에 대항할 아무것도 갖고 있지 않았다. 때때로 자신의 아픈 마음을 달래려고 그는 텔레비전 앞에서 큰소리로 웃기만 할 뿐이었다. 몇 년간의 외로움 동안 그는 이상한 습관을 갖고 있어도, 자신을 이상한 사람으로 여기지 않았다.

처음 2주간 그는 혼자 텔레비전을 보았다. 그는 이 시간대에 카타가 무엇을 하고 있는지 몰랐다. 아마 그녀는 자기 방에 있을 것이다. 하지만, 그때도 여러 번 그 두 사람은 복도에서나 주방에서 만나게 되었다. 베르나트는 그곳으로 사과나 마른 자두를 가지러 갔다. 그는 그런 과일들을 정말 좋아했다. 자주 그는 텔레비전 앞에 앉아 요구르트를 마시기도 했다. 카타는 여전히 그릇들을 씻고 있었다.

어느 날 저녁 그는 제안했다.

"들어 와서 봐요. 재미있는 영화가 방영되어요."

"제가 들어가도 되나요?" 그녀는 물었지만, 그를 바로 바라보진 않았고, 설거지하는 곳에서 무릎을 꿇은 채 찬장 안으로 청소 용구들을 밀어 넣었다.

"그럼, 그래요! 카타도 이 집에 살고 있지 않나요?" 베르나트는 잠깐 정말 화를 냈다. 하지만 그는 곧 습관적으로 평온을 되찾았다.

카타는 그에게 등을 돌린 채, 마룻바닥에 무릎을 꿇고 앉자, 그녀의 붉은 치마가 그녀 발을 가려 놓았다. 그는 벌써 첫날 그 점을 생각했음을 상기하고는, 지금에야 그의 의견을 말했다.

"우리 내일 옷 사러 갑시다."

"옷은 있어요." 그는 그를 향해 뒤돌아보며 말했다.

"두 점요. 세 점 정도면? 여성에겐 몇 점이 어울려요? 그걸로는 불충분하지요!" 베르나트는 큰 소리로 말했다. "더구나 카타가 집안일을 하려면, 그에 맞는 옷이 필요하다고요. 그리고 우린 목욕 때 입을 가운도, 앞치마도, 양말도 필요해요. 또 누가 알아요? 더 필요한 게 있는지도…. 카타가 직접 골라요. 자, 어서 들어 와요, 곧 영화가 시작된다고요."-그리고 그는 돌아보지 않고 방 안으로 들어가, 평상시 앉던 자리로 가서, 자신의 발을 올려놓았다. 그 작은 '논쟁거리'로 인해 그는 자두를 갖고 오는 것도 잊어버렸다.

그러나 카타는 모든 걸 잊지 않고 있었다. 그녀는 평소 사용하던 작고 하얀 접시에 자두를 담아 와서는 그의 앞에 놓인 탁자에 올려 두었다. 그리곤 되도록 베르나트에게서 멀리 떨어진 긴 의자 위로 앉았다.

5. 사로시와 라카토스 부인이 그곳에 들른 날

“증인 성명은요…?” 판사는 물었다. 쓸 채비를 하면서 펜을 집어 들었다. 판사 앞에는 종이가 놓여 있었다. 지금 판사에게 속기사를 보내 준 것은 기쁜 일이었지만, 녹음기에 대고 말하려고 심리를 끊을 필요는 없었다. 판사는 자신을 위해 필요한 것은 메모한다. 그래서 그런 자료들은 나중에 도움이 된다. 이곳 법정에서는 사람이 죽느냐 사느냐를 말하고 있다. 판사는 피고인을, 창백한 모습으로 있는 피고인을 한번 쳐다보았다. 그러고는 그는 증인을 신문했다.

“무라니 부인이 맞습니까?”

“예, 그렇습니다. 판사님”

“직업과 거주지는요?”

“<리베로> 백화점에 근무하는 직원입니다.”

“어느 부서입니까?” 판사는 사람들에게서 모든 말을 꺼내야 한다는 것이 판사 자신을 슬프게 했다.

“지금은 스포츠용품매장에 근무하고 있습니다만, 그땐, 저어, 그 앞에는 여성복매장에 일했습니다.”

“사로시 씨와 라카토스 부인이 그곳에 들른 날을 기억합니까?”

“예, 판사님. 그 두 사람이 같이 왔습니다. 단번에 저는 그 남자분을 알아볼 수 있었습니다. 그분은 국립 건축사업소에 근무하고 계실 때부터 알고 있었습니다….”

“그리고… 그 젊은 여성은요?”

“난 그 여자가 누구인지 몰랐습니다. 그리고 나는 사로시 씨가, 그분들이 여성복을 사고자 한다고 말씀했을 때 놀랐습니다. 어떤 것을요? 라고 제가 물었습니다. 그분은 잘 모르고 계셨습니다. 적어도 자세히 모르고 계신 것은 분명합니다. 결국, 그분은 모든 것을 그 젊은 여자 손님에게 맡겨 버립디다. 하지만 그 여자 손님은 뭘 사려고 하지 않았어요. 그래서 그분은 그 여자 손님에게 사도 된다는 점을 확신을 갖고 설명하였습니다. 마침내 그 여자는 옷을 몇 점 골랐지만, 그때마다 너무 비싼 것을 골라지나 않았는지, 색상이 그분의 마음에 들지 걱정을 많이 하는 것 같았습니다."

"그 점은 어디서 알게 되었습니까?"

"제가 그걸 볼 수 있었습니다. 판사님. 그 여자 손님은 그분이 어떤 의견을 갖는지를 궁금해하며, 언제나 그분만 바라보고 있었습니다. 그리고 간혹 그 여자 손님이 무슨 말인가 하기도 했습니다. 이것저것을요. 그분이 많은 돈을 지출하지 않도록 했으면 해서인지, 그분이 직접 골라 주었으면 한다는 말입니다. 그 여자 손님은 돈을 전혀 갖고 있지 않았습니다. 판사님! 그런 이유로 저는 그 점을 잘 알고 있었습니다. 돈이 없는 구매자들은 보통 그런 행동을 합니다." 이 중년 여성은 이젠 겁먹지 않고, 말을 주저하지도 않고, 말을 계속해 나갔다. 이 여성은 카타가 그날 무슨 옷을 입고 있었는지도 기억하고 있었다. 아마 이 여성은 젊은 집시 여성을 싫어하는 것 같았다. 판사는 지금도 여전히 시절이 여름임을 생각했다. 백화점에서 그런 물품을 구매하는 계절임을. 판사는 그 사건을 분석하고, 자세히 차례대로 취급하려고 했다. 그 당시 카타는 베르나트의 동행자일 뿐이었다. 그 이상의 아무것도 아니었다.

"그럼, 라카토스 부인이 자신의 의복을 골랐지만, 그 비용은 사로시 씨가 지급한 점을 강조하고 싶은 겁니까?" 판사는 마지막으로 물었다. 검사가 고개를 끄덕이고 있음을 판사는 얼핏 보았다. 그래, 그것은 검사의 질문이기도 한 것 같았다. 판사는 다른 쪽을 바라보진 않았지만, 변호사가 이번엔 정말 불만이 있음을 추측했다. 그 증인은 피고인에겐 전혀 도움이 되지 않고 정반대였다.

"그렇습니다, 판사님, 그렇습니다." 그 여자는 단정적으로 말했다.

어느 날 오전, 카타는 겁에 질려 그 남자의 방으로 달려와, 주먹으로 출입문을 두드렸다.

"베르나트 선생님! 베르나트 선생님…!"

베르나트는 그가 설계하고 있는 도면 몇 장에서 필요한 소요 자재 수량을 파악하려고 바로 계산을 하고 있고, 지금 이 순간에는 작은 벽돌의 소요량을 산출하려고 하고 있었다. 그러나, 그는 제도판 위로 계산기를 집어 던졌다.

"무슨 일이요?"

카타는 문턱에서 신경질적으로 발을 동동 구르고 있었고, 들어오려고 하지 않았다. 베르나트는 방문을 열고, 그녀의 얼굴을 보았다. 겁에 질림과 자기 억제가 동시에 얼굴에 나타나, '선생님'은 어떻게 처리할지 매우 걱정스러운 모습이었다.

"이제, 말해 봐요. 무슨 일이요?"

카타가 말없이 욕실을 가리켰다. 그들은 그곳으로 달려가, 베르나트가 그 안으로 들어 가 보았다. 하얀 거품이 바닥의 수도꼭지 배출구에서 나오고 있었다. 그 작은 거품 무리는 벌써 무릎까지 차올라 와 있었다. 그는 결심한 듯한 발걸음으로 욕조로 다가갔다. 그 안에도 똑같은 거품이 나오고 있었다.

"뭔가…. 선반에서 떨어지더니…. 욕조 안으로 곧장."

그리고 그녀는 숨을 헐떡였다. 베르나트는 지금 그녀 얼굴을 가까이서 볼 수 있다. 그러자 그는 용기를 내어 그녀에게 웃어 보였다. 카타는 지금 자신의 새 옷 중에서 연노랑 블라우스와 또 같은 색의 치마를 입고 있었고, 앞치마도 두르고 있었다. 그런 옷차림이 그녀에게 어울렸다.

베르나트는 물속에서 잘 생긴 그릇 하나를 꺼냈다.

"이건 샤워용 거품 액이네요, 카타. 이 액체는 물에 타면, 이렇게 나중에 거품으로 변해요."

"그럼, 거품은 어디에 써요?"

그녀는 두 눈이 휘둥그레졌다. 그녀의 암갈색 두 눈이. 베르나트는 그 그릇 물기를 없애고는, 욕조 위 선반에 다시 놓았다. 카타는 정말 이곳에서 청소하면서 욕조도 마저 청소하려고 했었다.

"그걸 쓰면 물도 살결도 미끈해지고 향기도 좋아요." 베르나트는 대답하고는 욕실 바닥을 가리키며 말했다.

"저것도 거품일 뿐이요. 두려워할 필요가 없어요. 그건 그렇고, 목욕하려면 욕조에 그걸 좀 적게 흘러내려야 해요…. 그것도 나중에 배우게 되어요. 이제 저걸 손으로 집어, 저 욕조 안에 넣어, 욕조에 물을 더 틀어 봐요. 그러면 그게 사라질 거요."

그는 문턱에 서서 뒤돌아보니, 카타는 욕조 앞에 우두커니 웅크리고선 채 거품만 내려다보고 있었다. 뭔가 원초적 두려움이. 그녀는 거품을 정령들이 만들어 낸 장난으로 믿고 있었다. 그런 두려움이 생겨나, 무작정 커져 버렸으니!

베르나트의 두 눈엔 즐거움이 반짝거렸다.

"저녁에 샤워하면서 저 거품 액을 한번 써 봐요. 저게 얼마나 포근한 느낌을 주는지도 알게 될걸요."

그는 그 점을 진지하게 생각하고 있지 않았으나, 그녀가 가진 두려움을 없애줄 요량이었다.

하지만 저녁에는….

카타는 여전히 그 남자를 아주 존경하고 있었고, 그 점을 한 번도 말하지 않았다 하더라도. 그는 그녀 행동거지에서 그 점을 읽을 수 있었다. 그 저녁에 대해서도 마찬가지였다. 베르나트는 그녀가 뭔가 말을 할거라고, 텔레비전을 보며 생각하고 있었다. 카타는 오랫동안 불안한 듯이 움직이기만 할 뿐이었다. 베르나트는 그가 그 일에 대해 편하게 해 주어야 함을 알고 있었으나, 그는 '그녀 스스로가 모든 것을 말해야 함이' 좋겠다고 생각을 하고 있었다. 슬픈 일이든지, 불안하게 하는 일이든지 뭐든, 그녀 스스로가 말하도록.

"베르나트 선생님…?"

"예?" 그는 유쾌한 모습을 보이려고 애쓰면서 되물었다.

"저도 가는걸…. 사러 가는 걸 좋아해요."

"당연한 말씀. 이 집에 필요한 건 모두 사와야 할 거요. 시간이 지나면 그렇게 할 수 있을 거요."

그녀가 지금 정말 즐거워하고 있는지 알 수 없었다. 그런 전망에는 그녀가 정말 기뻐하지 않는 것 같았고, 그녀는 뭔가 생각에 잠긴 채 앞만 쳐다보고 있었다. 텔레비전 화면에서 나오는 색상 때문에 그녀 얼굴은 붉게 비쳤다가, 푸르게 변했다. 두 눈엔 천 가지의 섬광이 왔다 갔다 했다.

"내가 뭘 사 오는 걸 잊었어요?" 베르나트가 물었다. 카타는 주저하다가 결심을 하고는 말했다.

"잊어버린 건 없어요. 선생님, 저어…. 선생님은 그런 점은 생각하지 않고 있었을 뿐이라고요. 면이 좀 필요해서요."

베르나트는 숨을 들이쉬었다. '그래, 정말이구나! 왜 그런 생각을 못 했지? 면(棉)! 그래, 카타도 여자다….'

그는 살짝 웃었다.

"맞아요, 카타. 봐요. 내가 혼자서 오래 살다 보니, 이 세상에 여자는 살지 않은 줄 알고 있을 정도였군요."

"그럼요, 여자들도 살아요." 카타는 즐거웠다. 그녀는 옆으로 집주인을 쳐다보았다.

"내일 두 사람이 함께 나가, 선생님이 그 상점을 가르쳐 주세요. 그러면 그때 뒤 혼자 갈게요."

"'그때 뒤'가 아니라, '그다음'이라고 하는 편이 맞아요." 그가 그녀의 말을 고쳐 주었다. 카타는 마치 고양이 같은 표정을 지었다.

"예, 선생님, 그 뒤로…. 말린 자두 갖다 드려요?"

"갖고 와요. 카타가 먹을 분량도 같이. 그 과일 좋아하지요?"

"저도 좋아해요." 카타는 대답하고는 주방으로 갔다.

…현관엔 매일 저녁 가구들의 윤곽 정도만 밝혀 주는 작은 전등이 오늘 저녁에는 아직 켜져 있지 않았다. 자두라고? 뭔

가 카타의 목을 누르고 있었다. 한때 그녀는 다른 아이들과 함께 낯선 정원의 나무에 달린 과일을 몰래 따다가, 모두가 발각된 일이 있었다. 주인은 개집으로 달려가, 그 집 개를 풀어 놓았다. 큰 검둥개 녀석은 큰 이빨을 내보이며, 아이들을 쫓아 힘차게 달려왔다…. 그녀는 그날처럼 그렇게 빨리 달려본 적이 거의 없었다. 어린이들은 위로, 울타리 위로 올라갔고, 벌써 개가 달려와, 위로 뛰어올랐다. 그 녀석의 하얀 이빨이 그녀 발아래서 시끄럽게 하다가 나중에 입을 다물었다….
그 정원 주인은 화를 내며, 그 개에게 주문했다.

"저 녀석들을 붙잡아! 빌어먹을 집시 녀석들. 네 놈의 피를 보고 말 거야!"

…카타는 주방으로 갔다. 그곳에서는 깨끗하고도 조용한 평화로움이 있었고, 그곳에서는 텔레비전 소리도 들리지 않았다.
그녀는 손으로 주방의 출입문을 찾았고, 그녀는 이미 자두가 놓인 장소를 알고 있었다. 그녀는 창가에 멈추어 서서 밖을 내다보았다. 정원의 돌들이 달빛에 하얗게 보였고, 삼나무들이 흔들림 없이 서 있었다. 모든 것이 평화스럽고 고요했다. 지금까지 그녀가 살아온 삶과는 전혀 달랐다.

다음날, 그들은 함께 뭘 사러 갔다. 베르나트는 처음에 이상하게 느꼈고, 그들이 길에서 만나 말을 건넬 정도의 시간도 갖지 못하는, 아는 사람들을 만났을 때조차도 있었다. -그때 그는 카타와 좀 떨어져 걸었다. 그래서 그가 우연히 길을 가다, 카타와 같이 걷게 되었음을 나타내려고 했다. 하지만, 그가 부끄러움을 느낀 그 순간, 카타에게 곧 되돌아가, 이젠 더는 떨어져 걷진 않았다.

먼저 그들은 백화점 1층 식료품 부서에 들렀다. 그리곤 그들은 그곳에서 산 상품 꾸러미를 들고, 다른 상점으로 가, 그곳에서 카타가 면을 샀다. 그런데 출입문에서 베르나트가 자신의 옛친구 요제포 코찌스를 만나게 되었다. 그 사람도 쉰몇 살이다. 아마, 베르나트보다 두 살 아래로, 뚱뚱했다. -그의 몸집이 그 상점 출입구를 막고 서 있었다. 요제포의 얼굴에는 땀이 송골송골 맺혔으나, 그는 아주 쾌활한 성격이고, 동시에 그의 두 눈은 관찰하듯이 이리저리 훑어보고 있었다. 온 세상이 그의 관심 사항이라, 그는 매일 20개의 신문을 읽고, 라디오를 청취하고, 매일 그는 텔레비전의 정보망을 시청한다. 그 때문에 그는 정보에 빠삭한 사람으로 알고, 뭔가 잘못된 정보는 그의 머리에서 나오지 않았다. 요제포는 모든 사람이 알고 있는 사안을 스스로 검토해 보지만, 몇 년이 지나면 신문들은 자신의 오류에 대해 알려 주었다. -하지만, 그런 사실도 그의 평안을 흔들어 놓지 못했다. 모든 주의 주장과 불행과 대재앙과 불의(不意)에도 불구하고 그는 이 세상을 장밋빛 안경으로 관찰해 왔다.

"안녕, 베르나트!" 그는 외쳤다. 두 남자는 악수했다. 카타는 그 옆에 우두커니 서 있었다. 베르나트는 지금 어떻게 해야 할지 벌써 알고 있었다.

"이쪽은 친구 요제포이고, 그리고 이 여성은…. 이 여성은 우리 집 가정부 카타야."

카타는 이제 놀란 채 서 있었다. 요제포는 자동으로 자신의 손을 내밀자, 그녀도 자신의 손을 내밀면서 두려움에 서툴게 그의 손을 잡았다. 요제포는 자신의 머릿속으로 조금 늦었지만 몇 마디가 들어왔다. 그는 놀란 표정으로 베르나트를 힐긋 한 번 쳐다보았다. 그리고 그 두 남자는 몇 가지 문장을 말했다. 이제 베르나트도 길게 말하고 싶은 마음이 없어졌다. 요제포가 그걸 느끼자, 조금 더 있다가, 베르나트와 헤어졌다. 그러나 그는 카타가 손을 내민다는 걸 기대하지 않았기 때문에 그도 그녀에게 손을 내밀지 않았다.

베르나트는 그 친구가 가는 쪽을 여전히 쳐다보고 있었다. 그 친구가 한번은 돌아볼 것이고, 그 얼굴엔 믿기지 않는 표정이 보였다. 베르나트는 기분이 나빴지만, 카타 곁으로 다가갔다. 그 둘이 산 물품 중 일부는 그가 들었다. 그들은 또 다른 상점 2곳도 들른 뒤, 곧장 집으로 향했다.

길에서 그들은 많은 아는 사람을 만났고, 그는 그때마다 그들의 등 뒤에서 뭔가 수군대는 것을 더욱 명쾌하게 느낄 수 있었다. 하지만, 그는 더 앞으로 억척스럽게 나아갔다. 언제나 그는 그런 사람이었다. 한때 그가 뭘 하기로 결심만 하면, 방해물이나 위험에 대해선 중시하지 않았다.

그날 오전, 그는 카타에게 자동세탁기 작동법을 가르쳐 주었다. 카타는 지금까지 그 제품을 진열대에서만 보아 왔다. 베르나트는 혼자 산 지가 꽤 오래되어, 그 작동법을 이미 익혀두고 있었다. 그는 지금 세제를 어느 구멍에 넣어야 하는지, 세탁물인 의복은 어떻게 넣어야 하는지를 그녀에게 보여 주고는, 그 세탁기의 자동프로그램을 적절히 정의하고는, 그 세탁기를 시험 가동했다. 그 세탁기는 돌아가면서 요란한 소리를 내자, 카타는 자신의 몸이 흔들리는 것 같았다.

“저게 정말 옷을 빨아 주나요? 자기 스스로 혼자서요?” 그녀는 베르나트 옆에 서서 놀라워했다. 그는 그녀가 어깨 부위가 노출된 옷을 입고 있음을 알았고, 비누의 은방울꽃 향기를 맡을 수 있었다. 그랬다. 정말, 그는 욕실에서 그녀가 쓰는 비누를 본 적이 있었다. 카타는 그런 향을 좋아하는구나.

“저게 모든 걸 세탁해 줄 거요. 보면 알아요. 요즘 기계는 충분히 명석하답니다.” 그는 세탁기를 쓰다듬듯이 한두 번 두들겨 주고는 자리를 떴다.

한 시간 정도 지났고, 그는 제도판 앞에 서 있었다. 오늘 그는 건물의 설계도면을 완성했다. 이 지역에서 가장 부자인 채소를 파는 상인이 강가의 구릉에 빌라 1채를 지으려고 했다. 그 상인은 점포를 셋이나 갖고 있어, 온종일 자동차로 채소를 실어 날았다. 그러니 그는 자신의 삶에서 즐거움을 누릴 시간이 적었으리라. 그 상인이 나이가 더 들면, 사로시가 그 상인을 위해 설계하고 건축한 빌라에서 살게 될 것이다. 그 상인은 자기 동료 상인들에게 자랑을 늘어놓았다. 베르나트는 자신이 칭송을 받고 있음을 느꼈다. 이 도시에서 그를 제일 훌륭한 건축가로 믿는다며. 정말 그 자신도 좋은 건축가로 생각하고 있지만, 다른 사람에게 말을 한다는 것은 어울리지 않았다. 그래서 그는 벌써 카타가 다시 뛰어오고 있음을 들었을 땐, 그 빌라 설계도를 거의 마무리하고 있었다. “이런, 또 무슨 일이 있구먼,” 그는 놀라 생각했다. 하지만 그는 마음씨가 좋고 궁금증도 많았다. 그 가련한 여성은 이 다른 세계에 들어와, 한 아름의 놀램을 만나게 되었으니.

그는 계산기를 내려놓고 나갔다.

"무슨 일인가요?"

"세탁기가…." 그녀는 숨을 헐떡이며 말했다.

"세탁기가 어때요? 그게 부서졌나요?"

"모르겠어요…. 난 건드리지도 않았는데…. 그만 춤추는 것 같아요!"

베르나트는 웃었다. 헝가리의 세탁기가 자신의 프로그램 끝에서 세탁된 옷을 원심분리기로 탈수시킬 때는 춤추는 것 같다는 말에도 그는 처음에는 익숙해지지 않았다. 그들은 함께 주방으로 갔다. 그 세탁기는 맨 마지막으로 "완전히 사방으로 내던지듯이" 덜거덕거리더니, 갑자기 멈추어 섰다. 카타는 존경의 눈초리로 베르나트를 쳐다보았다. 마치 그가 도착하자마자 그 세탁기가 멈추어 선 것 같았다. 그는 카타에게 이런 것은 자연스러운 현상이니 두려워할 필요가 없음을 웃으면서 설명해 주었다. 카타는 어렵게 마음을 진정시키고는, 집시들이 쓰는 말로 뭔가를 말했지만, 곧 손을 입으로 가져갔다.

"미안해요, 베르나트 선생님…. 제 입에서 그런 소리가 날 줄은 나도 몰랐어요."

"괜찮아요. 난 무슨 말인가 모르는걸요." 그리곤 베르나트는 자기 방으로 갔다. 창문을 통해 보니, 카타가 빨래를 바구니에 가득 담아, 긴 빨랫줄에 널고 있음을 볼 수 있었다. 그녀의 가냘픈 몸매는 정원에서 새로운 색깔이 되었다. 개가 그녀에게 다가가 냄새를 맡았고, 그 개는 지난 몇 주 동안 그런 행동을 했다. 카타는 장난하듯 개에게 손을 흔들었고, 그 개는 무섭다는 듯이 달아났다. 카타가 그 개를 따라가자, 그 둘은 마치 어린아이처럼 이리저리 뛰어다녔다. '그래, 정말, 저 여자도 어린

아이군.' 그런 생각이 그의 머릿속에 자리 잡았고, 그는 그 장면을 활짝 웃으며 관찰하고 있었다.

점심때 다시 조그만 실수가 있었다. 국수가 완전히 익지 않은 채 식탁에 오르자, 베르나트는 입맛을 다셨다. 그러나, 카타는 점심 시작부터 '집주인'의 안색을 긴장하며 보고는, 놀라 물었다.

"뭐…. 잘못된 것이라도?"

"아니요." 그는 대답했지만, 국수와 관련해 자신이 싫어하는 점을 몇 가지 설명해 주었다. 카타는 귀가 빨개진 채 듣고 있자, 끝내 그는 그녀가 측은한 생각이 들었다.

"그런데 슬퍼할 것까진 없어요. 그런 것은 어디서나 일어나는 법이지요. 다음엔 주의하면 되겠지요?'

"그럼요, 그렇게 하겠어요." 카타는 고개를 끄덕였지만, 더는 말이 없었다. 베르나트가 식사 후 직접 사과즙을 마시자, 카타는 접시들을 들고 그 자리를 물러났다. 주방에서 접시 닦는 소리가 요란함을 들을 수 있었다. 베르나트는 천천히 그녀 뒤에 다가가, 접시 닦을 때 쓰는 세제를 보여주었다. -그리고 그는 일반적으로 혼자 사는 남자들처럼- 저 빌어먹을 가사 일을 더 간소화시키는 걸 좋아했다.

"여기선 일이 잘 되어요?" 그가 갑자기 물었다. 카타는 고개를 흔들었지만, 웃음을 보였다.

"그래요. 여기선 모든 것이…. 조용하고 평화로워요. 그런 점에 내겐 좋아요."

베르나트는 여전히 1분을 더 기다렸다. 하지만 그녀가 더 말을 하지 않자, 그는 산책하러 밖으로 나왔다. 정원은…. 그는 정원에서의 산책이 되도록 길게, 바로 그 때문에 집을 지을 때, 나무 사이에 길을 꼬불꼬불하게 만든 것이 생각났다. 그래서 그는 지금 산책을 하고 있었다.

견과 나무가 그때 큰 그림자를 던져 놓고 있었다. 그는 그 나무 아래로 다가가, 쥐똥나무로 만든 울타리를 바라보았다. 이 나무는 벌써 이곳에서 10년이나 더 서 있고, 건강하고 매년 더 튼튼해졌다. 정말 그랬다. 1년에도 여러 번 가지치기하여 볼품 있게 가꾸어야 했지만, 그 일은 쉬운 일이 아니었다. 이젠 나뭇가지들이 아주 두툼해 있기 때문이다.

그의 발아래에서의 풀밭, 풀 위로 드리워져 있는 나무 그림자들. 한쪽에는 가짜삼나무들이 회색이고, 햇빛이 그들 사이로 들어와, 땅에 흠집을 내듯이 자리 잡았다. 새들은 여전히 나뭇가지 위에서 지금 다투고 있었다. 베르나트는 자신이 심은 나무들 사이에 멈추어 서서 태양을 쳐다보았다. 그는 의복 사이로 살갗이 얼마나 따뜻해지는가를 느꼈다. 여러 가지 향기. 개 짖는 소리. 어린아이들의 고함지르는 소리. 곧 오후 커피 타임이 될 것이다. 산다는 게 얼마나 위대한가!

그는 천천히 자신의 방으로 되돌아 왔다. 잠시 그 제도 도면이 낯선 종이처럼 보였고, 그의 두 눈은 햇빛에 눈이 부셔 글자도, 숫자도, 선도 볼 수 없었다. 그리고 잠시 뒤 모든 게 예전처럼 정상으로 되었다. 그리고 계속해서 베르나트는 일을 해 나갔다.

6. 이혼해도 같은 도시에 사는 모녀

이틀 뒤에 새로운 달로 접어들게 되었다. 그는 지난 미지급금 중 일부를 지급해야 했다. 그는 수표들에 사인을 해 나갔다. 그리곤 뭔가를 생각해 내고는 카타를 찾으러 갔다.

그녀는 작은 방의 출입문 문턱에 앉아 있었다. 그리고 무릎 위에 베르나트가 쓰는 구두를 헝겊으로 문지르고 있었다.

"이것들은 겨울 구두이군요." 그녀는 잘못을 저지르다 들킨 어린아이의 표정으로 보고했다. —"신발장에 넣어 두기 전에 닦아 두려고 해요. 가을이 되면 다시 꺼내 신을 거니까요……."

베르나트는 그런 배려에 즐거웠다. 그는 신발을 닦는 일은 정말 싫어했다.

"카타, 우린 카타가 받을 급료가 얼마인지 의논해본 적이 없어요."

"제 급료요?" 그녀는 두려웠고, 그의 두 눈에 어두운 그림자가 스쳤다. 베르나트는 그 슬픈 표정이 그녀의 지금까지 숨겨진 곳에서 다시 나오는 걸 두려워했다. 정말 카타는 지금까지 정말 즐겁게 생활했다!

"저어, 난 카타가 내게 신경을 써 주면서 아무 대가를 받지 않는 건 원치 않아요. 이렇게 큰 집에선 할 일이 엄청 있어요. 첫날, 내가 차 안에서 카타에게 얼마 되는 돈 액수를 말했지만, 그건 카타에겐 너무 적어요. 정말 종일 일 하는걸요! 내 의견은 매달 카타에게 주는 것이…." 그리곤 조금 주저주저하다가, 액수를, 중간 정도의 가치가 있는 급료를 말했다. 카타는 정작 놀랐다.

"그렇게 큰 액수를요?"

그녀의 천진난만함에 그는 유쾌하게 놀랐다. 이 나라에서 자기 급료를 높다고 말하는 이는 이 여성뿐이었다.

"임시로 그만큼. 그리고, 물가가 오르면, 내가 그 급료도 올려 주겠어요." 그는 이미 준비된 액수를 호주머니에서 꺼냈다. 일천 단위의 푸른 은행권 지폐들이었다. 카타는 뭐에 홀린 듯이 그 돈을 쳐다보았다. 확실히 그녀는 지금까지 한 번도 그만큼 받아 본 적이 없었다. 사무실 청소직원으로 있으면서도 얼마를…? 베르나트는 그녀의 손에 그 돈을 억지로 건네주었다.

"식사 후 시내로 갔다 와요. 내가 대문 열쇠와 안쪽 출입문 열쇠를 주겠어요. 상점으로 가서 필요한 모든 걸 사요. 그 돈은 모두 카타 몫이요."

가벼운 마음과 가벼운 발걸음으로 그는 자신의 방으로 되돌아 왔다. '내가 지독한 노동착취자는 아닐 거야.' 그는 그런 의견이었다. '여기서 음식과 숙소가 제공되니.' 그는 그 자신의 행동에 대해 아주 만족하고 있었고, 카타가 오후에 시내로 가서, 이번에는 처음으로 혼자서, 정말 혼자서 갈 수 있는지 궁금하게 기다려졌다. 그는 그녀가 혼자 갈 용기가 없을 것으로 생각했으나, 그의 그런 생각은 틀렸다.

카타는 출발했다. 확실히 그 돈은 그녀를 마치 "호주머니를 불태우는 듯한" 유혹을 했다. 그녀가 시내로 가고 없자, 베르나트는 걱정이 슬슬 되었다. '그녀가 술을 잘 마시는 여자라면 난 어떡한담? 술에 취해 그녀는 돌아올까? 아니면, 아무짝에도 쓸모없는 물건을 사느라고 돈을 전부 날려 버리는 걸까?' 그리고 나서는 그는 자신을 안심시켰다. '그녀는 자기가 사고

싶은 걸 사게 될 거야, 그 돈은 정말 그녀의 돈이야.'

그런데도 저녁까지 그는 정말 아무것도 할 수 없었다. 단지 이리저리 걸어 다닐 뿐이었고, 때로는 정원으로, 때로는 시내로 향한 도로를 내려다보았다. 하지만, 그곳에 낯선 사람이 보이면, 그는 나무 사이로 몸을 숨겼다. 카타는 그가 그녀를 기다리고 있음을 안다 하더라도 그는 좋아하지 않을 것이다. 그리곤 개와 고양이에게 먹이를 주었고, 다시 산책하고는 자신의 딸이 생각났다. "딸은 너무 뚱뚱하고, 성질이 급해". 그는 자주 말했다. 그 딸과 어머니가 여기, 같은 도시에 살고 있지만, 간혹 그들은 서로 만났다. 당시 돈으로 –이혼으로 재산을 양분한 돈– 그 모녀는 가까운 산들이 보이는 곳에 집을 한 채 샀다. 베르나트는 그 방향으로는 아주 간혹 갔다.

그는 화를 내지 않고 커피를 직접 준비했다. 그러나 그 커피는 카타가 준비했던 것보다 덜 맛이 있었다. –그것은 그저 그런 느낌일 뿐이었지만. 그는 집에 있는 신문들을 읽었고, 나중엔 정원에 앉아, 그 커다란 소나무를 바라보았다. 그 맨 꼭대기에는 신선한 어린 가지가 이리 저리로 움직였고, 언제나 볼 때마다 그 방향이 달라져 있었다. 그 가지는 아주, 아주 빠르게도 커 갔다.

그의 딸은 회색 인물이었다. 그 점 때문에 그는 우울했다. 그 딸에게서 아무것도 이루지 못했고, 그 징후에서도 어떤 긍정적인 변화를 기다리는 것도 불가능했다. 그 딸에게는 자기 어머니의 회색이 덮여있었다. 딸은 교사가 되려고 이 지역의 사범 고등학교에 입학했고, 그 학교장은 그 딸에게 자신을 '총장 선생님'이라고 부르도록 명령을 하였다. 마치 그 때문에 지방 교육기관이 대학교로 승급한다고 믿고 있는 듯이. 이혼 소송 기간 내내 그리고 그 이후 아내는 베르나트에 대한 온갖 음해를 전파해, 그의 친구 중 더러는 그와 절교하였지만, 그는 그것 때문에 애석해하지도 않았다. 이 모든 것은 벌써 잊어버렸지만, 그 가시는 여전히 그 영혼 속에 남아 있었다. 그 아픔은 전혀 없어지지 않을 것이다.

카타는 6시가 지나 되돌아 왔다. '그래, 이젠 상점이 문을 닫을 시간이야.' 그는 좀 악의적으로 생각했다. 그의 걱정거리는 이미 허구였다. -그녀의 기분과 시선은 맑았고, 더구나, 그녀는 자신이 필요한 많은 걸 사 왔다. 어느 꾸러미에는 겉옷도 보였고, 베르나트는 아마 그 안엔 속옷도 있을 것으로 추측했다. 100장이 한 묶음인 화장지 여럿과 다른 물건들. 카타는 정원을 지나 들어 와서는, 그 앞에 멈추어 섰다.

"고맙습니다. 베르나트 선생님."

"천만에요." 그 남자는 말하고는, 그녀의 우단 같은 얼굴을 바라보았다. '카타는 어린아이와 비슷하군.' 그는 다시 생각했다. 카타는 지금 그의 시선을 피하려고 하지 않았다. 베르나트는 혼돈되었다.

"크음…. 카타는 그 돈을 일해 벌었는걸요. 매달 첫날 그만큼씩 받게 될 거요, 내가 약속하오."

"난 이제까지 한 번도 이만한 돈을 가져본 적이 없어요. 한 번도, 왜냐하면, 모든 걸 슈치가 뺏어가 버렸으니까요…." 그녀가 남편 이름을 언급하자, 그녀 얼굴이 흐려졌고, 베르나트도 즐겁지 않았다. 그 슈치는 정말 죄를 범해, 지금 교도소에 있는 것은 당연하다. 불행한 카타, 확실히 그녀는 그와 불행한 인생을 살았다. 하지만 그녀는 벌써 그와 헤어졌다.

"지금부터 카타는 다르게 살 거예요."

"나도 그랬으면 정말 좋겠어요." 그녀는 그 꾸러미를 내려놓자, 그들은 서로를 바라보며 서 있었다. 태양은 벌써 졌고, 긴 그림자들이 정원으로 던져졌다. 바깥 공기가 차가웠다. '그녀는 나이로 보면 내 딸 정도일 거야.' 그는 그런 생각을 했다.

"그건 온전히 카타가 하기 나름이에요." 베르나트는 대답했다. 그가 생각해 보았다 하더라도, 그녀 미래는 아주 명확하게 볼 수 없었다. '그녀는 앞으로 20년, 30년을 이 집에서 봉사해 줄 것인가? 그리고 그는, 베르나트는, 마침내 죽어 갈 것인가?' 그는 그런 죽음에 대해 생각하는 걸 싫어했다.

"모든 것이 달라진 지금이 아주 좋아요." 카타는 주위를 둘러보았지만, 그 정원만 바라본 것은 아니었다. "전 이젠 두려워할 필요는 없어요."

"두려워한다고요? 뭘?"

"저어…. 남편이 술에 취해 집에 돌아오던 그 때를요."

카타는 서둘러 그 꾸러미를 들고는, 집안으로 달려 가버렸다. 베르나트는 그녀가 가는 쪽을 쳐다보다 그녀를 향해 말을 걸려다 개를 발견했다.

"넌 왜 엿듣고 있어?"

그 개는 쓰다듬는 것과 따뜻한 말만 느낄 뿐이고, 그에게 다가가, 코를 그의 손에 비비고는 즐거이 꼬리를 흔들었다. 베르나트는 자신이 보던 신문들과 커피잔과 접시를 모았다. 그리고 그도 집 안으로 들어갔다.

어느 날 저녁 다시 두 사람은 함께 텔레비전을 시청했다.

여전히 'TV 저널' 프로그램을 방영하고 있었다. 아나운서는 카타가 모르는 낱말을 말하고 있었다.

"저게 무슨 말입니까?" 그녀가 물었다.

"뭐…. 가요?" 베르나트는 좀 늦게 '깨어났다.'

"침…. 침략……."

"침략적이라는 말요, 공격한다는 말, 야만적이다는 말, 서로 미워한다는 말이지요."

베르나트는 여전히 몇 가지 동의어를 말하고 또 '침략'과 '침략성'도 말했으나, 그는 그녀 얼굴에서 무슨 말인가를 이해했음을 알아차렸다. 그 순간에 그는 생각했다. '그가 이 여자를 규칙적으로 가르쳐야 하겠다. 정말 그녀에겐 그게 필요했구나. 카타가 몇 년을 배웠다는 것은 확실하지만, 자신의 이름을 쓸 줄을 알지만, 한 번도 글을 읽은 적이 없었구나!'

바로 그 순간, 카타는 진흙 블록으로 지은 건물을 보고 있었다. 매일 저녁 똑같은 건물을. 슈치가 출입문을 밀치고 들어오고, 그의 털이 가득한 몸은 터질 것 같은 셔츠를 입고 있다. 그리고 두 눈엔 -술에 절인 듯함. 그의 내쉬는 숨소리에서 오물 냄새가 난다. "카타!" 그가 소리친다. 그리고 그의 외침은 그녀 정신을 뒤흔들어 놓는다. 슈치는 카타가 반항하리란 생각도 않는다. 언제나 그가 이긴다. 일하는 것만 싫어한다. 여러 번 그가 일을 시작했으나, 그것도 길게 가질 못했다. 그는 딱딱함을 싫어했다. 의무도…. "카타!" 슈치가 고래고래 고함을 지른다. 그리고 술이 완전히 그를 억제할 수 있으면 더 좋으련만. 그쯤 되면 누워 잠들게 된다. 그러나, 술이 부족하면…. 그는 손으로 그녀를 때리고, 그녀 몸을 깔고는, 정말 고통을 느낄 정도로 그녀 젖가슴을 짓누른다. 그때 그 젖가슴은 정말 아프고, 아프다…. 그때는 모든 것이 그녀를 아프게 만들었다.

카타와 베르나트는 텔레비전을 시청하고는, 그녀가 때때로 모르는 낱말을 물어보았다. 그녀가 파키스탄이라는 나라가 어디에 있는지 모르자, 베르나트는 세계지도를 가져왔다. -그도 때때로 그 지도를 보기를 좋아했다. 그가 이런저런 색깔의 땅이 실제로 얼마나 큰가를, 또 얼마나 많은 땅이 이 세상에 있는지 설명해 가자, 그 여인의 두 눈은 휘둥그레졌다. 그리곤 산, 바다, 대양이 뒤따랐다. 마침내 그들은 텔레비전 소리를 없애고는, 화면엔 무관심한 장면만 흘러가고 있었지만, 그들은 그런 화면을 이젠 보지 않았다.

카타가 대양의 크고 푸른 모양을 보고 놀라워했다.

"이 세계가…. 이리 크나요?"

그녀는 놀라 숨을 쉬는 것도 잊을 정도였다. 베르나트는 마음속으로 뭔가 따뜻함을 느꼈고, 카타에게 지구가 어떻게 생겼는지 -뭔가 다른 행성에서 온 생물에게 하듯이- 열심히 설명해 주었다.

판사는 휴정을 선언했다.

뭔가 이 모든 것으로 인해 판사는 갑자기 메스꺼움을 느꼈다. 물론 그는 자신의 그런 감정을 나타내지 않을 정도의 습관을 갖고 있었다. 그는 그런 피곤함을 숨길 줄도 알고 있다. 또 법원이 꼭 진행할 사항이 되면 그의 동료들에게도 휴정하는 것을 허락하지 않는다. 하지만 지금은 모든 열의가 날아가 버렸고, 시간도 정오가 다가왔다. 판사는 자신의 단상에 높이 앉아 이 소도시의 중심지를 둘러 보았다. 먼지에 뒤섞인 아까시나무 아래 더위가 부풀 대로 부풀어 있었고, 하얀 벽도, 황색 벽도 달아올라 있었다. 인근 건물이 법원 청사보다 높아, 그는 그 높은 건물 벽으로 태양이 마음껏 빛을 때리고 있음을 보았다. 벽면에서의 공기는 마치 사하라 사막의 공기처럼 진동하고 있었다. 땅에서도, 도로에서도, 아스팔트에서도 정말 뜨거웠다…. 판사는 배고픔도 조금은 이제 나아진 것 같이 느껴졌다. 오늘 심리가 오전 9시에 개정되어 그 이후로 한 번도 쉴 틈이 없었다.

판사는 자리에서 힘들게 일어나, 고개를 조금 돌려 보았다. "정말 오래 앉아 있었네." 확실히 그는 자신에게 말했다. "내 혈압이 떨어졌어."

판사는 출입문 쪽으로 걸어가면서 기분이 한결 가벼움을 느꼈거나, 모든 사람이 그렇게 믿도록 웃음을 살짝 지어 보았다. 복도에 나오자 시원함을 느낀 판사는 숨을 들여 마셨다. 그러자 기분이 한결 상쾌해졌다. 그는 자신의 방으로 돌아와, 물을 한 모금 마셨다. 판사는 이렇게 혼자 있는 시간이 길지 않을 거란 생각을 했다. 그런 예측은 틀리진 않았다. 그가 혼자 있는 것은 겨우 1분 정도였다. 그 뒤 누가 문을 두드렸다. 그의 여비서가 문을 열고 들어 왔다.

"판사님, 괜찮으세요?"

"그럼, 그런데, 안 괜찮아 보여?"

"무척 창백하신 것 같아요."

"그래." 판사는 놀라지 않고 고개를 끄덕였다. 하지만 자신이 불편함을 다른 사람에게 보여 줄 수는 없었다. 그래서 그는 그 자리에 멈춰 서고는 몇 걸음을 움직여, 자신이 아직은 건강하고 괜찮음을 보여 주었다. 그리고 곧 판사는 지금 자신의 건강에 확신을 되찾았다. 판사는 지금 다시 자신의 몸과 의식을 믿었지만, —이 둘만 믿고 있었지만— 법정에서의 공방으로 그는 피곤했다.

"휴정시간이 길어요?"

"한 시간." 그는 왼손을 들어 올렸다. 판사 손목시계의 유리 안에 있는 크리스탈로 된 숫자들이 파랗게 진동하고 있었다. 판사는 자신의 몸을 바로 세웠다.

"54분 뒤에 속행할 거야."

"저어…. 힘드세요?"

이 여비서만 그런 질문을 할 수 있었다. 판사는 법정에서 벌어지는 공방에 대해 아무에게도 언급하지 않는 습관이 있었다. 하지만, 이 여비서는 이 판사 옆에서 벌써 15년 이상 같이 일해 왔기에, 눈빛만 보아도 상대방의 의중을 파악할 수 있었다. 그 두 사람은 더운 여름날에는 셔츠와 블라우스를, 가을날에는 겉옷을, 겨울날엔 따뜻한 옷을 입은 모습을 보며 근무해왔다. 삶이란, 다른 방식으로는 전혀 공통점이 없는 두 사람을 우연히 하나로 묶어 주는 계기를 만들어 주는 법이다. 하지만 그게 그 두 사람의 인생이다.

"힘들지. 살인 사건은 언제나 힘들어." 판사가 그렇게 말하자, 그의 배 속이 다시 죄어오고 있었다. 판사는 점심을 먹어야 했다. 식당은 법원 청사 건물의 아래, 지하층에 있고, 법원 직원들만 출입할 수 있었다. 그러니, 그곳에는 방청객을 만날 필요도 없고, 피의자 가족을 만날 필요도 없다. 그가 눈만 감으면, 다시 그의 눈앞에 재판의 주역 중 한 사람이 보인다. 그가 그 사진을 통해서만 알게 된 그 사람이다. '그 사람'은 이곳으로 오지 않았다. 그리고 절대 오지 않을 것이다. 그리고 정말 사람들은 그 사람을 오랫동안 그림자로 가둬 놓았다. 그 사람은 이제 희생자가 되어 버렸다. 그의 죽음으로 인해 온 사람들은 그렇게 많았다. 그 사람이 죽은 배경을 사람들이 조사하고 있었다. 그 판사는 한숨을 내쉬었다.

갑자기 열려 있던 창문을 통해 소란이 들려 왔다. 밖의 소란에는 그들만의 뭔가 난폭하고, 뭔가 맘에 들지 않는 뭔가가 있었다. 여비서가 창가로 다가갔다. 그 여비서가 몸을 창문 밖으로 내밀자, 다시 고함이 들려 왔고, 웅성거리는 목소리도 들을 수 있었다.

"집시들이지?" 판사가 강조하듯이 물었다. 판사는 법정에서도 집시들에 대해 걱정을 많이 하고 있었다.

"저 사람들은 아침부터 저곳에 와 있었어요." 그 여비서가 갑자기 몸을 빼 다시 되돌아 왔지만, 그래도 밖에서의 소란은 계속 그 두 사람에게 들려 왔다.

"저 사람들 가운데는 마차로 온 사람도 있고, 걸어온 사람들도 있어요. 저 사람들은 어린아이까지 데리고 다녀요."

"법정에서 저들이 시작 때부터 큰 소리로 떠들어, 내가 그들 중 몇 명은 쫓아내 버렸어. 다행히 오늘 아침엔 법원 정리도 참석해 있었어."

"식사 전에 커피 한 잔…."

"아니, 괜찮아. 지금은. 난 식사하러 가야지."

여비서는 서류 몇 점을 판사 탁자에 놓았다.

"모레 심리 서류에요. 판사님이 이 사건을 내일 끝내시면."

"여기서는 일이 끝이 없군." 그는 씁쓸하게 웃었다. 판사가 눈을 다시 한번 감자, 법정의 광경이 아른거렸다. 판사는 법정의 사방 벽의 틈새를 속속들이 알고 있고, 건물 내의 모든 법정을, 모든 방을 알고 있다. 15년이나 더 근무하고 있으니. 판사는 이 건물 창문을 통해 봄-여름-가을-겨울의 하늘 색깔을 보아 왔다. 도시의 냄새마저도. 창문을 열 때마다 다른 냄새가 법정으로 들어온다. 가장 맡기 싫은 것은 가까이 있는 화학 공장에서 나오는 냄새와 강 저편 고무공장에서 나는 냄새이지만, 때로는 가을날 정원에서 뭔가를 태우는 냄새도, 자동차 매연 냄새도, 또한 따뜻한 여름날에는 농가의 냄새도 맡을 수 있었다.

"사건은 어때요?" 여비서가 물었다. 몇 년 뒤엔 여비서가 자신은 좀 더 자신 있게 근무할 것이라고 다짐했다. 판사는 이미 출입문 손잡이를 만지고 있었다.

"보는 관점에 따라서지…. 피고인 측 변호사는 지금까지 별로 즐거워하지 못했어."

"그럼, 검사는요?"

판사의 눈에는 가는 머리카락의 검사 안경이 외부 빛이 반사되어 몇 번 반짝거림이 보였었다. 하지만 판사는 어느 쪽에도 반감을 갖지 않았다. 피의자도 그에겐 무감정이고, 자신의 마음속 깊이 그렇게 마음을 정하기로 한 것이 생각났다. 그래야만 한다는 것을 그는 알고 있었다. 판사는 선입견이나 감정이 없어야 한다. 동시에 그는 자신이 아주 피곤함을 알고 있었다. '봄날이 끝나고 여름이 시작될 즈음이면 판사의 정신은 가벼워질 것이다. 판사는 그 후 다시 그 정신을 가다듬어야 할 것이다. 외국 여행이라도 한번 다녀오는 편이, 그게 정말 최고로 낫겠다.'

"검사는 그 피고에게 불리한 몇 가지를 얻는 것엔 성공했어." 판사는 조용히 그 말을 남기고 방을 나갔다.

7. 정원에 빨래를 늘어놓고 요리하는 카타

카타의 세계는 한편으로는 더 넓어졌고, 한편으로는 더 좁아졌다. 카타의 세계가 좁아진 것은 그때부터 베르나트와 그 집만 그녀에게 존재했으니. 그녀는 외부세계에 대해서는 생각조차 하지 않았다. 일 때문에 그녀는 매일 시내로 갔다 왔다. 하지만 이른 오전의 외출에서 귀가해, 대문을 닫고 돌아서면, 그녀는 따뜻한 풀밭의 향기를 맡을 수 있었다. 그 향기는 다른 어떤 향기와도 섞을 수 없는 그런 것이었다. 그땐 카타는 평화로움에 휩싸였다. 먼저 카타는 주방으로 가서, 장바구니를 내려놓고는 냉장고에 넣어 두어야 할 것을 챙겨 넣었다. 처음엔 그녀는 집주인이 술을 좋아하는 사람이 아닌가 하고 걱정을 했다. 하지만, 몇 주가 지났다. 이 집에서는 술 한 방울도 보이지 않음을 알게 되자, 카타는 마음이 한결 가벼웠다. 한때 갖고 있던 두려움들이 날아갔지만, 온전히는 아니었다. 그 모든 두려움이 모두 다 달아난다는 것은 있을 수 없는 일이었다.

카타의 세계가 좁아진 것은 그녀가 베르나트를 위해서만 염두에 두고 있었으니. 그녀는 이제 그 남자를 알아야만 했고, 그리고 -한번도 의식적으로 그녀가 생각하지 않았지만- 그 점을 맨 첫날부터 생각했다. 그녀는 그의 얼굴을 관찰하고, 고상한 잔주름도, 시선도, 놀랄 정도로 눈썹이 위로 치켜 올라 있음도 이미 알았다. 그녀는 땀과 면도용 비누, 의복 청정제로 구성된 그의 피부 향기도 느낄 수 있었다. 그녀의 코는 그의 그런 냄새에 익숙했고, 그녀의 두 눈은 그의 빛깔에 익숙해졌다. 그녀는 갈색의 주방기구와 황갈색 벽타일에도 이미 익숙해졌다. 현관의 하얀 벽에도, 작은 욕실 창문을 통해서만 욕실 안으로 떨어지는 빛에도. 사람들이 2층으로 들어가려면 지나야 되는 계단에서의 작은 소리에조차도. 정원의 식물들에까지도.

하지만, 그녀의 모든 주의력은 단 한 사람을 위해서 있었다. 카타 스스로는 그것에 대해 잘 알지 못했다. 하지만 수천 년 동안 내려오는 유전적 코드가 그런 점을 카타에게 명령하고 있었다. 그녀의 모든 선조는 봉사자였다. 그녀 자신도 봉사하고 싶었다. 하지만, 그녀는 이미 옛날의 그런 집시도 아니었고, 절반의 집시도, 농사조력자도, 농부도, 방랑자도 아니었다. 세상은 이미, 그녀의 바람이 아무리 그래도, 아무도 그녀에게 다른 사람을 위해 봉사하게 할 수는 없다.

카타의 세계가 동시에 넓혀진 것은 저녁에 두 사람이 그 많은 일에 관해 대화를 나누었으니! 카타는 자신이 더 많이 알고 싶음을 조금씩 조금씩 이해했고, 정말 그녀는 이제 더 많이 알게 되었다. 벌써 그녀는 세계가 얼마나 작다고 생각하고 있었는지도 알게 되고, 그 세계에 대해 아는 것도 그렇게 적음을 알게 되었다. 베르나트는 그녀가 잘못 발음하는 낱말도 교정해 주고, 집에서의 사물이나, 텔레비전 화면에서만 볼 수 있는 사물도 설명해 주었다. 그는 먼 나라와, 생물과 인간, 동물과 기계에 대해서도 말해 주었다. 카타는 사람들이 여기나 다른 곳에서 어떻게 석탄을 광산에서 캐내는지, 또 가솔린을 바다에서 나는 뭘로 만들어내는지, 물고기를 담아 올리는 그물이 뭘로 만드지에 대해 처음 알게 되었다. 이런 지식은 베르나트의 입에서 나온 지식이고, 그가 모든 지식의 근원이 되었다.

그러면서 카타는 베르나트를 관찰해 갔다. 그런 관찰은 그녀 의식 속에 이미 뿌리내리고 있었다. 카타는 잠을 깬 이른 아침에 벌써 '베르나트는 벌써 일어났는가?' 하는 물음이 첫걸음처럼 다가왔다. 카타는 자신의 잠자리에서 일어나, 그를 깨우지 않으려고 집안에서 조심조심 걸어 다녔다. 카타가 아침을 준비하면서 욕실에 귀를 귀울였다. 그가 벌써 나왔는지? 그리고 그가 오면, 그의 앞으로 음식을 내놓고는 어떻게 먹는지를 바라보았다. 가슴 주위에서 따뜻함이 생겨났다. 그리고 카타는 그가 쓴 편지를 부치러 우체국에 갔다. 그녀는 상점 진열대 앞에 서서, 모든 상품을 살펴보며 필요한 것을 선택해 갔다. '그는 이걸 좋아할까?' 그러나 그녀는 뭔가 불확실하면, 먼저 그에게 묻는다. 베르나트는 인내심을 갖고 대답하곤 했다. 카타는 그의 의복과 내의를 빨았다. 그녀는 이젠 세탁기를 무서워하지 않았다. 그녀는 자신의 집에서 하는 움직임으로 벽장문을 열었다. 식탁에는 과일을 갈아 만든 마실 것들이 차례로 진열되었고, 혹시 있을지도 모를 손님을 위해 포도주도 준비해 두었다.

그가 있음은 어디서도 느껴졌다.

간혹 누가 대문의 초인종을 누른다. 카타는 대문을 열러 밖으로 나갔다. 그녀는 슈치에 대해선 생각을 않고 있었다. 그는 지금도 감옥에 갇혀 있다. 집에 찾아오는 사람은 베르나트를 만나러 오는 사람이다. 그녀는 대문에서 전하는 것을 받아두거나, 손님을 들어오게 했다. 그리고 그 손님들이 베르나트와 함께 자신들이 지을 집을 의논하고 있을 때는, 카타가 방의 출입문을 두드리고, 커피를 내놓을지 조심스레 묻는다. 그런 것은 베르나트가 그녀에게 가르쳐 두고 있었다. 그것뿐만 아니라 모든 것을.

그녀는 정원에 물기가 흐르는 빨래들을 늘어놓고 요리를 했다. 점심 뒤에 그녀는 쓰고 난 접시를 가져와, 설거지했다. 그녀는 나중에 주방 바닥도 청소하고, 접시들을 제자리에 갖다 두었다. 그 뒤 그녀는 자신의 방으로 쉬러 간다. 그녀는 자주 똑같은 의복으로 침대에 누워 있지만, 언제나 더 자주, 오후에 자신의 겉옷을 갈아입는다. 벌써 그녀는 그렇게 할 수 있었다. 그녀는 이제 입을 옷이 제법 많다. 그녀가 받은 둘째 급료에서 그녀는 -벌써 여름이 끝나고 있었으니- 다시 자신의 옷과 블라우스, 치마를 2벌씩 샀다. 그리고 물론 내의도. 이젠 그녀는 하루걸러 밤에 몰래 욕실에 들어가, 자신의 이것저것을 빨아 둘 필요가 없어졌다. 그녀는 이제 충분히 갈아입을 의복을 갖고 있다. 카타는 가을에 어울리는 신발 한 켤레를 샀다. 그리고, 한 달 뒤, 반년 뒤엔… 무엇이 있어야 하는지 생각하기 시작했다. 그녀는 겨울이 다가오는 것도 알았다. 카타는 절반만 집시 여인이다.

그러나 그녀의 주 관심사는 베르나트였다. 카타는 오후 커피 타임에서의 의식에 익숙해 있고, 그녀는 이제 틀림이 없다. 카타는 모든 게 익숙해졌고, 그게 나쁘지 않음도 느끼지 않았다. 베르나트와 집만 존재했다. 정원, 개 한 마리, 고양이 한 마리도 존재했다. 그녀는 낮에 몇 번 개와 고양이를 만나고, 그때 그들에게 먹이를 주고는 쓰다듬어주었다. 개는 자신의 주인이 베르나트임을, 오로지 베르나트임을 알고 카타가 쓰다듬는 것은 못내 허용해 주었다. 하지만, 고양이는 쓰다듬는 것을 아주 좋아해, 때로는 그녀 방안까지 들어 와, 그녀 허벅지 위에서 잠자기도 했다.

저녁은 정말 즐거웠다. 피곤한 하루 일을 마치고 난 베르나트는 조금 쉬고는 그 자신을 둘러싸고 있는 세계에 대해 주목하기 시작했다. 그리고 카타에 대해서도. 그는 카타가 혼자 저녁을 먹고 있을 때, 주방으로 찾아가기도 한다. 그는 자신의 건강을 생각해 저녁을 먹지 않는 습관이 있지만, 뭔가 과일을 찾으러 주방에 와, 그리곤 잠시 내일 일을 의논했다. 그 15분 동안 카타는 나중에 잊어버리지 않도록 아주 귀를 기울였다. 그가 시키는 일이 너무 많으면, 그는 카타에게 메모를 하도록 했다. 그러나 그녀는 글쓰기가 어린이 수준이라 부끄러워하면서도, 입술을 깨물고 한 자 한 자 그림을 그리듯이 했으며, 베르나트가 그걸 보지 못하도록 탁자에 몸을 반쯤 가린 채, 글자를 쓰고 있었다. 그녀 글씨는 마치 술 취한 사람처럼 삐뚤삐뚤했다. 베르나트는 몇 주 지난 뒤, 그 사실을 알고는 그 자신이 좀 심했구나 하고 미안해했다. 그래서 그는 카타의 손에서 연필을 뺏어, 그가 직접 해야 할 일들을 써 내려 갔다. 그러나 그렇게 하는 것이 적절하지 않은 때도 있었다. 그래서 그는 그녀에게 직접 적도록 하고는, 그가 나중에 잘못 적은 부분을 고쳐 주었다. 그는 이런 비틀거리는 글자를 가지고 한 번도 놀리지 않았다.

그런 저녁의 15분간은 조금씩 배움의 시간이 되었다. 카타는 이젠 한 단어, 한 단어를 더 쉽게, 더 빨리 써 내려 갈 수 있었다. 물론 그녀의 문자는 아직도 어린애 수준을 넘지 않았지만.

그 시간에 그들은 가정의 여러 가지 일을 함께 의논했다. 내일 정원에 자란 풀을 깎아야 한다고 베르나트가 말하면, 그 자신에게 말하지만, 정말 풀 깎는 작업은 그의 일이다. 카타는 전기로 풀 깎는 일을 정말 무서워했고, 그런 걸 사용하는 걸 배우려고 하지 않았다. 베르나트는 몇 번 그녀에게 말했다. "풀 깎는 기계를 배워 보지 않겠느냐고?" 카타는 웃으면서 그를 바라볼 뿐이었다. 반쯤 어둠이 찾아오면 카타로서는 그 남자의 모습이 -여름날 오후에는 주방까지 햇살이 찾아주진 않았으니- 금빛의 반쯤 어둠 속에서 그 남자 머리만 보였다. 그래서 그의 몸과 가구와 벽은 사라져 버린 것과 같은 착각을 일으키게 했다. 그래서 그녀는 그의 머리를 쳐다보고는, 그런 그의 모습에 즐거워하기도 하고 슬퍼하기도 하였다.

베르나트는 자신의 성정을 가둬두는 사람은 아니었다. 그날 그에게 뭔가 기쁜 일이 생기면, 그 사실을 그 집의 가장 멀리 있는 곳에서도 볼 수 있을 정도로 그의 몸에서 풍기었다. 만약 베르나트가 계약을 성공적으로 맺어, 그의 설계도가 잘 팔리고 그 대가도 받았다면, 그는 정원의 대문이나 차고 출입문도 닫지 않고 어서 그 사실을 알리고 싶은 정도였다. 카타는 그의 그런 성공의 모습에 익숙해졌다. 그러나 오래전에 계약해 둔 사람들이 그에게 대금을 지급해 주지 않거나, 무슨 다른 어려운 일로 인해 계약이 어긋난 채 그가 귀가한다면, 카타는 창문을 통해 그의 피곤한 어깨를 볼 수 있고, 그의 얼굴에서 슬픔을 지니고 있음을 볼 수 있었다. 그런 경우엔 그녀에게도 그런 날은 슬픈 날이었다.

저녁에 카타는 베르나트가 샤워를 끝마치고 나오기를 기다리고 있었다. 일반적으로 텔레비전 프로그램이 끝나면, 벌써 충분히 늦은 시각이다. 그는 자신의 방으로 가고, 카타는 욕실로 가서, 침묵을 즐기며, 그녀가 혼자라는 사실에 즐거워했다. 다른 집에서 살 때 그녀에겐 욕실도 없고, 혼자 있을 곳도 없었다. 슈치와 살 때는 그의 가족 중에 아이들이 너무 많아, 그 아이들이 끊임없이 그들의 방에서 돌아다녔다. 그 도시 변두리의 변변하지 못한 작은 집들 사이로 수도가 한 곳만 있었지만, 아무도 그 수도요금을 내지 않았다. 만약 카타가 양동이를 들고 그 수도꼭지로 가면, 이가 득실득실한 개들도 그녀가 싫은 듯, 자신의 몸을 슬슬 내뺀다. 그 집에서는 그녀와 모든 다른 사람은 똑같이 녹슨 그릇으로 몸을 씻었다. 자주 밤 내내 그 공동의 방에서는 그녀가 탁한 공기에 숨이 탁탁 막힐 정도였다.

지금 여기서 그녀는 혼자 있을 수 있고, 그 청결함에는 향기까지 느낄 수 있었다. 우아하고 아름다운 타일들이 그녀에게 즐거움을 불러일으켰다. 만약 오전에 그녀가 그 타일을 걸레로 청소했다면, 그런 청소하는 일도 즐거웠다. 지금, 저녁 불빛에, 그 타일은 그녀의 온몸을 조금 비치게 했다. 이곳의 거울은 텔레비전 화면과도 흡사했고, 그것이 대형인 것도 같다. 이전의 집에 살 때는 그녀는 이와 비슷한 것을 전시장에서나 보았다.

매일 저녁 그녀는 자신의 몸을 관찰했다. 그 눈 아래쪽에 보이지 않아도, 그 '아픔'은 ―그녀가 오랫동안 느껴왔던, 그 마지막으로 크게 맞은 '기념물'은― 이제 없어졌다. 살갗의 푸른 멍이 없어지고 난 뒤에도 뼈까지 아팠다.

그러나 여기서는 평화롭다. 지금은 그녀가 저녁에 두려워할 필요가 없다. 이젠 정반대로 되어 버렸다. 그녀는 서쪽에 떨어지는 해를 보는 즐거움도 누렸다. 베르나트와 이 집의 침묵만이 그녀의 동반자이자, 훌륭한 동반자이다. 카타는 거울 앞에 서서, 천천히 자신의 옷을 벗었다. 물이 샤워 꼭지에서 나오고, 그녀는 물줄기 밑에 섰고, 아래엔 발 주위로 물이 조금씩 모이자, 나중에 그 물이 어디로 흘러가는지 자신도 모를 정도로 하수구 구멍 속으로 소리를 내며 사라졌다. 카타는 이곳의 하수도에 대해선 아는 것이 별로 없었다. 그러나 그녀가 정말 가장 좋아하는 곳은 욕조였다. 그녀가 욕조 안에 따뜻한 물을 가득 채우기 시작할 때, 그녀 내부에서는 벌써 행복이 노래하기 시작했다. 그리곤 그녀는 준비해 둔 수건을 거품 발생기에서 조금 떨어진 물속으로 던지고, 마침내 자신의 온몸을 욕조 안의 물속에 담글 땐, 그 기쁨이란 이루 말로 표현할 수 없을 정도였다. 다리와 허벅지가 따뜻한 물로 빨갛게 되고, 그녀는 앉아서 그 느낌 때문에 크게 소리라도 지르고 싶은 심정이었다. 가슴과 등도 편안함을 느낄 수 있었다. 그녀는 서두를 필요가 없다. 베르나트가 문 앞에서 조바심이 날 정도로 발을 쿵쿵거리며 다니고 있지도 않고, 그 시각엔 베르나트는 존재하지도 않는 것 같았다. 오로지 그 집만 그녀를 에워싸고 있는 것 같았다. 그래서 카타는 욕조에 앉아, 자주 목까지 물속에 잠기게 하고는, 머리카락이 물에 잠기는 것도 개의치 않았다. 그녀는 욕실 맞은편의 벽을, 그 위의 전등불을 바라보고 있었다. 그리고 그녀가 다시 정신을 차릴 때는 온전히 한 시간이 다 지나지는 않았다.

한편, 그녀는 때로 목욕하면서 뜨거운 물을 더 많이 틀어 놓았지만, 욕조 밖으로 나올 때는 몸을 조금 떨었다. 그녀는 갈색 피부를 문질러 빨갛게 하고서, 거울 앞에 다시 서서 거울에 비친 자신의 모습을 바라보았다.

8월 말경 베르나트에겐 불쾌한 손님들이 들이닥쳤다. 오전에 하늘에는 구름이 헝겊처럼 남아 있었을 때, 뭔가 회색 하늘이었지만, 햇빛이 비치는 오전이었다. 아침은 벌써 멀어졌으나, 그렇다고 정오가 가까운 것은 아니었다. 산들은 안개 속에 가려 보이지 않았다. 뜨거운 팔월의 나날은 보통 처음에 느껴지는 것과 같이 이른 아침에는 안개가 끼어 있었다.

베르나트는 어느 설계도면을 이제 막 완성하고 있었다. 이 지역에서 '채소판매의 왕'은 자신이 짓게 될 빌라의 둘째 설계 변경 도면을 작성하도록 요구하였고, 그가 이미 돈을 지급했기에, 베르나트는 그걸 마무리하고 있었다. '난 봉사자일 뿐'이라고 그는 살짝 웃으며 생각했다. 그는 강변의 구릉에 웅장한 모습으로 서게 될 집과 테라스를 이미 보는 것처럼 자신이 완성한 설계도면에 좋아하며 만족했다.

누군가 초인종을 눌렀다. 그가 작업하고 있는 곳의 창문을 통해서 도로 쪽으로 나 있는 대문을 볼 수 없다. 그는 계속 설계도면에 열중하고 있다. '카타가 문을 열어 주겠지. 카타는…' 이제 모든 일을 잘 보조해 주었다. 그녀가 옆에 있으면, 베르나트 자신도 편안하게 느낄 수 있을 정도였다. 물론 그가 그런 생각을 한 번도 해보지 않았지만. 누군가와 잘 지내는 일은 아주 간단했다. 혼자가 아니다. 어쨌거나 중심이 되는 그를 걱정해 주는 누군가가 아주 가까이에 살고 있음은 좋은 일이었다. 적어도 그는 그 점을 희망하고 있었다.

나중에 그는 그녀가 요란하게 뛰어오는 소리를 듣자, 뭔가 나쁜 일이 생겼음을 직감했다. 그는 한숨을 한번 내쉬고는 제도용 자를 내려놓고는 대문을 향했다. 카타의 두 눈에 이제까지 보지 못했던 낯선 점을 볼 수 있었다.

"그분들이… 왔어요." 그녀는 한숨을 쉬었다.

"누구라고요?"

"저어… 그 두 분요. 부인과 따님이요."

8. 전처 빌마와의 말다툼

베르나트는 속으로 욕을 했다. '정말 좋은 날인데… 지금까지는!' 하지만 지금 이 두 사람이 오늘을 망쳐 놓았다. 그는 화를 크게 내면서도 걱정이 되어 집 밖을 향해 갔다. 그의 부인은 -그의 전처!- 파란 옷을 입고 풀밭 한가운데 서 있었다. 빌마는 그런 색상을, 어두운 청색 계통의 옷을 좋아했고, 베르나트는 밝은 청색을 좋아했다.

'이 여자도 이젠 늙었네!' 그는 곧 생각했다.

그의 부인은 그보다 몇 년 나이가 어렸지만, 오래지 않아 곧 오십이 될 것이다. 빌마의 얼굴은 날카로웠고, 그 시선은 여전히 비웃음과 화가 난 상태였다. 그 남자는 지금 빌마의 얼굴만 볼 뿐이고, 그녀가 입고 있는 의복이나, 신발이나 손가방은 보이질 않았다. 그는 한 번도 그녀의 그런 세부적인 일엔 관심을 두지 않았다.

그의 딸은 마치 두려운 듯이 좀 더 떨어진 채 서 있었다. 부모가 이혼한 이후에도, 딸은 아버지를 만나러 여러 번 이곳에 왔지만, 그 딸 소피아는 정말 몇 분간만 머물다 갔고, 언제나 뭘 부탁하러 왔었다. 돈이나 도움을 요청하러. 베르나트는 자신이 도와줄 수 있는 일이라면, 도와주었다. 하지만 나중엔 그게 나쁜 기억으로 남아 있었다. 왜 그는 그때 그 여자를 시집오게 했던가? 지금 그는 아무것도 이해할 수 없다. 그리고 그 때문에 지금 화를 낸다 치더라도 아무 의미가 없다. 소피아는 조금 두려워하며 서 있었으나, 만약 부모가 싸움이라도 벌이면, 도로로 내뺄 준비를 한 것 같았다. 카타는 집 안에 남아 있었다.

"안녕," 베르나트가 말하면서 침을 삼켰다. '이 사람들이 뭘 원하는가…?' 지금까지의 그들과의 모든 만남은 불쾌감만 보였었다. 그리고 오늘은 그들 둘이 그의 집에 함께 들이닥쳤으니… 이것은 다시 그의 배를 만지게 했다.

"무슨 안 좋은 일이라도?"

물론 그는 뭔가 일어났음이 확실했지만, 그렇게 물어보았다. '무슨 실수를 까발린다면, 얼마나 잘못 교육받은 사람인가.' 하지만 지금 그는 시간을, 적어도 시간만은 아끼고 싶었다. 동시에 그는 생각했다. '이 손님들을 어디로 안내하지?' 그는 지금 작은 정자를, 보통 오후에 커피를 마시던 곳을 이미 보아 두었다. 그곳엔 나무 벤치가 두 개 있었고, 그렇게 안락한 것은 아니었고, 하지만, 정말… 이 손님들에겐 충분히 맞다.

"저 정자로 가지." 그는 그렇게 말하고 앞장섰다.

빌마는 잠시 주저하다가 집을 한번 쳐다보았다. 한때 남편이었던 사람의 뒤를 따라갔다. 소피아는 가까이 오지도 않았고, 평상시 아버지 얼굴에 키스해주던 일도 하지 않았다. 그런 사실로 보아, 그는 이 두 사람이 자신을 책망하러 왔음을 알았다. 그는 무슨 일인지 전혀 몰랐지만, 자신의 배에서 이젠 압박이 시작되고 있음을 느낄 수 있었다. 빌마와 함께 산 지난 18년간 그는 그 점을 느낄 수 있었다. 그는 이 여자와 결혼했음을 백 번이나 후회했지만, 오랫동안 어떻게 이혼할 것인가를 숙고했다.

그리고 어느 날 그는 그 이혼을 실행했다. 이혼을 반대하는 아내 빌마와는 긴 싸움을 한 뒤, 빌마는 베르나트의 과거의 일부가 되어 버렸다. 베르나트는 그런 자신에 대해 한 번도 더 만족하지 않았다. 그 18년간은 그의 삶에 있어 오점이었다.

"당신은 우릴 집안에 들어오게도 못하게 하네요."

두 사람이 자리에 앉자, 빌마는 주목해 말했다. 그것도 그녀가 잘 쓰는 방법 중 하나였다. 그때 그녀는 사람들이 그 점을 변화시킬 수 없을 때나, 그렇게 하는 것이 바람직하지 않을 때, 그것이 뭔가 공격의 소재가 되었다. 베르나트는 이제 그런 비난거리에 대해 마음의 갑옷을 그 당시도 벌써 입고 있다. 지금 그 말에도 그는 자신의 마음에 상처를 입지는 않았다.

"난 비밀이 없소. 난 당신이 뭔가 말하려고 하는 걸 빨리 말해 주었으면 하고 믿고 있어요. 그런 짧은 시간을 위해 집안에 들어갈 필요는 없지 않소."

그 문장 속에는 이미 공격적인 면이 들어 있었지만, 빌마는 이해했다. 그녀는 언제나 그런 종류의 암시는 이해했다. 그녀의 얇던 입술은 더욱 얇아졌다. 신경질적으로 그녀는 자신의 핸드백을 테이블 위로 던져 놓았다. 그녀는 정자를 통해 정원을 보면서, 뭔가 필요한 것을, 뭔가 부족한 점을 지적해 주고, 적어도 그만큼의 만족감은 갖고 싶어했다. 하지만 아니다. 이곳엔 모든 것이 아름다웠고, 흐트러짐이라곤 없었다.

소피아는, 벤치의 한 모퉁이에 앉아, 말이 없었다.

그녀는 아버지를 바로 볼 용기도 없는 것 같았다. 그녀는 어머니가 자기 대신에 말할 거라는 걸 알고 있었다. 언제나 엄마가 딸의 말을 대신해 주었다. 소피아는 아버지에겐 성실하지 못했다. 베르나트는 자주 다른 사람들을 통해서만 딸이 이번 시험에도 떨어졌다는 걸 들었다. 딸은 교육학 과목에서 불합격했고, 다른 전공과목도 마찬가지였다. 벌써 이 고등학교에 넷째 해를 다니고 있었지만, 졸업장도 저 멀리 사라졌다. 그녀는 결코 졸업장을 받지 못할 것이다. '저 아이는 내 피를 받고 태어난 아인데, 저 아이는… 도대체 누구인가?' 베르나트는 여러 번 반발심이 생겼다. 그러나 지금 –그 딸을 바라 보면서– 그는 화를 내진 않았고, 근심 걱정이 앞섰다. '이 두 사람은 뭔가 작심하고 나를 찾아왔나 보다.' 다시 그는 자신이 왜 이 여자를 아내로 맞이했던가 이해가 되지 않았다. 빌마에게서 낯선 느낌이 강하게 들고 그 때문만은 아니었다. 그는 벌써 오랫동안 빌마를 만나지 않았다. 빌마는 그동안 더 늙었고, 그는 그녀 목에도 주름살이 새로 더 생겼음을 알 수 있었다. 물론 빌마는 지금 –여름임에도 불구하고– 긴소매를 입고 있지만, 그녀의 팔에는 반점들이 보였다. 베르나트는 전처나 딸에 있어 무슨 공통점을 느낄 수 없었다. 딸에 대해선 소피아가 자신의 딸이라는 사실이 전부였다. '하지만 만약 그 모녀가 그의 삶에서 사라져 버린다면, 그는 자신이 한결 가벼워짐을 느낄 것이다.' 그리고 동시에 그 남자는 그런 생각에 대해 자신을 증오했지만, 그로서는 달리 느낄 방법이 없었다.

빌마는 늙었고, 베르나트는 그들이 함께 늙었다는 점에 대해선 생각하진 못했고, 그들이 이혼한 이후에도 따로 살고 있어도 세월은 똑같이 그들을 스치고 갔다. 아니면 그 나이에는 여자들이 더 빨리 늙나? 그리고 그 운명은 그들에게 상처를 준다. 그렇다. 빌마는 주름살과 숨겨진 병마에 상처를 입고 있었다. 베르나트도 병이 나는 걸 무서워했지만, 더욱이 의욕이 꺾인다는 점에 대해 두려워했다.

“저어?” 베르나트는 일을 끝내고 싶고, 참을성이 없다. 그는 빌마를 바라보고, 빌마는 그를. 빌마는 그가 회색의 관자놀이에도 불구하고 정말 젊어진 모습을 보고는 그 모습이 그와 썩 잘 어울렸다. 빌마의 마음속에 악의적인 감정만 높아졌고, 그녀의 배 속에서도 뭔가 신경질적인 압박이 있고, 증오심으로 쓰라렸고, 그런 감정으로 그녀는 그의 얼굴을 노려 보았다.

“애인이 생겼다면서요! 그것도 집시 갈보 년을요!”

베르나트의 뇌는 이상하게 작동했다. 왜냐하면, 그 첫 순간에 “갈보 년”이라는 말에 그는 깜짝 놀랐다. 그것은 문학 용어라 이 모든 걸 텔레비전에서 보는 것 같았다. 그것은 그 몇 초 동안 그는 그 방영된 “장면”의 일부가 아니라, 마치 외부로부터 그가 모든 것을 보고 있는 듯했다. “갈보 년이라…?” ‘이 여자가 지금 무슨 낱말을 내뱉고 있는가!’ 그는 조금 시간이 지나서야 그 비난이 ―그 자신 외에도 ―카타를 대상으로 하고 있음을 알았다. 그는 자신을 방어하기 위해 말을 하려다, 빌마가 먼저 이젠 더 참을 수 없다는 듯이 불평을 퍼부었다.

“…그런 짓을 언제까지 도대체 할거요? 늙은 노새 같으니라구! 당신이 자신의 명성을 생각하진 못해도 당신 딸 생각은 해야 하지요! 당신 가족을요! 우린 한 가족이었어요. 그리고 우리가 아직도 같은 도시에 살고 있으니, 당신이 원하지 않아도, 우리가 한 가족으로 아직도 여기는 사람들도 있어요! 사람들이 당신의 등 뒤에서 수군대는 소리를 들어 봤냐구요…? 당신 집에다 그 년을, 그것도 집시 여자를 끌어들여 함께 사니, 우리가 그걸 모를 줄 생각했나요? 당신 친구들이 내게 묻습디다. 내가 그 사실을 아느냐고요? 그들이 그 말을 하면서도 날 얼마나 비웃던지 알아요!"

베르나트는 반박할 준비를 하고, 다시 입을 열려고 하고 화가 두 배로 치밀었다. 그녀 말 때문에, 또, 그에게 말할 기회를 주지 않았기 때문에도. 그건 전과 마찬가지로, 그때나….

"…뻔뻔한 사람! 우리가 헤어졌다고. 서로 아무 관계가 없는 줄로 믿고 있어요? 그리고 당신 딸은? 그건 그렇고 나도! 그리고 당신 명예는? 당신은 우리에게 뭐든 할 수 있다고 생각하나요? 온 시내가 당신을 비웃어요! 늙은 염소 같으니라구! 저 딸을 한 번 봐요. 고등학교 반 친구들이 얼마나 놀리는지 생각해 봤어요? 난 상점에도, 어디든지 나다닐 수 없어요. 왜냐하면, 사람들이 나를 비웃으니, 어느 미친년들은 자신이 공감한다고도 했어요. 그 말이 가장 역겨운 말이라구요!…."

'다른 멍청한 여자들과 함께 이 여자는 나에 대해 욕을 많이 하고 다니는군.' 베르나트는 그런 생각을 하면서도 여전히 기다렸다. 그는 빌마가 처음 공격하다가 에너지를 다 소비해 버린다는 걸 잘 알고 있고, 이젠 그가 말할 차례가 올 것을 알았다. 그는 기다렸다.

"…사람들이 그 년이 다른 종류의 여자라면 그것도 이야기하지도 않았을 거요. 당신은 병 옮을 걱정도 안 하는군요! 소피아는 이때 고개를 돌렸고, 더 혼돈에 빠졌다. 온 도시 사람들이 두 눈으로 당신이 잘 씻지도 않는 집시 갈보와 함께 사는 걸 보고 있어요. 당신이 어디고 같이 데리고 다닌다면서요! 불행한 사람아. 당신은 이젠 목숨도 무릅쓰는군! 항상 당신은 그래 왔어요… 언제나 당신은 당신이 관심을 가진 일만 해 왔고, 당신에겐 다른 사람은 안중에도 없었어요. 물론 당신은, 그 년

이 허락하면, 그 년도 결국엔 차 버릴테니! 언제나 끝에 가서는 당신은 당신에게 이젠 소용없는 모든 사람에게서 자유로워지겠지! 하지만 내 말을 잊지 말아요. 그 년은 이 집에서 나가고 싶은 생각이 없음을요. 당신, 베르나트, 당신은 집도 다 빼앗기게 되었어!"

빌마는 낡은 방식으로 자신의 역할을 맡았다. 그녀는 마치 깜짝 놀랐다 하더라도 베르나트를 돕는 말을 하고 있다고 말하는 체했다. '당신의 명성이라니. 이 여자는 그 점이 정말 흥미롭지 않고, 자신의 지금의 처지가 제일 무서운 거군.' 그 남자는 그런 생각을 하면서, 그의 마음은 아주, 아주 씁쓸했다. 조금씩 그는 평정을 되찾았다. 하지만, 그 두 사람이 대문을 열고 나가기 전까지는 진짜 평온은 찾을 수 없음을 그는 알고 있었다. 아마 그 이후로도… 그들 두 사람은 그날 온종일, 또 그 주간 전체의 시간에 독을 뿌려 놓았다.

빌마는 마침내 숨을 들이쉬며 있을 때, 베르나트가 한때 배워둔 큰 습관대로 그 잠시 멈춘 틈을 비집고 들며 말했다.

"내게도 마침내 좀 말을 할 기회를 준다면… 내가 당신에게 말하고자 하는 것은, 당신이 말한 그 여자는 내 애인이 아니라 이 집 가정부일 뿐이요. 하지만 그 여자가 우연히 내 애인이 된다 하더라도 그 일은 당신과 아무 상관이 없어요. 당신이나, 이 도시 사람도. 알아들었어요?"

그는 자리에서 일어섰다. 그는 말을 더 해주고 싶었지만, 자제했다. 그렇게 하는 것이 더 좋았다. 말수가 적은 말이 더 쉽게 폐부를 찌른다. 그는 그걸 경험으로 알고 있었다. 그는 등 뒤에서 나는 소란을 들었다. 딸 소피아가 무슨 말을 했다. 그건 흔한 일이 아니었다. 소피아는 어머니에게 참으라고 했을 뿐이다. 빌마가 얼굴을 붉히며 말했다.

“당신은 이 자리에서 우리가 없어졌으면 하고 바라는군, 쓰레기 같으니라구? 당신은 후회할 거야! 당신은 이 도시의 평판을 무시하곤 못 살아. 우리 두 사람의 의견도 그렇고! 적절한 사람들이 당신 같은 인종을 가르쳐 줄 수만 있다면 뭐든 할 수 있음을 알아야지. 당신은 크게 후회할 거요, 베르나트!”

베르나트는 갑자기 바위처럼 되었고, 파도가 그를 에워쌌지만, 그는 그 자리에서 우뚝 서 있고, 그들과는 더는 싸우고 싶지 않고, 자신의 의도를 절제했다. −한편 그는 그런 빌마와의 부부싸움이나 말다툼을 하는 동안 내내 언제나 온몸이 떨고 있었다. 그가 입을 꼭 다물자, 턱마저 아팠다. 그러나 그는 말을 아꼈다. 모든 걸, 그가 하고 싶은 말은 모두 말하고 싶었다. 그는 만약 오랫동안 그녀와 다툰다면, 그 다툼의 실제적 결과와는 상관없이 일단 그녀가 승리자라고 그녀가 느낄 것도 알았다. 왜냐하면, 그녀는 정말 그에게 억지 설명을 하고, 자기변호에서 이기기 때문이다. 그래서 그는 말이 없었다.

그리고 빌마가 말을 중단했을 때, 그들은 말없이 서로를 바라보았다. 그리고 그때, 소피아가 자신의 높은, 지금까지의 덜 성숙된 목소리로 말했다.

“엄마, 그만 해요. 아무 도움이 안 되어요.”

베르나트는 딸을 쳐다보았다. 그녀는 언제나… 여전히 낯선 사람이었다. 좀 두꺼운 얼굴, 굵은 팔. 좀 변형된 몸매. 그 딸에겐 남자친구가 없다. 정말 아무 친구도 없었다. 그래서 그녀는 쓸쓸하고, 폐쇄적이고, 자기 어머니의 복사판이다. 한때 빌마도 그런 사람이었지만, 그땐 다행히도 그 점을 모르고 지냈다. 그는 나중에야 빌마가 어떤 여자인지 알았지만, 이미 때가 늦었다. 소피아가 태어났고, 당시 소도시에서는 이혼이 아주 흔하지 않았다. 그런데도 그들이 이혼했지만, 그 이혼은 늦은, 아주 늦은 이혼이었다.

빌마는 주먹으로 탁자를 한번 치고는 얼굴을 찡그렸다. "네 말이 맞아. 얘야, 소용없는 일이야."

베르나트는 자리에서 일어나, 풀밭을 지나 걸었지만, 풀밭마저도 그를 반갑게 맞아주는 것 같지 않았다. 그는 대문으로 다가가, 그 대문을 열었다. 그런 행동은 영화에서 본 것처럼 의미심장했다.

빌마와 소피아는 천천히 다가왔다. 전처의 입에선 뭔가 움직임이 있었지만, 아무 말도 하진 않았다. 베르나트는 그런 모습을 모두 보았고, 그는 고개를 돌리지 않았다. 소피아가 무슨 작별 인사를 했지만, 아버지는 응대하진 않았다. 그렇게 하여 두 사람은 그 대문을 나갔고, 베르나트는 이젠 이 두 사람이 이곳에 두 번 다시 오지 않을 것 같았다. 그렇지만 빌마와 관련해서는 사람들이 아무것도 확신할 수 없었지만, 그 점은 그가 오래전부터 체득해 온 것이었고, 오늘도 그것을 잊지 않고 있었다.

대문이 꽝- 하고 닫혔다. 베르나트는 결연한 태도로 몸을 돌려 집안으로 되돌아 왔다.

카타는 주방의 열려 있는 창문을 통해 그 대문이 꽝-하고 닫기는 큰소리만 들을 수 있었다. 그녀는 뭔가 잘못되었음을 알 수 있었다. 그녀는 그 두 여인을 휘감고 있는 심정을 느낄 수 있었다. 그들은 베르나트에게 뭔가 슬픔을 가져다주었고, 그 두 사람은 그 남자를 괴롭히려고 했다. 그래서 카타는 엿들어 보았다. 그리고 나중에…

그녀는 얼어붙은 듯이 서 있고, 반쯤 뜬 두 눈으로 주변을 살펴보았지만, 그날 모든 것이 변하리라고는 믿지 않았다. 왜냐하면, 지금까지 있었던 것과 똑같은 일은 이제 더는 일어나지 않을 것이기 때문이다. 오늘 아침까지 있어 온 것은 무엇인가. 벌써 그녀가 거의 두 달 이상이나 이 집에 살고 있었다. 그러나, 그녀의 두 발은 이 집의 방 문턱의 높이와 계단의 거리에 익숙해 있었고, 전기 스위치 위치나, 출입문 손잡이, 서재, 벽장 높이도 한 손에 느낄 수 있었다. 그녀는 이 집에 익숙해 있고, 이 집을 사랑하고 있었다. 그러나 지금은 그녀가 이 모든 것을 잃어버린 것 같았다. 오, 불쌍하게도! 카타는 주방에서 뛰쳐나와, 베르나트에게 달려갔다. 그러나 그녀는 문턱에서 멈추어 서고는 그녀 두 손은 문틀에 기대고 있고, 그녀 손톱이 어느새 잘 칠이 되어 있는 나무문을 파고 들어가 있다.

베르나트는 아직도 평온을 회복하지 못했다. 하지만 그의 희미한 눈앞에 서 있는 카타의 두 눈을 볼 수 있었다. 그는 맨 먼저 그녀의 눈만 볼 수 있었다. 그러고 그녀 얼굴을, 좀 튀어 나온 광대뼈를, 검은 머리를, 갈색 살결을. '집시 갈보라고…?' 그는 숨을 깊이 들이쉬고 있고, 그의 지금의 모습은 상처를 입은 들짐승 같다. 그는 헐떡거리며 카타 앞에 섰다. 그는 카타의 두 눈에서 큰 두려움을 느낄 수 있었다. 그리고 계속되는 충직함도.

'왜 빌마는 그런 행동을 했는가? 빌마는 무슨 권리로 그의 마당에서 시끄럽게 큰 소리로 떠들었으며, 무슨 뿌리 깊은 증오로 그런 행동을 하였는가? 그는 그렇게 해서 여러 해 동안 살아온 그 여성을 다 파악했는가? 아니면, 아니면 실로 이 사건들이 그렇게 만들었는가? 아니면 빌마는 전 남편 베르나트의 인생이 더욱 정상적으로 흐르는 걸 부러워만 하고 있는가? 아니면 반면에 빌마가 붕괴되고 있는가? 이런 것이 이혼녀들의 슬픔의 근본 원인이구나.'

그는 이제 그런 생각에 가졌다. 하지만, 베르나트가 다시 기력을 회복하기에는 얼마간 시간이 더 필요했다.

베르나트 사로시는 자신이 정말 평온해지길 원치 않았다 하더라도, 그때 자신을 억제할 수 있었고, 평온을 되찾았다. 만약 그가 혼자 있었다면, 그는 이제 가재도구를 때려 부수고, 짐승처럼 울부짖으면서, 자신의 무력함을 느꼈을 것이다. 하지만 지금 그는 카타를 보고 있고, 카타도 그를 보고 있다. 그의 이마에는 혈관이 튀어나왔다. 그는 아직도 세 번 크게 숨을 내쉬었다. 그는 카타도 그들의 싸움에서 이것저것을 들었음을 직감했다. 카타의 얼굴을 통해 그것을 확인할 수 있었다. 베르나트는 천천히 평온을 되찾았다. 카타가 정말 두려워하자, '난 이젠 더는 이 여자를 두렵게 만들어선 안 돼,' 그는 다짐했다.

"괜찮소."

그는 마른 입술로 낮게 말했다. 그리곤 그는 카타를 지나치며, 곧장 주방으로 들어가, 냉장고 문을 열었다. 그 냉장고 안에는 그가 좋아하던 오렌지 주스가 한 병 놓여 있었다. 그는 그 병을 집어 유리잔에 붓자, 유리잔이 그 병에 부딪히고 있음을 볼 수 있고, 들을 수 있다. 그의 두 손은 신경이 극도로 날카로워져 떨고 있다. 마치 그 손들은 그의 것이 아닌 것처럼. 빌마와 다투고 난 뒤에도 그 당시 그런 현상이 종종 있었다. 그때에도 그는 자신의 몸이 무너지는 것 같았고, 더는 몸을 주체할 수 없을 정도였다.

"괜찮아요."

그는 되풀이 말했다. 카타가 안으로 들어와, 그의 앞에 선 모습을 그가 보았기 때문이다. 그는 한 모금 마신 뒤, 불쑥 그녀에게 마실 것을 권했다. 베르나트는 아무 일도 없는 듯이 행동하려고 애썼다. 하지만 그는 갈색 얼굴의 카타가 보는 것을 부담스러워했고, 그 일은 쉽게 잊지 못하리라는 것도 알고 있었다. 그것은 실수인지 모른다. 그리고 지금 다시 그는 빌마가 자신에게 이런 불쾌감을 가져다주자, 빌마를 증오했고, 그 빌마가 팩-하고 돌아가 버린 뒤로는 그녀를 더욱 증오했다.

'며칠을 그는 그 10분간의 싸움을 내치지 못하고 기억해야 하는가?'

그는 한숨을 내쉬었다.

"카타, 그 사람들은 신경 쓰지 말아요. 이혼녀란 그런 사람들이오, 남자가 멀리 떠날 수 없다면, 그 남자는 죽을 때까지 그들에게서 벗어나지 못할 거요. 난 더 기구한 운명의 친구들을 알고 있어요."

"그분들이 나를 두고 뭐라 하셨어요? 그리고 우리 두 사람에 대해서도요?"

그녀는 물었다. '우리'라는 말이 그들을 -그들이 원하든 원치 않든- 묶어 주었다. 베르나트는 손을 내저었다.

"그들에 대해 신경 쓰지 말아요. 그 여자들은 자신들이 무슨 말을 했는지도 모른다구요.”

베르나트는 정원으로 나갔다. 그의 화가 격해졌을 때는, 그 곳 식물들만이 그를 위로해 줄 수 있었다. 그 식물들은 죄없고 평화로운 존재로 그를 언제나 정말 평안하게 해 주었다. 이젠 개도 그를 따라 다니지 않았다. 개조차도 그의 뇌에서 발산되는 파장을 감지했다.

카타는 집안에 남아 있었다. 카타는 집안의 실내 청소를 하며 눈물을 삼켰다. 어느 창문을 통해 카타는 때때로 이 소나무에서 저 소나무로 성큼성큼 걸어 다니는 베르나트를 볼 수 있었다. 그러나 정말 베르나트는 자신이 심어 둔 삼나무와 측백나무들이 있는 곳으로 갔다.

“여긴 겨울인데도 정원은 더 푸르군.”

카타는 생각했지만, 그녀에겐 자신이 겨울에도 여기서 머물 수 있을지 하는 의문이 아픔으로 다가왔다.

‘그녀 자신은 그때에도 저 정원을 볼 수 있을까…? 그녀 자신은 이 도시로 돌아올 줄 알고서 이 도시를 떠날 수 있을까?’

판사는 자신의 앞에 놓인 서류를 두고서, 펼쳐 읽진 않았다. 그는 법정 소란이 진정될 때까지 기다렸다. 의자를 끄는 소리, 발을 끄는 소리, 쑥덕거리는 소리.

마침내 그가 자신의 숨소리만 들을 수 있었을 때, 그는 법정을 둘러 보았다.

“우리 속행하지요.”

그의 평소 시선으로도 모든 사람이 출석해 있음을 알 수 있었다. 피고인, 변호사, 검사 —그들 없인 심리를 재개할 수 없다. 방청석의 첫 열에는 옷을 너무 많이 입힌 아이 머리도 보였다.

"그래 모두 출석했으니, 속행합시다!"'

법원 검사가, 마치 교회에서 미사를 진행할 때 쓰는 말처럼, 자신의 입으로 말했다. 수년 동안 그는 똑같이 행동했다. 한편 그의 생각은 이미 앞으로, 장기놀이에서와 비슷하게 앞으로 질주했다. '만약 그가 다른 모든 사람의 생각을 알면, 이 법정에서의 공방은 정말 실패할 것이다. 누가 무엇을 원하는지. 무슨 의도로 했는지 쉽게 드러날텐데. 저 사람이… 저 사람이 기소 내용대로 저지른 일도?'

"다음 증인은 이름이… 요제포 코찌스입니다. 그를 들어오게 하세요."

몸집이 좀 큰 남자가 어슬렁거리며 들어 왔다. 그는 판사 앞에 놓인 탁자에 자신의 증명서를 놓고는, 아마 '안녕하십니까'라는 몇 마디를 했지만, 잘 들리지 않았다. 그는 주위를 두리번거렸다. 그 판사 자신은 사람들을 잘 파악할 수 있다고 알고 있었지만, 그 남자와 관련해서는, 그는 지금 갑자기 아무 것도 예측할 수 없었다. '아마 이 사람은 물렁한 사람이군, 주무르기도 쉬운 사람이군.'

먼저 그는 그 사건과 별 관련 없는 뭔가를 물어보았다. 그는 증인의 직장과 직업에 흥미가 있었다. 그런 방식으로는 그는 이 남자가 평정심을 찾기를 기대하고 있었다. 정말 그는 자신이 알고 있는 걸 말해야 했고, 그것들에 대해 몇 마디하고는, 그런 범주에서는 아무 위험도 그를 위협하지 않았다. 그는 숨을 천천히 내쉬었다. 요제포 코찌스는 이제 그렇게 떨고 있지도 않았다. 그 증인은 때때로 시선을 아래로 내리고는, 피고인석을 힐끗 보았다. 그러고 난 뒤, 조금 용기를 얻어, 정말 말하기 시작했다.

"…베르나트 사로시 씨는 아주 평범하게 행동했습니다. 그가 라카토스 부인이 옆에 있음을 자랑스럽게 행동했다고는 말할 수 없습니다. 다만, 그는 그 점을 애써 숨기려고도 하지 않았습니다. 그는 자신이 하는 말을 사람들이 믿을 것으로 당연하게 생각하는 사람입니다."

"라카토스 부인이 그의 가정부였음을요?"

"그렇습니다." 그 증인은 성실하게 고개를 끄덕였다. —"그가 그리 말했지만, 며칠 지난 뒤, 벌써 온 시내에 베르나트 씨가 자기 집에 애인을 데려와 산다는 비난이 들리기 시작했습니다. 그리고 더구나…"

요제포 코찌스는 입을 갑자기 멈추고는, 주변을 둘러보았다. 판사는 적막한 평정으로 도와주었다.

" '더구나' 집시여자라구요, 그런 말도 했었나요?"

"그렇습니다. 집시여자가…"

그 말에 사람들은 깜짝 놀랐다.

참석해 있던 사람들이 술렁거렸다. 대다수가 지금 무언가에 동의하고 있는지 알 수 없었다. 그리고 바로 그 때문에 대다수가 화를 내는가? 아니면, 정반대인가? 잠시 휴정하고 다시 자리를 잡은, 함께 방청하고 있는 집시들이 웅성대는가?

아침에 판사가 법원 정리의 도움으로 법정 밖으로 쫓은 사람 중 몇 명도 다시 참석해 있었다. 그는 그곳을 한 번 바라보고는 원색의 재킷, 황금—황금색으로 치장한 치마가 눈에 확

들어왔다.

판사는 이미 이 도시의 집시들은 라카토스 부인을 몰랐고, 그 부인은 전혀 그들과 접촉하길 원하지 않는다는 그런 정보도 이미 갖고 있었다. 하지만, 지금 온 집시 거류민이 다뉴브 항만과 같은 크기의 그 집시 거류지 주민들이, 회색의 작은 집에서 살아가는 사람들이 재판정에 나왔다. 집시에 대해, 집시들이 화제의 중심이 되었음을 판사는 잘 알고 있었다. –집시에 대해 말한다면, 그들 모두 이곳으로 와, 주의 깊게 듣고 있었다. '그들은 자기 동족이 죽은 일로 아주 슬퍼하는구나.' 그 판사는 그렇게 생각했다. 언젠가 어디서 그런 말을 들은 적이 있었다. 그리고 곧 그의 머릿속으로 다음 생각이 들어섰다. '그것은 일상 이야기일 뿐이야. 내 안에서도 그런 성격은 들어 있어.' –그들과 관련해, 그런 것들만이…?

그들의 두 검정 눈과 갈색 얼굴이 모두가 한 그룹이 되어, 출입구에 가까운 쪽에 모여 있었다. '그들은 언제나 달아날 태세이군.' 그는 생각하였고, 그의 시선은 다시 그 증인에게로 향하였다.

"그런 비난이 베르나트 사로시 씨의 좋은 명성에 해가 될 수 있다는 말인가요?"

"물론입니다. 판사님. 만약 여기서 지금 누군가가 집시와 친구가 되려는 사람에 대해 말한다면, –그 누군가는 이미 이 사회에선 실종된 사람으로 취급됩니다. 적어도 상류층에서는 더는 그를 받아들이진 않습니다."

그 문장은 둥글고, 흠잡을 데 없다. 판사는 그 증인이 그 점을 이미 집에서 준비하고 나왔음이 분명했고, 그는 그 일의 일부분만이 그 재판부에겐 흥미로운 사안임을 정말 알고 있었다. 변호사 얼굴에는 이 증거가 그에게 큰 도움이 될 것 같았다. 그러나 검사 얼굴에는 포커놀이에서 포커페이스로 아무 표정을 읽을 수 없었다.

“당신의 말에 있어, ‘상류층’이라는 말이 무슨 뜻이지요?”

그 판사는 그 점을 모르는 듯이 질문했다. 그러나 무슨 이유로 해서 그는 그 증인이 이미 많은 사람이 알고 있는 뭔가를 말할 기회를 주려고 했다. 그는 그 점을 어떻게 말하는가, 그 점만이 흥미로운 것일까? 그러나 코찌스 씨는 별로 머뭇거리는 기색 없이, 자신의 정신의 균형상태를 이미 회복해 있었다.

“의사, 관료, 유명한 개인 사업자, 변호사들과 그들의 가족입니다. 그들 주변에선 베르나트 씨가 건축의 설계 용역을 기대할 순 없다고 난 그렇게 믿습니다.”

지역신문의 어느 기자는 열심히 적어 가고, 판사는 그 기자를 한 번 쳐다보고는, 나중에 법률 규정을 찾는 것처럼 행동하면서, 다음 질문을 직접 생각해 냈다.

“베르나트 사로시 씨가 그 점에 대해 증인에게 불평을 말했습니까?”

코찌스는 다시 뒤돌아보고 싶었지만, 판사가 그를 똑바로 응시하고 있음을 보자, 그의 그런 움직임도 제지되었다.

“그렇습니다. 판사님. 한때, 그 일은 이미 지난가을에 일어났으니, 10월경에 다시 우리가 길에서 한 번 더 만난 적이 있습니다. 그는 긴장한 채 우울해 있고, 그리고 지금 다른 지역이나 지방의 낯선 도시에 광고를 내야 한다고 말했습니다. 그는 무엇 때문에 억지로 그렇게 해야 하는지 그런 말은 하지 않았지만, 난 정말 알 수 있었고, 그도 내가 알고 있음을 파악하고 있었습니다. 그가 그런 걸 내게 길게 설명할 필요가 없었습니다. 하지만 그는 일감이 없음을 강조하진 않았습니다."

"그럼 왜 우울했던가요?"

"판사님… 만약 사람들이 그를 존경한다면, 모두 좋아합니다."

그 문장은 전에 이미 배워 둔 대로 다시 '의심이 가는' 말임을 그 판사는 알았다. 그리고 그는 부끄러움을 느꼈다.

'난 모두를 관찰하면서, 그렇게 비판적으로 해야 하는가?'

"그것이 그에겐 영향을 미쳤습니다."

그 증인은 말했다.

"더구나, 더구나, 판사님, 그때 난 느낄 수 있었습니다. 베르나트는 슬픈 모습이기도 하고, 기쁜 모습이기도 했습니다. 제 말씀은 행복한 모습이었다는 말입니다."

9. 욕실 창문에 비친 여인의 모습

베르나트는 구덩이를 팠다.

다른 일과 마찬가지로, 그는 온 힘을 다해 흙을 파내면서, 다른 무엇인가를 기다리진 않고 흙만 계속 파 내려갔다. 눈에 머리카락이 흘러내렸고, 목과 겨드랑이에서도 땀이 나는 걸 느낄 수 있었다. 그가 그늘 밑에서 일을 했지만, 이미 숨이 찼다. 지난해까지만 해도 정원의 끝자락에는 오래된 자두나무 한 그루가 있었으나, 모양이 엉성하고 허약해진 이 나무는 지금의 그가 아니라, 이전 주인이 이곳에 옮겨 심어 두었다. 베르나트는 여러 해 동안 이 나무를 관찰해보곤 손만 내저을 뿐이었다.

그는 9월경에 그 나무에서 자두 몇 개를 딸 수 있었고, 언젠가 이 나무를 뽑아야 함을 알고 있었다. 그러나 그는 봄이 되면 그걸 잊어버렸다.

하지만, 그는 지난주엔 확신이 섰다.

그는 그 자두나무를 도끼로 쓰러뜨리고, 오늘 그 나무 밑둥치를 파내려고 구덩이를 더 깊이 파냈다. 내일 이 자리에 큰 측백나무를 심을 계획이었으니, 오늘은 이 구덩이 파는 일을 마쳐야 했다. 이젠 이 정원에는 상록수만 늘 있을 것이다.

카타가 큰 컵 하나를 손에 들고 풀밭을 지나왔다. 베르나트는 곡괭이를 내던지고는 카타를 쳐다보았다. 카타는 날씬했고, 정말 날씬한 것을 볼 수 있었다. 그녀는 마치 공중에 떠오른 것처럼 풀 위에서 사뿐히 걸어오고 있었다. 오후라 태양은 낮게 걸려 있고, 바로 그녀 뒤에서 비치고 있다. 카타는 때로 자신의 몸으로 태양을 가리면서 오고 있고, 베르나트는 다가오는 그녀를 즐겁게 보고 있다.

"오늘 카타는 아주 매력적이군."

그는 주목해서 말했다. 그녀 얼굴이 아마 붉혀졌을까? 그녀는 그런 칭찬에 놀라면서도 즐거웠다. 그녀는 그를 위해 과일즙을 차게 만들어 가져 왔다. 베르나트는, 카타의 눈앞에 그 자신이 집 안에 없을 때도, 그를 크게 관심을 기울이는 그런 배려에 마음이 찡했다.

"고마워요."

카타는 여전히 자신의 낡은 습관에서 벗어나지 못했다. 지금도 그녀는 넓은 치마와 블라우스를 입고 있고, 그녀는 아주 밝은 색깔의 옷을 입고 있고, 지난달 급료에서 얇은 금목걸이를 하나 사서 그녀 목에 항상 걸고 다녔다.

갈색 얼굴에선 약한 웃음.

어두운 두 눈이 반짝거렸다.

"좀 쉬면서 하세요, 베르나트 선생님. 정말 피곤하시겠어요."

그는 자신이 파 놓은 구덩이에 걸터앉았다. 그는 아직 50센티는 더 파야 하고, 그 둘레도 좀 더 넓혀야 했다. 흙도 밖으로 더 많이 파내야 했다. 그리고 그 장소는 꼭 필요했고, 진짜 이곳에 측백나무를 심어 두면, 정말 아름답게 보일 것이다.

"날 이젠 더는 베르나트 '선생님'이라 부르지 마오."

"그럼 어떻게요? 베르나트 삼촌이라 할까요?" 카타가 웃겼지만, 곧 그 자리에서 물러났다.

베르나트는 그녀의 발을 잡으려 했지만, 그만 허공만 갈랐다. 카타는 어린아이처럼 마냥 웃었다.

"내가 그렇게 늙었나?"

그녀는 좀 떨어져 서서는 말이 없었다. 베르나트는 웃고 난 뒤, 그 과일즙을 전부 들이켰다.

그는 그 컵을 돌려주면서, 광부처럼 진지하게 그 구덩이 안으로 뛰어 내려갔다.

"조심하시오. 이젠 흙을 던질거요!"

그리곤 그는 흙을 던졌다. 카타는 더 멀리 달아났지만, 베르나트를 향해 웃었다.

"일이 언제 끝납니까? 내가 '삼촌'을 위해 샤워할 물을 준비해 둘게요."

베르나트는 그녀를 향해 흙을 한 줌 집어 던졌지만, 그녀는 웃으며 달아났다. 그 남자는 그녀가 어떻게 태양 속으로 달려가는지 쳐다보았다. 그는 햇살에 눈이 조금 부셨지만, 그 햇살을 잡을 수 없고, 땅만, 풀만 내려다보았다. 그가 다시 고개를 들었을 땐 이미 그녀는 그 집의 한 모퉁이에서 사라지고 없었다.

그는 저녁까지 일했고, 아주 피곤한 채 자신이 해 놓은 일을 바라보았다.

'그랬다. 정말, 이 일은 아름다운 노동이었어.'

그는 만족하게 생각했다.

'그보다 스무 살이나 젊은 사람이 그 일을 한다 해도 그렇게 빨리 그 구덩이 파는 일을 그렇게 빨리 팔 수 없을 거야'…

카타는 창문을 통해 그가 구덩이 파는 일을 마치고 집안으로 들어오는 것을 보자, 욕실로 들어갔다. 베르나트가 그 욕실에 들어섰을 때, 욕조에선 거품이 일고 있었고, 증기도 나고 있었다.

"목욕물이 준비되었어요."

카타는 일상적으로 써 오던 "선생님"이라는 호칭을 겨우 붙여 말했지만, 그 말은 그 문장 끝에서 거의 들리지 않았다. 베르나트는 웃기만 하고, 그녀는 그 자리를 떠났다. 그 남자는 옷을 벗고서 큰 거울을 통해 자신의 모습을 바라보았다.

'이게 나야. 넓은 어깨, 햇볕에 그을리고, 그런 모습에 비례하여 작은 머리. 하지만 두드러진 특색들이 있어. 난 반쯤 조각된 조각품 같군. 이 점은 변하지 않아.'

그는 싫은 듯이 손을 흔들며 생각에 잠기다가 욕조 안으로 들어갔다.

이틀 뒤, 그는 저녁나절에는 거의 잠을 자지 못했고, 그 때문에 밖으로 산책하러 나왔다. 그는 머리가 좀 아팠다. ―그는 초기의 아픔 증세가 머리 뒤쪽을 둔탁하게 누르고 있음을 이미 알고 있었다. 그 경우 신선한 공기만이 그를 구제해 줄 수 있다. 더욱이 겨울에, 영하 20도에서도 그는 산책하러 갔다.

그는 성큼성큼 정원을 돌아다녔다. 처음에는 그가 새로 심은 측백나무로 가서, 그 나무 주변의 흙을 손으로 만져 보면서, 그 나무가 충분히 물을 머금고 있는지 살펴보았다. 그는 머릿속에 떠오르는 생각에서 벗어나려고 애썼다.

"어느 정맥이 말을 듣지 않는구나."

그는 말하곤 했다. 나중에 개가 가까이 와 있음을 알았다.

"이리 온!"

그는 개를 데리고 도시가 잘 보이는 쪽으로 앞으로 나아갔다. 도로의 연결된 불빛과 어느 교회의 불 켜진 탑도 보였다. 이곳엔 수천 명이 살고 있다. '모두가 그의 적이 될 것인가?'…

최근 그는 시내에도 잘 가지 않았다. 그를 본 사람들은 고개를 돌렸다. '그럼 그들이나 마음 상해라고 하지.' 그는 생각했다.

"난 그들 없인 살 수 있어."

그는 지금 특히 지금, 머리가 아픈 지금은 빌마를 생각하지 않으려고 했다. 그는 그 아픔을 없애버리려고 공기를 한 번 들이마시고는 큰 걸음으로 정원을 이리저리 왔다 갔다 했다. 대리석 같은 돌들이 하얗게 있는 것 같고, 풀밭은 검었다. 이젠 그는 자신이 살 것 같다고 느껴졌고, 머리가 아픈 것도 사라졌다. 그러나 그가 벌써 이곳에 있기에 집주인으로서 집 주위를 둘러보았다. 그는 이 집 외엔 다른 집은 소유하지 않았다. 그리고 그 기억들도. 그 기억 중에서 유쾌함은 이 집과 바로 연결되었다.

욕실 창문엔 커튼이 쳐 있지 않았다. 안에는 전등불이 빛나고 있었다. 베르나트는 그걸 끄는 걸 잊었나 하고 처음에 믿고는 잘못되었구나 하며 고개를 저었다.

바로 그때, 그는 그녀를 보게 되었다.

유리엔 이미 수증기가 층을 이뤄 베일을 만들어 놓았지만, 여전히 그 유리는 투명했다. 그는 카타의 나신 윤곽만을 보게 되었다. 샤워장 안에서 건강하고 갈색의 -장밋빛의 똑바로 선 그녀 모습을 볼 수 있었다. 정말 그녀는 지금 욕실에서 샤워한 뒤, 몸을 문지르고 있었다. 베르나트는 그녀의 젖가슴을 보았다. 젖가슴은 그가 지금까지 믿었던 것보다도 컸고, 하얀 허리 중앙엔 검은 세모가 보였다. 이 모든 것은 단지 순식간에 일어났다. 왜냐하면, 증기가 유리를 곧 덮어버렸기 때문이었다. 안은 따뜻했고, 바깥의 저녁은 추웠기에 그는 더 아무것도 볼 수 없었다.

베르나트는 좀 부끄러웠다.

‘내가 지금 목욕하는 사촌 여동생을 훔쳐보는 고등학생인가?’ 그는 고개를 흔들고는, 도둑처럼 사라졌다. 그는 자신의 의식 속에 방금 본 것을 지워버리려고 했지만, 마음대로 되지 않았다.

“이리 와,”

그는 개에게 말하고는, 그 자신의 목소리를 통해 자신의 의식을 현실의 세계로 오게 했다. 그는 그녀가 욕실에 있음도 현실의 일부, 그의 현실의 일부인 것을 생각하진 않았다.

그는 큰 소리로 문을 닫았다. 아니 평소보다 더 큰 소리로. 왜냐하면, 곧 욕실 출입문이 열렸다. 그리고 베르나트는 그녀를 다시 보았다. 카타는 목욕 타월을 두르고 있고, 맨발이 욕실 문턱에 보였다.

“저어… 베르나트예요?”

그는 어둠 속에서 현관에서 중얼거렸다.

“그래, 나요. 난 대문이 제대로 닫혔나 보러 나왔어요.”

그 거짓말은 그의 입에서 쉽게 튀어나왔고, 그 일은 아무 의미가 없었다. 그리고 그 때문에 그는 자신의 도덕 감정에 그렇게 흥분하지 않았다고 여겼다. 그는 어둠 속에서 그녀를 바라보았다. 그녀는 -그를, 그녀가 조금 더 오래 그를 보았다. 하지만, 그 여인은 손을 가슴 쪽으로 가져가 눌렀다.

“난, 얼마나 놀랐는지요. 난 도둑인가 했어요.”

“에이, 도둑도 내가 부자가 아닌 걸 알아요.”

베르나트는 더욱 즐겁게 말했다.

"소문엔 도둑은 대상이 될 집을 관찰하면서, 그곳에 부자가 사는지, 그 안에 위험을 무릅쓸만한 게 있는지… 그런데 우리에겐 차고 안에 차 1대가 전부고, 집 안에는 칼라 TV 1대… 그게 전부인 걸요."

카타는 그 남자가 계단 위로 올라갔을 때까지 아무 말 없이 서 있었다.

"잘 자요, 카타."

"안녕히 주무세요." 그녀는 속삭였다.

베르나트는 이 집에선 야간 주택침입자를 유혹하는 건 아무것도 없다는 걸 믿고 있었다. 그것은 그때에도 틀렸다. 그리고 나중엔, 더욱.

어느 날 오전, 카타는 상점에서 돌아왔을 때는 아주 마음이 상한 얼굴이었다. 그때는 9월 중순이었다. 그들은 손님을 기다리고 있었는데, 그녀의 장바구니는 텅 비어 있었다.

"사람들이 나를 밀쳤어요!"

그녀는 현관에 들어서면서 이미 소리쳤다. 베르나트가 자신의 작업실에서 나올 때까지 카타는 기다리지 않았다.

베르나트는 마침내 주방에서 그녀와 마주쳤다.

"무슨 일이 있었어요?"

"정육점에서… 그 몹쓸 사람들이…. 악마가 그들을… 기꺼이 배추를 부수듯이, 그 사람들을 내가 깨부쉈으면 좋겠어요!"

그것은 집시들이 잘 하는 욕설이었다.

그녀의 두 눈엔 살기가 등등했다. 베르나트는 그녀에게서 그런 모습을 한 번도 본 적이 없고, 오로지 영화에서나 그런 모습을 보았다. 그는 정말 두려웠다.

"그런데, 카타! 무슨 일이요? 그 정육점에서 무슨 일이 있었어요?"

카타는 마음을 진정시키지 못했고, 주방 한가운데 서서, 그의 얼굴에 가까이 대고는, 이상하게도 큰 소리로 말했다.

"돼지 같은 작자들 같으니라고! 내가 먼저 잘라놓은 고기를 한 뭉치 사려 했어요. 그들은 내겐 없다고 하더군요. 없다면 하는 수 없지요. 난 주위를 둘러보며 다른 걸 고를 생각이었어요. 그때, 잘 차려입은 귀티 나는 여자가 들어서자, 그 여자에겐 큰 소리로 판매원이 인사하고는, 냉장고에서 큰 뭉치를 꺼냈어요. 그 고기는 이전부터 포장이 된 채로 있었어요. 그런데 그 뭉치를 건네받은 그 여자 손에서 미끄러져 바닥에 떨어졌어요. 그때, 나는 그 뭉치 안에 잘라놓은 고기가 들어 있는 것을 알았어요. 난 곧장 그 뚱보 판매원에게 말했어요. '저어, 나도 저걸 주세요'라고요! 그러자 그자가 자기 동료를 부르더니. 그 두 작자가 나를 출입문 앞으로 밀쳤어요. 난 다시 들어가려고 했지만, 그중 한 사람이 –그 탑처럼 키 큰 사내가 – 문 앞에서 날 내쫓았어요."

베르나트는 화가 치밀었다.

"그리고 그 둘은 비웃으며 물었어요. 집시들은 그렇게 뻔뻔하냐구요"

그녀는 욕실로 갔다. 베르나트는 그 붉게 멍든 자국이 있는 그녀의 손을 보았다. –힘센 남자가 밀쳤던 손자국이다. 그는 지금 카타가 혼자 울고 있음을 직감했다. 그는 이미 화가 치밀었지만, 그 일을 생각해 보니 그가 할 수 있는 일이란 적음을 느꼈다. 그가 지금 그 상점에 가면, 그들은 모든 걸 부정할 것이다. 그러나 그는 웃옷을 걸치고서 시내로 달려갔다. 그 정육점은 그리 멀지 않았다.

카타가 고기를 사러 간 바로 그 정육점이다. 베르나트가 아무리 평화적인 사람이라 하여도 그 화는 그 상점에까지 갔어도 삭이지 못하고 있었다. 그는 들어서면서 씩씩거리기도 했다. 그는 곧 그 뚱보인 보조판매원을 알아볼 수 있었다. 반쯤 열린 출입문 뒤로 그 직원은 다른 사람과 대화를 하고 있었다. 그곳엔 다른 판매원이 있었다.

"난 이 집 사장과 이야기를 하고 싶소." 그는 그 보조판매원에게 말했다. 그 음성은 확고부동했다.

"사장님!"

그 보조판매원이 그 안쪽의 어느 문을 향해 외치고는, 판매대에 도살용 호크들 사이로 피가 보이는 고기덩어리를 이곳저곳으로 계속 옮기고 있었다. 이 점포 주인은 아주 호리호리한 사람으로 베르나트보다는 키가 좀 작았다. 그 주인은 밖으로 나왔다.

"무슨 일이신지요…?"

"당신 보조판매원들이 정육점에 물건 사러 온 사람을 내쫓았다고요?"

"누가 누굴 내쫓았단 말씀인가요?"

그는 깜짝 놀랐다. 잠시 뒤 그는 알아차렸다.

"그렇습니다. 당신은 오늘 잠시 전에 본 집시 여자를 말씀하는 것인가요? 그녀가 저희를 나쁘게 말하니, 저희가 그녀를 쫓아냈어요."

"그 여자가 우리 집 가정부요."

베르나트는 확고하게 말했다.

"그런데 그녀 말로는, 그녀가 당신들은 정육점 고기를 낯선 사람들에겐 팔지 않고 숨겨 놓고, 아는 사람에게만 판다면서, 당신들이 그녀를 쫓아냈다면서요."

그 주인은 할 말이 없었다. 그러나 그 보조판매원은 '바로 그 탑처럼 생긴 뚱보'인데, 이미 옆에 와 있었다.

"그 여자가 뭐라고요? 가정부라고요?"

그가 비웃었다.

베르나트도 모든 것을 얼음처럼 차갑게 대했다.

언제 어디서나 소란이 있었을 때는 그런 모습이었다.

"그러나, 선생님…" 그 주인은 말을 시작했다. 그는 베르나트를 몰랐지만, 베르나트가 하는 행동으로 보아, 그가 이 지역의 유지임을 추측할 수 있었기에, 그 주인도 이 상점에서 잘못한 것이 이것저것 있고 하여 베르나트의 성냄을 누그러뜨리려고 했다.

"선생님, 확언하건대, 그 일은 오해에 불과합니다. 만약… 그녀가 이곳에 다시 오면, 우린 비난하지 않고, 그녀에게 봉사하겠습니다…"

"그럼요. 당연히 정말 비웃지 않고요!"

그 보조판매원은 큰 소리로 비웃었고는 자신의 주먹을 판매대에 내리쳤다. 지금 상점엔 그들 셋 외에는 아무도 없는 것 같았으나, 베르나트는 상점 안을 구경하려는 두 여성이 있음을 알아차렸다.

"넌 이름이 뭐야?"

베르나트는 날카로운 목소리로 묻고 나서 그 보조판매원을 쳐다보았다. 상점 주인은 베르나트 주변을 배회했지만, 베르나트는 천천히 자신의 수첩과 연필을 꺼내 주인을 노려보았다.

“만약 당신 직원이 이름을 밝히지 않는다면, 그 직원이 자신의 잘못을 인정한다는 것으로 이해하겠소. 난 이 일을 관계 당국에 알리겠소. 곧 시청에서 감독하러 와서 당신에게 흥미로운 걸 찾게 될 거요…”

“선생님…!” 화가 난 주인은 자신의 보조판매원을 힐긋 쳐다보았다.

“…우리가 그런 불쾌한 일을 당할 필요가 있겠어, 이 멍청아.” 그러고는 그의 두 눈이 번쩍거렸지만, 곧 그는 베르나트를 향해 다시 웃으며 말했다.

“제 생각으로는 다른 방식으로 이 일을 해결할 수도 있겠는데요…”

“당신은 나더러 무슨 귀한 고기를 두고 암거래라도 하란 말이요?”

베르나트는 큰 소리로 물었다. 그때 여자 손님 둘이 그 상점 안으로 들어섰고, 그 소란을 들게 되었다. 그 판매원은 그들이 그쪽으로 주의를 끌지 않으려고 큰 소리로 인사했다.

“어서 오십시오, 어서 오십시오! 무슨 고기를 드릴까요, 두 분 여사님?”

베르나트는 그 상점의 이름과 주소를 적은 수첩을 접고, 그 상점 주인에겐 전혀 개의치 않고 인사도 하지 않은 채 상점 밖으로 나왔다.

밖으로 나오자, 그는 자신이 어린애처럼 행동했음을 알았다. 정말 그는 잘못 행동했다. 그 이유는 이제부터 이 시내에선 그 '집시여인'에 대해, 그녀 존재에 대해, 그와의 관계에 대해 몰랐던 사람들까지도 입에 오르내릴 것이다.

그는 기분이 상한 채로 집으로 돌아왔다.

카타는 주방에서 채소를 다듬고 있었다. 그녀는 그를 쳐다보지 않았다. 베르나트에겐 남자로서의 권위가 빛나고 있었다.

"내가 그 사람들을 겁주었소… 앞으론 그런 일이 없을 거요. 카타가 앞으로 그 상점에 가도 아무 탈이 없을 거요."

카타는 고개를 내저을 뿐, 시선을 들려고 하지 않았다. 베르나트는 이젠 카타는 두 번 다시 그 상점에 가지 않을 것을 알았다. 그는 정말 카타의 결정을 이해해 주었다. 그도 똑같이 행동할 것이므로.

"베르나트 사로시 씨가 증인을 위협했습니까?" 판사가 물었다.

상점 주인은 어깨를 약간 들썩거리려고 하다가, 지금 있는 곳이 어딘지 기억하고는 그런 가벼운 몸짓도 멈추었다. 대신에 그는 말했다.

"판사님, 그 점을 위협이라고 해석할 수도 있어요. 베르나트 사로시는 그렇게 무례하게 행동했습니다. 정말 그는 심한 말은 한마디도 하지 않았지만, 우린 뭔가를 느꼈습니다. 그의 친구가 '어딘가' 있고, 그가 우리를 위험에 빠뜨릴지 모른다는 것을요.'

"그래서 그가 증인을 위험에 빠뜨렸어요?"

판사는 '위험에 빠뜨리다'는 말이 마음에 들었다. 이 말이야말로 오늘의 주제에 걸맞다.

정육점 주인은 뒤를 돌아보았고, 검사는 대답이 무척 궁금했다. 판사는 그런 검사를 바라보고 있었다. 지금까지 그 검사는 이익이 되는 것을 많이 챙겼지만, 그의 안경은 여전히 승리의 순간처럼 반짝이고 있었다. 그는 상대방을 쓰러뜨리지 않고도 좋은 점수를 얻고 있는 복싱 선수 같았다. 그리고 결국에, 이 모든 걸 계산해 보면… 그가 이길 것이다. 그는 이길 수 있을 것이다. 그러나 사건의 핵심에 대해선 아무도 말하지 않았다. 살인 사건을 유발한 일에 대해서만은.

판사는 지금 변호사를 쳐다보았다. 더운 오후에, 남자들은 셔츠의 목깃을 풀어 넥타이를 느슨하게 하였다. 변호사는 여러 번 자신이 증인들을 쳐다보지 않고, 사건을 건성으로 취급하는 것처럼 믿을 정도로 보였지만, 그는 아주 세심한 관심을 기울였다. 그래도 실은 살인 사건은 모든 사람이 진지하게 대함은 물론이다.

"아닙니다, 판사님, 나중에 아무 일도 없었어요. 그러나 며칠 밤을 나는 그 때문에 잠을 잘 자지 못했어요."

판사는 더는 참을 수 없었다.

"사로시 씨가 우연히 핵심을 찔렀기 때문이지요, 안 그런가요? 그 상점에는 모든 게 정상적이진 않지요?"

하지만 그는 대답을 기다리지 않았고, 상점 주인의 놀란 얼굴만으로도 충분했다. 그 남자는 아직도 무서워하고 있었다. 그리고 그로서는 그의 얼굴에 정상적인 모습이 보일 때까지의 2분의 1초가 정말 길었고, 그가 이 법정에 오기 전의 정육점 주인으로 다시 돌아갔다.

"그럼, 사로시 씨가 정당하게 화를 낸 것으로 봅니까?" 변호사가 물었다. 그 질문은 그 정육점 주인을 좀 놀라게 했다.

"정당하다고요? 그가 나를 위협했다는 것이요?"

“라카토스 부인이 증인 상점에서 모욕을 당했다는 걸 부인하지는 않는다는 말이지요.”

상인은 숨을 내쉬었다.

“그 자리에서 정말 모욕을 당했는지는 난 잘 모릅니다. 정말 그땐 나는 그 자리에 없었거든요. 그 여인을 나는 보지 못했어요. 나중에야 무슨 일이 있었는지 내게 말해 주더군요. 그 여자가 정말로 그의 가정부였다면,” 그의 두 입술은 지금 공격적 웃음이 반쯤 나타났다. “그의 항의는 정말 정당했습니다.”

변호사는 그 밖의 다른 질문은 없었다. 판사는 검사를 바라보았지만, 그 사람은 고개를 저었다.

“증인은 내려가도 좋습니다.”

판사는 즐거운 생각을 하며 말했다. 그 검사의 눈썹 아래로 안경이 반짝거렸다. ‘그는 승리했다고 믿겠지만, 정말 이번엔 변호사가 이겼어.’ 그는 익살스럽게 생각했다. 검사는 그 사건이 베르나트가 누구와도 잘 싸우는 흥분 잘하는 녀석임을 입증하는 것을 재판부에 알릴 것을 확실히 계산해 두고 있었다. 그러나 판사는 스스로 알고 있고, 자기 동료들도 안다. 예를 들어, 그로서는 그 상점에서 벌어진 일은 사로시 씨가 그 정육점에 종사하는 판매원들이 그녀에게 대한 행동이 부당함을 알고, 그녀를 변호해 줄려고 한 행동인 것만 알게 되었다.

그리고 그것은, 판사가 그때나 나중에 어디에서도 언급하지 않았지만, 중요한 의미를 담고 있었다. 그는 자신의 머릿속에 중요한 생각들을 담아 두고는, 그의 마음속에 오래 간직해 두었다가, 나중에 아무에게도 전해주지 않는 습관에 젖어 있었다.

10. 부다페스트에서 온 손님들

어느 날 오후 베르나트는 친구이자 변호사로부터 전화를 받았고, 그 내용은 충분히 신경이 쓰이는 것이었다. 그는 저녁이 될 때까지 아무 말도 없이 이곳저곳을 배회하며 다녔지만, 머릿속엔 화가 가득 차 있었다. 그 때문에 오후에 한 잔씩 마시는 차도 별로 기쁘지 않았고, 저녁에 즐거운 기분이 들지도 않은 채 정원을 왔다 갔다 하였고, 그는 텔레비전의 뉴스 시간에도 늦게서야 시청했다.

카타는 말없이 탁자 위에 요구르트와 마른 자두를 갖다 놓고 뭔가 물어보려고 했을 때, 그녀의 목소리는 우단같이 부드럽고 맑았다.

"무슨 일이라도 있었어요?"

베르나트는 자신이 아무 생각없이 '그래요'라고 말을 곧 하려다 화들짝 놀랐다. 그 정도로 두 사람은 이미 서로 친숙해져, 그 여자가 그의 영혼 상태를 인지할 수 있을 정도로 되었는가? 그의 기분이 언짢은 것도? 베르나트는 그 여자가 이 집에 살게 된 이후 그걸 여러 번 알아차렸지만, 그때마다 다시 자신은 놀랐다. 조금 더 그는 텔레비전을 시청하다가 텔레비전의 볼륨을 낮추자, 화면엔 그림만 보였고, 때때로 그 방의 한 모퉁이에 변화무쌍한 그림만 보였다.

"아내가 날 곤경에 빠뜨렸어요. 그 사람은 내 딸을 이젠 완전히 지배하고 있어요. 소피아는 엄마가 시키는 대로만 행동하고 있어요. 그 망할 년이 내가 죽으면, 그 유산은 소피아가 받을 수 있도록 머리를 쓰고 있고, 난 인생에서 그 유산을 다

쓸려가고 있어요… 오늘 그 두 여자가 나를 상대로 소송준비를 하러 어느 변호사를 찾았다고 해요."

카타는 이 모든 것의 절반 정도만 이해했지만, 그녀의 얼굴엔 수심이 어려 있었다. 그로서는 그런 것도 좋아 보였고, 그는 정말 결국 누군가에게 모두 말할 수 있었다. 그러나 그 일은 그를 다시 화나게 만들고 손으로 탁자를 쳤다.

"빌어먹을! 그들은 내 살아 있을 때, 내 피도 마실 줄로 알고 있나? 그들은 이미 자기 몫을 받았고, 지금도 딸에겐 매달 얼마씩 지급하고 있고, 그 아이가 더 공부하려면, 오랫동안 더 돈을 지급해야 하고, 그래요, 그 아인 머리가 나빠요… 그 아이는 내 딸이 아닌 것 같아요!" 이런 의문은 벌써 그의 머리에서 여러 번 떠올랐다. 그러나 그는 그런 생각을 떨쳐 버렸다. 정말 소피아는 겉모습으론 그를 닮았지만, 더구나, 빌마는 언제나 용기가 없고, 확실히 그녀는 그들의 결혼 초기에 다른 남자를 사귀어, 그와 잠을 잘 정도의 용기도 없었다.

"그럼, 어떻게 해요?"

카타는 걱정이 되어 물으면서 흥미를 보였지만, 도움이 되었으면 했다. 그는 카타를 바라보고는, 어떻게 꼼짝 않고 그 여성이 그 자리에서, 그 긴의자의 반대편에 앉아 있을 수 있는지 놀라웠다. 그 자리는 그녀의 고정석이었다. 카타는 어둠 속에서 조금 반짝이는 원시 형태의 조각 같고, 지금의 갈색 얼굴은 까맣게 변해 있었다. 마치 흑인이 그의 방에 앉아 있는 듯한 생각이 그에게 들었고, 그는 숨을 한 차례 내쉬었다.

"변호사 말은 그 여자들이 나를 상대로 할 것은 아무것도 없다고 하더군요. 그들은 전혀 법적으로 가능성이 없대요. 이 집, 이 차, 내가 소유하고 있는 모든 것은 내 소유물이고, 내가 내 맘대로 할 수 있어요. 만약 그 아이가 뭔가 한때 유산을 받을 수 있다면, 내가 그 아이에게 유산을 주겠다고 할 때만 가능하다고 해요. 많으면 많은 대로, 적으면 적은 대로. 그러나 난 건강하게 살려고 노력하고 있고. 악의적인 즐거움이 그의 목소리에 들어 있었다. 오래 살고도 싶고! 난 적어도 백 살까지 살다 죽을래요. 그러면, 그 아이는 할머니가 될 테고, 그때 그 아이는 유산이 무슨 소용이 있겠어요? 만약 그 아이가 결혼한다 해도. 결혼하지 않고서 할머니가 되진 않겠지요."

"그럼, 아무 일이 없겠군요."

카타도 이젠 그 정도는 이해하게 되었다. 지금도 그녀는 움직이지 않는 조각으로 남아 있었다. 그녀는 마치 돌처럼 되어 있지만, 그들 사이에 따뜻하고 감정이 흐르고 있었다. 베르나트는 한결 마음이 가벼웠다.

"정말 아무 일이 없겠지요."

그는 요구르트를 먹고 난 뒤, 텔레비전 음량을 높이자, 어느 모임이 보였고, 그 모임에서는 사람들이 대화하기를, 대화만 아주 좋아한다. 뭔가를 실제로 하기보다는. 그런 대화가 그에겐 불만이었다.

그는 카타가 언제 그 방을 나갔는지 몰랐다. 그날 저녁 그는 텔레비전을 시청하며 혼자 지냈다.

어느 일요일 부다페스트에서 그들 집으로 손님들이 방문했다. 베르나트와 같은 연배의 부부였다. 그들은 모두 오랜 친구들이다. 오래전부터 빌마도 이 사교 모임의 4명 의 멤버 중 하나였다. 그들에게도 딸이 하나 있고, 그 방문객들은 그들 딸이 최근 졸업장을 받았다고 말해 주었다.
"그리고 따님인 소피아는 언제 학업을 마치나요?"
그 여성이 화제로 삼았다. 그녀는 키가 작고, 뚱뚱하였으나, 하얀 살갗이고, 제비꽃의 입술 색과 같은 색의 손톱을 칠한 채 있다. 베르나트는 그 부부를 좋아했다. 특히 그 남자친구를. 그와 함께 여러 번 대화를 나눌 수 있었었고, 흥미로운 토론도 할 수 있었다. 그러나 지금 그는 그들이 서로 얼마나 멀어져 있는가를 보고 있다.
그 남자친구는 갑자기 늙어 버렸지만, 실제론 그가 실제 나이보다 열다섯 살 정도 더 많아 보였다. 희끗한 머리카락. 떨리는 손.
'맹세코 난 쉰다섯에 머물 거야!'
그들에 비해보면, 베르나트는 자신이 아주 젊다고 믿었다. 그는 그들처럼 늙어 보이진 않았다.
그는 어떻게 대답했다.
"소피아는 아직도 학업을 계속하고 있어요."
그리고 갑자기 그는 다른 뭔가로 화제를 바꾸었다. 남자 손님은 점점 자신의 저돌성을 잃어버렸고, 그는 이제는 정치에 대해 열렬히 토론할 처지도 못 되었다. 아무것도. 그 부부는 정원을 바라보았고, 그들이 베르나트를 마지막으로 방문한 때는 오래전이었다.
카타가 보이지 않았다. 마침내 베르나트는 그 점을 깨닫고는 카타를 찾으러 갔다. 한편 손님들은 그 정원으로 나섰다.
카타는 자신의 방에 가, 앉아 있었고, 그녀의 얼굴엔 두려움마저 드리워져 있었다.

“뭘 하고?” 베르나트가 물었다.

“저분들은… 저분들은 선생님의 오랜 친구분들이구요.” 카타는 목이 멘 듯이 말했다. “저분들은 제가… 여기 있는 걸… 좋아하지 않을 거예요.”

“카타가 무슨 그런 소리를 하나요?”

그 목소리는 높아졌지만, 평소와 다름없고, 그의 화낸 마음은 단지 몇 초만 계속되다가 다시 평온을 되찾았다. “바보같이! 난 저분들을 나는 카타가 준비할 점심에 초대했어요. 카타가 3인분을 준비해 주면, 우리 모두 직접 해 먹을 겁니다. 정원 식탁에서! 정말 카타는 우리 집 가정부인걸요. 그게 다예요!”

그는 그 점을 그녀를 향해서가 아니라, 그 스스로에게 말했지만, 가능한 논쟁에서 논점을 말하는 것 같았다.

“좀 더 예쁜 옷으로 갈아입고, 교회에서 종소리가 크게 나는 12시에 점심을 날라다 줘요.”

그리곤 그는 서둘러 떠나면서 다른 토론의 여지를 주지 않으려고 했다. 풀밭으로 나서면서 그는 아직도 생각에 잠겨 있었다.

‘시내에서 비난받는 것으로 충분하지 않은가? 지금 그녀가 나와 맞서기를 시작했는가? 그럼 그녀가 가정부라는 걸 그 간단한 사실을 아무도 믿지 않으니. 바로 “그 점”이?’

그러나 사태가 복잡하게 된 것을 그는 얼마 후 알게 되었다.

12시 2분이 되자, 카타는 테이블보와 식기를 들고 정원에 나타났다. 그녀는 붉은 집시치마를 입고 있고, 집시들이 입는 하얀 블라우스도 입고 있다.

베르나트는 그녀의 그런 모습을 처음 보았다.

뭔가 집시 같은 분위기는 그녀의 두 손과 갈색 얼굴, 행동거지에서 느껴졌다. 하얀 목에 걸린 목걸이는 길거리나 시장에서나 볼 수 있는 집시들의 보석과 비슷했다. 손님들은 깜짝 놀랐다. 더 가까이 다가오는 카타의 다리 주위로 붉은 치마가 펄럭이고 있었다. 그녀가 베르나트를 한번 쳐다보자, 베르나트는 그 점을 알아차릴 수 있었다.

'나를 집시 여자라고 하면, 난 이젠 집시 여자가 되겠어요! 이게 바로 나예요, 베르나트 선생님!'

"안녕하세요!"

카타는 탁자 앞에 섰다. 깜짝 놀란 손님들은 그녀를 향해 다시 인사를 하고, 베르나트는 되도록 평상심을 유지하려고 하면서 직접 그녀를 소개하기도 했다.

"이쪽은 카타, 우리 집 가정부이지요. 곧 카타가 점심을 내올 겁니다."

손님들은 서로를 쳐다보았다. 아마 카타도 그런 모습을 눈으로 볼 수 있었고, 그녀의 자신감과 의도는 '난 모든 사람에게 이런 모습을 보여 주고 싶어!' 라던 마음은 곧 사라졌고, 신경이 더욱 쓰이고, 들고 온 식기 중에 나이프를 하나를 떨어뜨릴 뻔했다. 그녀는 좀 서툴게 식사에 필요한 도구를 모두 식탁에 놓고는 다시 음식을 가지러 갔다.

한편 베르나트도 안절부절못하며 손님들에게 시선을 들려고도 하지 못했다. 손님들은 그 점을 잘 보고 있었고, 그들의 의심은 더욱 컸다. 더구나 그 점은 확신으로 변했다. 여자 손님이 손을 씻으러 갔을 때, 모든 것을 이해한 공범자의 표정으로 그 남자 손님은 베르나트를 비웃으며 말했다.

"헤이, 늙은 친구. 자네가 살아가는 방법을 알만하군!"

"무슨 말인가?" 그는 그 손님의 암시를 이해하지 못하는 듯이 행동을 하며 마음속으로 희망했다. 이 손님은 자신이 유심히 본 점을 화제 삼지 않을 것을. 하지만 그 화제는 유혹적이었고, 그 남자는 똑같은 톤으로 말을 이어갔다.

"…저렇게 젊은 암탉, 그것도 집시 여자를! 그럼, 그녀는 걱정이 없겠어. 그녀는 자네에게 고맙다고 하겠군. 정말 자네가 그녀를 가난에서 구제해 주었군. 안 그런가? 나는 자네 같은 늙은이가 부러워. 밤도 지루하지 않겠어. 그렇지?"

"카타는 가정부야. 그뿐이야." 그는 반박하며 말했다. 손님은 고개를 그에게 끄덕이며 웃었다.

"자넨 나도 오해하게 만드는가?"

카타가 왔고 베르나트는 그들이 벌써 더 일찍 확실한 일들을 의논하지 않았음을 애석해했다.

그녀는 식기를 접시의 어느 쪽에 놓아야 하는지, 디저트용 작은 접시는 어떻게 두어야 하는지 몰랐다. 베르나트는 눈짓으로 그녀에게 방향을 정해주려고 애썼지만, 카타는 이미 신경이 극도로 날카로워 아무것도 눈에 보이지 않는 것 같았다. 그녀는 자신을 집시라는 점을 강조하기로 한 이후에는 자신의 행동거지를 바꾸었고, 지금 그녀는 손님들에게, 특히 베르나트의 맘에 들었으면 하듯이 행동했다.

그 때문에 그녀의 그런 노력은 자신의 부끄러움과 신경의 예민함만 더했다. 수프를 접시마다 나누어 담으면서 그녀는 그 수프를 테이블 밑으로 흘리기도 했다. 베르나트는 쉿소리를 내었고, 손님들은 자신의 감정을 전혀 숨기지 않고 비웃듯이 웃었다.

카타가 서툴게 행동하자, 그들 의심은 점점 커져만 갔다. '이 여자는 이 집에서 가정부로 일하지 않아. 그런데 왜 베르나트는 자신들을 속이려는 거지?' 그러고는 카타는 서둘러 주방으로 사라졌고, 베르나트는 뭔가 말하기 시작했다. 그는 그런 기억들로부터 불쾌감을 없애려고 희망했다.

그러나 정말 그 일은 아직도 끝나지 않았다. 그 음식은 먹을 만했고, 베르나트에겐 그 음식이 정말 맛있기도 하였던 것은 그가 이미 카타의 요리 솜씨에 익숙해져 있었기 때문이었다. 그러나 그는 손님들 얼굴을 보고는 그들의 '집시가 만든 요리'를 내키지 않는 듯이 숟가락질하자, 베르나트는 그 음식이 그들의 입맛에 맞지 않음을 알았다. 그러나 그 손님들은 용감하게도 그 모든 것을 다 먹어치웠다.

둘째로 내놓은 접시는 그의 시도였으나, 그는 서둘러 채식주의 장점을 늘어놓기 시작했다. 그는 일요일임에도 카타에게 고기 대신에 샐러드와 쌀로 만든 죽을 내놓으라고 했고, 그 안에는 견과도 들어 있고, 건포도도 보였고, 적어도 열 가지의 채소와 생버섯도 보였다. 손님들은 관상용으로 구운 오이조각도 몇 점 맛볼 수 있었다.

카타는 지금 오이조각을 테이블 위로 떨어뜨렸고, 그녀는 글라스마다 포도주를 가득 채우지 않고 부었다. 베르나트는 그녀에게 그 글라스들을 가득 채워 달라고 분별력 있게 가르쳤다. 손님들은 그런 가르침을 눈치챘다. 카타의 얼굴엔 포도주 색깔과 비슷한 얼굴빛이 떠올랐다.

그는, 점심 뒤, 오랫동안 손님들과 대화를 나누었으면 하였다. 그는 부다페스트의 정치에 관한 방담 중에서 최근 소식도 듣고 싶고, 그 유명한 무임소 장관의 개인적 견해도 듣고 싶었다. 그러나 그는 그 손님들이 오후 1시 30분이 되어, 자리에서 일어서자 깜짝 놀랐다.

"이보게, 베르나트. 우린 이 지역의 다른 친구도 방문할 약속을 해 두었어." 그 남자 손님이 말했다.

"다뉴브 항만 근처에 다른 친구가 있어서요."

베르나트는 그들이 더 머물렀으면 했으나, 이젠 힘도 빠지고, 뭔가 속이는 것 같기도 했다. 그는 자신의 손님들이 곧장 빌마를 찾아갈 것으로 추측했다. '이런 빌어먹을!'

그 장관은 자신의 자동차로 30분이면 베르나트 전처가 사는 집 앞에 다다를 것이고, 확실히 그는 그 집 앞에 서 있는 이 장관의 차량도 발견할 수 있을 것이다. 거추장스러움. 그는 화가 크게 치밀었지만, 그들이 이 집에 온 목적은 그 탐문에 있었고, 그런 요청을 한 사람에게 지금 달려가고 있는 것 같았다. '그래 정말, 그 자신이 얼마나 어리석은가.' 이 사람들이 빌마 요청에 응해 여기까지 온 것 같았다. '빌어먹을 세상, 지옥 같네, 이 세상이!'

그는 도로까지 나가 그들을 배웅하고는 화가 나, 집 안으로 들어섰다. 베르나트는 벌써 멀리서도 볼 수 있었다. 그 빨간 치마가 정원 식탁에서 보였다. 카타는 그때 탁자의 접시들을 치우고 있었다. 그는 다가갔지만, 말이 없고, 그녀도 아무 말을 하지 않았다. 베르나트는 마침내 어느 샐러드 통을 집어 들고는 성큼성큼 그녀 뒤를 따라 걸었다. 그는 주방에 들어서

자 외쳤다.

"왜 그런 빨강을 입어야만 했소?" 그는 손으로 그 치마를 가리켰다.

"집시 여자라는 걸 그분들에게 보여 주고 싶어서요!"

"하지만 절반 정도만!" 그는 이의를 제기했다. 두 사람이 각각 화가 나서 마주 보며 섰다.

"그건 중요하지 않아요. 난 집시의 집에서 왔다고요." 그녀는 그렇게 말하고는 설거지할 따뜻한 물로 싱크대를 가득 채웠다. 베르나트는 어떻게 해야 할지 몰랐다. 그는 자신의 집 주방에서도 벌써 얼마 동안 편치 않은 마음으로 서 있는 자신에 대해 놀랐다. 그때 그는 주방의 한구석에 서서 말했다.

"그 점을 강조해 봐야 소용없어요. 그들은 카타가 도와주지 않아도 잘 보고 갔어요.'

카타는 아무 말도 대꾸하지 않았고, 두 손을 물속에 집어넣었다. 접시들은 마치 새로 생기듯이 거품 속에서 깨끗해져서 모습을 보였다.

"카타는 이젠 집시의 집에 있지 않아요. 그리고 카타는 이 집에서 집시의 집에서 했던 행동을 또 할 필요는 없어요."

베르나트는 힘주어 그 점을 말하고는 주방에서 나갔다. 그는 집 건물을 등진 채 있었고, 그 집은 그의 척추를 압박했지만, 그 집을 부숴 버릴 순 없었다.

그날 그는 더는 아무 말을 하지 않았다.

카타도 아무 말이 없었다.

11. 은방울꽃 비누 향의 여인

“그 사건에 대해 말해 주시오. 모든 걸 이 법정에서 증언해 주시오.” 판사가 말하였고, 자기 동료 판사들을 둘러 보았다. 한 번은 오른쪽으로, 한 번은 왼쪽으로. 그때 그 동료들은 그의 양옆으로 앉아 있었지만, 한번도 그가 똑바로 그들을 바라볼 수는 없었다. 그는 그 동료들의 얼굴과 생각들을 바로 볼 수 없었다. 그는 때로 그 동료들이 움직이고 있는 것만 느낄 수 있었다. 떠들썩함이나 지루함으로 인해서.

재판부 앞쪽에는 도시평의회의 어느 관리가 서 있었다. 그 판사는 그 관리를 잘 알고 있다. 그는 약 서른 살이었지만, 최근 관리 대부분이 여성이었지만, 대체로 가장 지성적 여성은 아니었다.

“예, 판사님,”

그 젊은 관리는 전혀 신경이 날카롭지 않다. 그는 정말 위험이 전혀 없음을 알고 있고, 그 외에도 그는 공적인 일에 대해 말할 뿐이었다. 그 일에 있어 그가 자신의 견해를 밝힐 필요도 없었지만, 그 요청에 응했다.

“아마 이 도시의 누군가가, 이름을 밝히자면, 베르나트 사로시 씨가 자신의 집에 새 거주자를 주민 등록하지 않았다는 제보를 해 온 것은 9월 중순이었습니다. 그 새 거주자는 그때 이미 그 집에 두세 달째 살고 있었다는 소문이 있었습니다.”

“물론 그 경우 벌금 부과 사항인 걸로 아는데, 그렇지요?” 판사가 물었다.

“물론입니다. 그 벌금 액수는 얼마 되진 않습니다만.” 그 사람은 그 말을 하면서 몇 마디 덧붙였다. “우리 동사무소에서 사로시 씨를 불러, 그런 제보가 사실인지 물어, 확인했습니다. 그는 주저하지 않고 그렇다고 확인해 주었습니다. 그는 그 점에 대해 아무 걱정을 않고 있었습니다. 그는 그 사람을 동거인으로 등록하는 걸 잊어버렸다고 말하고는, 자신의 무신경함을 말하면서 동거인 신고를 주었습니다. 판사님, 우리가 관료가 아닙니다.”

그 판사는 검사 쪽을 한번 보자, 그 검사는 그 시선을 기다린 듯했지만, 고개를 내저었다. 그는 이 증인에게 물어볼 일이 없다고 알려 주었다. 그러나 변호사는 질문이 있었다.

“증인은 그런 제보를 한 사람이 누군지 이 법정에서 말해 주실 수 있으십니까? ”

그 관리는 그 제보자가 방청석에 있음을 아는 것처럼 그 방청석을 한 번 쳐다보았다… 하지만 그는 자신을 진정시키고는 판사 쪽만 바라 봤다.

“하지만, 변호사님,…그 제보자를 밝히지 않겠습니다.”

“누가 익명으로 편지를 보냈습니까?” 변호사가 공격적인 질문을 했다. 변호사의 그 질문을 그 판사는 가만히 두었다. 그 관리가 그 점을 희망하고 있음을 보았다.

“아뇨, 전화로 제보를 해 왔습니다.”

“그럼, 그 음성이 남자인지 여자인지는 기억하고 있겠군요?” 그 변호사는 계속 물었다. 하지만 소용이 없었다. 그 관리는 판사가 자신을 방어해 주지 않을 것을 알고는 한 숨을 내쉬었다.

“여자 목소리였습니다. 변호사님. 하지만 그분에 대해 더 자세한 것은 모릅니다.”

그 변호사는 이만하면 충분하다고 판사에게 신호를 보냈다. 그러자 그 판사는 증인에게 이젠 퇴정해도 좋다고 했다. 그는 자신의 앞에 놓인 서류를 훑어보았다.

'가장 중요한 일은 나중에, 나중에야 벌어질 것이다.'

방청석은 술렁였고, 많은 사람은 이 작은 사건이 살인과 무슨 관련이 있는지 이해하지 못하고 있었다. 그들은 원고 측과 피고 측이 각각 자신의 집을 어떻게 지어가고 있는지 모르고 있었다. 그 두 집 중에 어느 집이 더 높고, 견고한지? 특히 집시들은 자주 큰 소리로 의견을 교환했다. 판사는 한숨을 쉬고는 관련 서류를 덮었다.

"오늘은 이만하고 내일 우리가 계속합니다."

베르나트는 바보가 아니었고, 그는 문이 닫힌 채 있음을 잘 알고 있었다. 미국의 야만적인 서부영화에서처럼 그렇게 일이 일어나지 않았다 "사람들이 두려워하는 주인공은 큰 도로를 따라 걸었고, 그가 다가오자, 그 도로의 창문과 문들은 모두 닫히고 아무도 그 주인공과 대화하고 싶지 않고, 아마 그를 증오하기조차 했다. 이곳의 그가 사는 이 작은 도시에서는 모든 것이 성격이 달랐지만, 덜 위협적이진 않았다."

15년간이나 그에게 언제나 존경의 인사를 해 오던 약국 주인은 지금 두 번이나 그와 마주쳤지만, 아무 말 없이 지나쳤다. 주민 중 여자 셋이 베르나트가 다가서자, 도로의 맞은편으로 가버렸다. 물론 그는 처음에는 아무것도 눈치채지 못했지만, 나중에 그가 그 점을 알아차리고는 그저 무시하고 웃을 뿐이었다.

그렇게 몇 주가 지나자, 그는 머릿속에 그런 경우들을 함께 연결해 이해했다.

사람들이 그를 무시하기 시작했다.

그와의 전쟁이 시작되었다.

그러나 그는 싸우려고 하지 않았다.

그래서 그는 평화롭게 모든 것을 받아들였다. 그는 이 도시에서 오래 살았기에 그를 아는 사람이 일천 명은 넘었고, 그 중에 절반은 -적어도 절반 정도는!- 그때부터 그를 보자 고개를 돌린 채 지나갔다. 빌마의 이런 "작업"이 얼마나 성공적이었는지 생각해 보지 않았지만, 그는 아내가 그를 무시하라고 한 것이 많이 이바지했음을 추측할 수 있었다. 그리고 그녀는 그런 일에 -"내 딸이 이젠 유산을 못 받을 수도 있다구." -편리한 변명을 늘어놓을 수 있었다. 베르나트는 그녀가 만나는 모든 사람에게 그런 말을 할 때, 그는 그녀의 듣기 싫은 목소리를 듣는 것만 같았다.

카타는 충분히 고통을 당하고 있었다. 왜냐하면, 물론 그런 무시의 목표가 빌마의 남편만을 상대로 한 것은 아니었다. 그런 무시는 카타에게 더 큰 아픔을 안겨 주었다. 시내에서 여자들이 그녀를 만나면 소리를 지르거나, 그녀가 계산하려고 줄을 서 있을 때, 그녀를 밀치기도 하고, 여자 판매직원은 다른 사람들보다 그녀에게 더 거짓으로 대했다. 계산대의 여직원들은 다른 사람에게 속이는 것보다는 그녀를 더 자주 속였다. 그녀는 상점에서 더 자주 이런 말을 들어야 했다.

"그런 상품 없어요."

"우린 그런 것 없어요."

어느 날 아침 우체국에서 사람들이 그녀를 마치 화성인을 대하는 것처럼 쳐다보았다. 사람들이 카타를 속이려고 일천 가지 방법과 기술을 써며 애썼지만, 그녀 얼굴을 향해 가장 자주 거만함과 경멸의 모습을 보여 주었다.

그 지역의 집시들도 이 모든 걸 알고 있었지만, 그 사람들은 자기들끼리 침을 뱉을 뿐이었다. 그들은 한 번도 그 여자에게 말을 걸지 않았다. 카타가 그런 기회를 주지 않았다. 그녀가 그들과 비슷한 점이 거의 없었다. 아마 피부색만. 그리고 얼굴만이 -왜냐하면 그녀 의복과 행동거지는 이제 집시 의복과 행동거지와는 달랐다. 카타는 그들과 다른 사람이 되어 있었고, 한때 자신의 모습과도 달랐다. 그 점을 집시들이 알아차리고는, 그녀가 헝가리사람과 살면서 그들을 온전히 무시한다는 사실이 그들 마음에 들지 않았다. 그때에도, 그 이후에도 아무도 그들이 그 사건에 무슨 의견을 가지는지 집시들에게 묻지도 않았다.

"저녁에는 뭘 하오?"

베르나트는 물었고, 그는 지금까지 그 점에 대해선 생각해 보지 않았음에 대해 스스로 놀랐다.

"저녁에요, 저녁에 언제를 말하세요?"

카타는 깜짝 놀라 물었다.

방금 황혼이 지나고 있었다. 그들 두 사람은 개를 데리고 대문 앞의 거리에 쓰레기봉투를 내놓으려고 나오던 중이었다. 이른 아침에 청소부가 다녀갈 것이다. 베르나트는 알았다. 시내의 청소부는 모두 집시이다. 그러나 그는 그 점을 말해 두지 않았다.

"카타가 그 방 잠자리에 들고 나서 말이요."

"난 불을 끄고, 잠이 오기를 기다리지요." 그녀는 아주 자연스럽게 말했다.

"카타는 어둠 속에서 기다리지 않아도 될 거요." 베르나트는 말했다. "카타는 무엇을 읽을 줄 알지요."

"내가요? 읽는다고요? 뭘요?"

"난 잘 모르지만… 소설이나 아니면 다른 걸." 그 생각은 그 남자의 마음에 들었고, 곧 그는 그녀에게 처음엔 소설책이 아니라, 글이 적게 들어 있는 사진집을 보여 줄 생각이다. 그리고 그 사진집을 통해 그녀가 읽은 걸 나중에 같이 볼 수 있을 것이다. 그들이 서재가 있는 방을 들어가서, 그는 여기저기를 찾다가 마침내 『베네치아 사진집』 을 골랐다.

"이걸 읽어 보오."

카타는 잠시 주저하다가 그 책을 받고는 내려다보았다. 물속에 잠긴 집들이었다.

"혹시… 물난리라도?"

베르나트는 웃음을 참을 수 없었다.

"전혀. 그렇지 않아요. 카타. 물난리가 아니라, 그곳엔 물이 도로 위에도 있어요. 모든 곳이 바다고, 그곳 사람들은 보트를 타고 돌아다니지요."

"재미있겠군요." 카타는 사진집을 겨드랑이에 끼었다.

베르나트는 다시 은방울꽃의 비누 향을 느꼈다.

그 일요일 뒤로는 카타는 붉은 치마를 입지 않았다.

그녀는 그 자리에서 물러났고, 다음 날 아침에야 그 두 사람은 다시 만났다. 그 남자는 의도적으로 그 책에 관심이 있는지 묻질 않았다. 그는 그녀를 위해 좀 더 시간을 주었다.

아침 식사는 베르나트가 혼자 먹었다. 카타는 언제나 자기는 일어나면 곧장 먹는다고 했다. 그래서 그는 그녀의 습관을 존중해 주었다. 그리고 그녀는 그의 습관도 존중해 주었다. 베르나트는 그때 혼자 식탁에 앉아, 식사하고 있었다. 카타는 어느 사물이, 어느 곳이 자기 자리인지 이미 배웠고, 그녀가 음식 맛도 어떻게 내야 하는지를 배웠다. 보기에도 그녀는 뭔가 도움이 되어 주려 했고, 베르나트는 그녀의 그런 점을 높이 샀다. 그는 그녀의 말하는 태도도 달라졌음을 발견했다. 카타는 이젠 평범한 사람들이 쓰는 낱말은 간혹 사용했고, 텔레비전도 그녀에게 영향을 끼쳤다. 그곳에 그녀는 발음이 정확하고 완전한 문장을 사용하기 시작했다. 그래서 얼마간 시간이 더 흐르자, 그녀는 그렇게 말하기 시작했다.

"저어, 그… 베네치아…에선 정말 어디에도 물이 있어요?" 그녀가 묻기 시작했다. 베르나트는 내심 웃었고, 그의 회색 머리카락이 아침 햇살에 반짝이고 있었다.

"정말 물은 천지에 다 있지요, 카타."

"하지만, 전부 다라고는 할 순 없어요! 난 사진에서 보았다구요… 어느 교회 앞에선 사람들이 걸어가던데요."

베르나트는 짐짓 장난기 어린 태도로 그녀에게 물어보기 시작했다.

그는 카타가 그 사진집을 여러 번 읽어 보았고, 그 사진집에 마음이 있음을 알 수 있었다. 지금 이 순간에도 그 책에 대한 놀라움이 그녀의 두 눈에 남아 있는 것 같았다. 카타는 베르나트와 마주 앉아 있지만, 두 팔은 탁자에 늘어 뜨린 채, 열심히 말을 이어갔다.

그녀가 그렇게 말을 많이 하기는 처음이었다.

그 석호[1]에 대해 –그녀는 정말 그 '석호'라는 낱말에 신비감을 갖고 있었다– 그 공원들과 "곤돌라[2]"라고 불리는 검정 보트와 배들에 대해서도, 그녀는 만약 때때로 창문 앞에 배가 지나다닌다면, 사람들이 어떻게 그런 집 안에서 살 수 있는지 상상하기도 했다… 베르나트는 그런 그녀의 혼돈에 싸인 열변을 아주 즐거이 듣고서, 때로는 작은 목소리로 뭔가 바로 잡아 주고, 카타는 그런 교정을 곧장 받아들였고, 한 번도 반대 의견을 내세우지 않았다.

베르나트는 자신이 지닌 걱정거리에서 완전히 벗어나, 마치 자신의 자녀에게 이것저것을 설명해 주는 아버지 같았다. 그리곤 그 '아이'는 그런 새로운 사실을 알게 되자, 정말 즐거워했다.

이런 즐거운 기분으로 온종일 베르나트는 더 열심히 일했다. 어느 일간 신문에 3일간 광고를 낸 결과 몇 명의 새 고객을 확보할 수 있었다. 지금 그는 창문을 통해 시내를 바라보고는, 비난하듯이 말했다.

"난 너희 같은 가난뱅이 없이도 살 수 있다고."

그 '가난뱅이들'은 그런 말을 전혀 모른 채, 그들은 자기들 방식대로 작은 괴롭힘을 계속해 갔다. 베르나트는 그 점을 못 본 체하였고, 추악한 파도의 거품이 자신에겐 와 닿지 않는 듯이 행동했다. 저녁에 그는 카타에게 다른 사진집을 보여 줬다. 다음 날 아침 확인한 것은 렘브란트[3] 작품집이었다. 그녀

---

1) *역주: 사취, 사주 등에 의하여 바다와 거의 분리되면서 생긴 호수
2) *역주: 이탈리아 베니스의 명물로, 시내 운하의 교통에 쓰이는 작은 배

는 그런 그림들엔 흥미가 없었다. 그녀는 그런 그림보다는 외국 도시들과 지방의 풍광을 더 보고 싶었다. 베르나트는 반대하지 않았다. 그는 건축 관련 책자가 있는 자신의 서재로 가서 그런 도시가 실린 사진집들을 가져왔다. 카타는 매일 저녁 그 책자들 가운데 한 권을 '자신의 서재'에서 꺼내, 자기 방으로 들고 갔다. 그녀는 자주 마음이 고왔지만, 더러 기분이 상한 날도 있었다.

베르나트는 그런 기분이나 저런 기분에 대해 이유를 한번도 묻지 않았다.

'그녀는 나의 가정부일 뿐이야.' 그는 다시 한번 그 점을 스스로 다짐했다.

…카타가 방에서 불을 끄자, 이상한 그림들이 자신 앞으로 다가왔다. 그녀가 잠을 못 이루고 꿈을 꾸는 것 같았다. 그녀는 지금 베네치아에 있었지만, 궁전들의 여기저기에 눈에 익숙한 집시의 움막들이 들어 서 있었다. 벌써 그 장면 자체가 그녀를 두렵게 만들었지만, 그 뒤엔 무슨 일이 일어날지 아무도 모르고 있었다. 어느 움막의 출입문 앞엔 그녀 아버지가 그녀를 위협하며 서 있었다.

아버지 머리카락은 검었고, 아주 까맣고, 마치 까만 밤을 휘감고 있는 것 같았다. 카타는 어머니를 보지 못했지만, 어머니도 근처 어딘가에 있는 것 같이 느껴졌다. 전체적인 그림이 갑자기 비스듬히 엎어지자, 그 움막들도 무너졌고, 아버지도 사라져버렸다. 카타는 어두운 방의 침대에 앉은 채 있었다. 카타는 그렇게 오랫동안 사진집을 보아온 걸 애석해했다. 그러

3) *역주: 17세기 네덜란드 화가.

나 밤이라는 커다란 발톱은 그녀에게서 비켜나려고 하지 않고, 그 가짜-꿈은 장소만 다른 채 계속되었다.

카타가 지금은 숲속에 있다. 그 숲의 나무들이 차례로 목이 긴 짐승으로 변해 갔다. 그 짐승들이 이젠 풀을 뜯고 있었다. 수많은 풀이 검은 보트들과 함께 일렁거리고 있었고, 멀리서는 마천루들이 헤엄치고 있었다. 동시에 일백 개의 창문에 불이 켜지자, 눈이 부셔 두 눈이 멀 지경이었다.

카타는 다시 자리에 누웠으나, 잠을 이루지 못하고 뒤척거리고만 있다. 그녀의 허리엔 그리움이 뻗쳤고, 그녀는 얼마나 오랫동안 남자와 함께 잠을 자지 않았는지 몰랐다. 몇 주간이 지났는지 계산해 볼 수도 없었다. 낮에는 그런 그리움이 한 번도 그녀에겐 부족하지 않았지만, 그땐 일이 그녀를 억누르고 있었다. 더구나 베르나트 집에서는 그녀 주변에 여러 흥미로운 일들이 있어, 그리움에 대한 자신의 주의력을 없앨 수 있는 일이 매일 일어났었다.

그러나 밤엔 카타는 외로웠고, 카타는 자신의 몸에 관심을 두지 않을 수 없었다. 그녀는 슈치에 대해 생각지 않으려고 애썼고, 자신의 두 눈앞에 그와 비슷한 얼굴이 떠오려면, 그 그림을 떨쳐 버렸다. 그러나 정말 이 집에서야 비로소 그녀는 이 세상이란 넓고도 복잡하구나 하는 걸 이해 할 수 있었다. -그리고 그녀는 이 세상 안에서 자신의 위치를 어디서 찾아야 하는지도 아직 몰랐다. 아니면 그런 위치만 찾는 것은? 정말 이 세상에는 벌써 오래전부터 그녀의 위치가 존재해 있는 것 같았다. 보잘것없는 작은 구멍, 그 안에서 자신의 개성이 자리를 바로 잡을 수 있고, 그 안에서 그녀가 자신을 숨길 수 있었으면 마침내… 일들이 정리될 것이고, 그녀는 자신에게 말했다. 몇 마디의 다른 말이라도. 지금까지 그녀는 아주 작게 아름다운 말을 알고 있었다. 그녀는 자신의 말에서 수많은 낱말을 쓸 수 있게 된 사람들을, 그 많은 낱말을 자연스럽게 쓸 수 있는 사람들이 부러웠다. 그들은 아름답게 말하려고 애를 쓰지 않는 것 같지만, 그들은 아주 아름답게 말했다… 카타는 자주 더 길고도 아름다운 문장을 익혀 나갔다.

베르나트는 카타가 언제나 더 아름다워짐에 주목했다. '아니면… 카타가 더 예뻐지려고 애쓰는 걸까?' 처음엔 베르나트가 카타를 위해 욕실에 욕실 장을 하나 설치해 주었다. 그런데, 최근, 며칠 전에 그가 화장지를 찾으려고 욕실장을 우연히 열었다가 그 안에 화장품이 많이 들어 있음을 알게 되었다. 그는 그 화장품들의 용도를 모르는 경우가 많았다. 카타가 그걸 어느 개인 화장품가게에서 샀구나 하고 추측했다. 최근 이 도시에도 그런 가게들이 많이 들어섰다. 베르나트는 웃으려 하다가 화를 그만 냈다.

왜냐하면, 카타가 그런 물건을 사는 일에 돈을 너무 소비하는구나 하고 그가 생각했기 때문이었다. 그러다가 그는 손을 내저었다. 그 돈은 카타 개인의 돈이기에 그 용도도 그녀 소관이다. 그는 우체국에서 집시들을 보았는데, 그들 중 여자 집시들이 자기 돈 전부를 저축하는 걸 보고는 그때 깜짝 놀랐다.

'그런데 집시 여자들도 돈을 모으나? 그들은 미래를 생각하는가?' 그리곤 그는 자신을 책망했다. '집시들도 사람이고 그들 중에는 이런 사람도 저런 사람도 있는 법이다. 하지만 그들 중 저금통장을 개설한 사람은 드물다'고 라는 뭔가 악동

기질의 감정이 그의 머리에 들었다.

그런데, 카타는 때로 입술에 루주를 칠하지 않아도 붉은 입술을 더 붉게 칠한 적이 있었다. 카타는 시내의 여자들을 유심히 보아 왔음이 틀림없었다. 왜냐하면, 그녀는 그런 유행을 재빨리 인지하게 되었다. 눈꺼풀에는 약한 톤의 파란 색조 화장을 하는 경우도 보였다. 베르나트는 아무 말이 없었다.

어느 날 베르나트는 정원에 나가 있었다. —다시 측백나무를 심을 구덩이를 팠고, 가을날이라, 새 나무들을 심기가 적당한 때였다. —카타가 집에 돌아오는 걸 보았다. 그리고 스무살 가량의 젊은이가 카타의 가벼운 짐을 들여다 주고 있었다. 베르나트는 자신도 모르게 몸을 어느 키 작은 나무 뒤로 숨겼다. 그러나 그가 아무 특별한 것을 발견하지 못하자, 괜한 신경을 썼구나 하고 생각하게 되었다. 그 젊은이가 카타에게 인사를 하고는 되돌아갔고, 카타는 집 안으로 들어섰다. 베르나트는 생각에 잠긴 채, 앞만 바라보았다. 그가 울타리로 다가갔을 때, —그가 우연히 울타리에 다가간 것처럼 행동하면서— 그 젊은이는 벌써 가고 없었다. 그리고 이젠 그 젊은이가 보이지 않았다. 베르나트가 카타에게 아무 말도 하지 않았지만, 그 날 이후로 낯선 사람의 눈으로 카타를 관찰했다. '카타는 벌써 그 낱말의 성서적 의미에서도 남자들을 벌써 아는, 흠 없는 성숙한 여인이었다. 그럼? 카타는 다른 사람과 친해질 권리가 없는가?' 베르나트는 입술을 깨물고 그 구덩이를 끝까지 팠다. 카타에게 갑자기 애인이 생겨 집에 드나든다면, 지금은 이상할 것이다. 베르나트는 그 점을 간과하지 못하는 것 같았다. 하지만 지금 그는 자신의 평안과 이 집의 안정과 평화로운 삶에 대해서만 여전히 골몰해 있었다. 다른 아무 생각이 없었다.
'아니면 그런 생각은 이미 진실이 아닌가?'
저녁나절엔 베르나트가 카타를 보았을 때 자신의 딸 같이 보였다. 카타는 묻기만 하고, 베르나트는 대답하고 설명하고 강의마저 해 주었다. 필요에 따라 그는 카타를 안심시켜 주었다. 왜냐하면, 카타는 전기만 보면 겁을 집어먹고 있었다. 전기로 작동되고 소리가 요란하고 먼지를 흡인하는 진공청소기 때문에, 전기로 물을 덥히고 끓이는 도구 때문에. 베르나트도 기술자는 아니었다. 그래서 그는 전자가 놀랍게도 빨리 움직여 흐르는 과정을 설명해 주질 못했다. -그래도 그는 이 모든 것은 자연 현상이라며 그녀를 안심시켜 주자, 그녀는 자신에게 전류가 부딪히게 되는 것에 대한 두려움은 벗어났다. 그리고 설사 그런 일이 일어난다 하더라도, 그런 일로 사람이 죽진 않는다. 그는 시험 삼아 직접 그렇게 모범을 보였다. 한 번뿐이 아니다.
저녁 7시가 지나면, -가을엔 벌써 어둡다- 그들은 방에 앉았고, 베르나트는 일과를 마감했다. 카타도 자유로운 시간대라, 잠시 뒤 저녁 식사 이후엔 자유롭게 지낼 수 있다.
그랬다. 정말 6시가 지나면, 카타는 뭔가 차가운 걸 먹고, 차 한 잔도 마셨다. 그럴 때 그녀에게 질문이 떠오른다. '베르나트가 언제 쥐똥나무를 자를 건지? 라디오를 지금 켜면 무슨 음악을 들을 수 있는지?' 카타는 물론 "작곡"이라는 말을 모른다. 베르나트가 처음으로 그 말을 사용하자, 그녀는 무슨 말인지 이해하지 못했다. 그래서 그는 그녀에게 그 말을 설명해 주었다.

모든 악기를 다룰 줄 아는 작곡가는 음표들을 종이 위에 따로 적고, 그 뒤 음악가가 이를 연주하면 멜로디가 생기게 된다. 카타는 "멜로디"라는 말에서 집시들이 부르는 노래 생각이 났고, 자신도 많은 노래를 알고 있음을 주목했다. 그러나 그때까지 그녀는 한 번도 노래를 부르지 않았다. 그런 모습을 보이는 건 그녀는 예의 바른 행동이 아니라고 생각했는가?

저녁의 대화는 때때로 텔레비전 프로그램이 다 끝난 뒤에도 계속되었다. 카타는 잔혹한 장면이 나오는 범죄 영화를 좋아하지 않았다. 카타는 영화에서 그런 장면이 나오면, 그 몇 분 동안은 자신이 앉아 있는 긴 의자에 몸을 숙이고는, 자신마저 존재하지 않는 듯이 고개마저 더욱 옆으로 돌려 버리는 걸 베르나트는 보았고, 느낄 수 있었다.

베르나트에겐 -일반적으로 보통 남자들처럼- 그런 장면을 보고서도 아무런 자극이 없었다. 때로 그는 그 장면을 웃으며 보았다. 그는 카타의 경우 그런 장면에서 무엇을 기억하는지 몰랐다.

영화마저 끝나는 시간엔 두 사람은 한 시간 정도 대화를 나눈다. 카타의 세계는 더 넓어졌고, 매일 그 세계는 더욱 방대해지고, 텔레비전에서 보는 것과 책을 통해 보는 것 말고는 베르나트가 오직, 베르나트 만이 그 세계를 넓히는 일에 익숙해졌다. 왜 어떤 달걀에는 노른자가 두 개인지? 왜 고기에는 뼈가 있는지? 인플… 인플레이션이란 무슨 말인지? 극장에서는 어떻게 벽에 그림을 만드는지? 텔레비전의 경우엔 어떻게? 어떻게 튤립과 은방울꽃은 모양이 같은지? 하지만 하나는 아래로 늘어뜨린 채 있고, 하나는 위를 향해 있는지? 비엔나는 어디에 있는지? 그곳엔 기차 색이 왜 붉은지? 왜 어떻게 그런 걸 텔레비전에서 보이게 하는지?

어느 날 베르나트는 뭔가 생각해 냈다. 그날 오후에 그는 업무를 조금 일찍 마치고 신문을 보며 커피를 마시는 시간을 마다하고 카타에게 명령하듯이 차에 타라고 했다.

"우린 소풍 갑니다."

그 여인은 놀라, 말이 없었다. 카타는 베르나트가 명령하는 일에 이미 익숙해 있었다. 카타에게 있어 그는 "주인"이었다. 지금까지 이 집에서 같이 외출한 경우는 드물었고, 몇 번 시내에 함께 걸어서 갔다 온 적은 있었다. ―하지만 지금 두 사람은 맨 처음 만난 때처럼 자동차에 앉았다. 그들은 시외로 차를 몰았고, 베르나트는 그리 멀지 않는 어느 산의 정상을 향해 차를 몰았다. 아름다운 숲속으로 도로가 나 있었고, 위쪽에는 등산객을 위한 산장이 있었다. 그들은 산 정상 근처에 차를 멈추었다. 베르나트는 차를 길옆으로 꺾어 세워 두고는 차에서 내렸다. 그는 이 주변의 지리를 잘 알고 있었다.

"우리, 산책합시다."

그는 명령조로 말했지만, 카타는 그의 음성에서 이 남자가 아주 즐거워하고 있음을 느낄 수 있었다. 그래서 그녀도 기뻤다. 만약 베르나트가 기분이 좋다면, 확실히 카타에게도 이곳은 나쁜 곳이 아닐 것이다.

그들은 포장도로를 따라 걸으면서, 나무들을 쳐다보았다. 카타는 어린아이처럼 고개를 든 채 때로는 멈추어 섰다. 머리 위로 하얀 구름이 흘러가고 있었고, 나뭇가지들 사이로 그녀는 그런 구름을 볼 수 있었다. 그녀가 오래 서 있으면 하늘에서 숲 사이로 자신이 헤엄치고 있는 듯이 느껴졌고, 모든 것이 배로 변했고, 두 사람은 행인처럼 느껴졌다.

"이리로 와요. 더 들어가 봅시다. 이 근처에 호수가 있어요, 그럼요, 이곳엔 호수가 있어요."

그리고 바로 그 호수가 보였다.

카타는 갑자기 호숫가에 멈추어 섰다.

"오, 정말 아름답군요!"

"저 호수가 마음에 든다니 나도 기뻐요." 그렇게 그 남자는 말하려고 하였다. 그가 이곳을 찾은 이유가 카타 만을 위해서가 아니라, 그도 그런 풍광을 즐기고 싶었다. 그의 집 정원의 초록으로는 충분치 못했고, 그에겐 물 빛깔을 보고 싶었다. 요사이 사람들은 다뉴브강엔 구경조차 가지 않는다. 그것은 시멘트로 만든 댐 사이로 흘러가기 때문에, 또 그 강은 화학 물질 때문에 오염이 되었고, 또 그 오염된 강은 그 강을 보러오는 사람들에게 즐거움도 주지 않기 때문에 보러 가지 않는다.

그래도 이곳의 호수는 아직 깨끗했다. 그의 집 정원처럼 작으면서도 아주 고요했다.

물은 움직임이 없고, 이곳엔 바람마저 자고 있고, 아마 고기는 이 안에서 헤엄치고 있을 것이다. 아마 개구리들도 있었나보다. 그들이 다가서자, 개구리 두 마리가 물 속으로 요란하게 뛰어들었다. 물보라가 여전히 갈대 사이에서 오랫동안 머물러 있었다.

카타는 조금씩 베르나트가 옆에 있음을 잊어버리고는 다시 어린아이처럼 되었고, 조용히 앞으로 다가가, 또 뛰어오를 개구리 모습을 보고 싶었다. 하지만 이번엔 한 마리도 보이지 않았다. 카타가 다가가는 모습은 그 남자에겐 어느 영화에서 본 한 마리의 아프리카 영양이 생각나게 하였고, 그는 즐거운 마음으로 카타를 바라보았다. 그가 천천히 그녀를 훔쳐보고 있는 새, 잠깐 시간이 흘렀다.

그녀의 처녀 같은 몸매를. 카타는 여전히 아가씨로서, 아직도 아이를 한 번도 낳은 적이 없는 날씬한 몸매를 유지하고 있었다. 하지만 튼튼한 허벅지와 아름다운 다리와 젖가슴을 갖춘 갈대 같았다. 이젠 카타는 그녀의 몸 여기저기에서 일렁거리는 아름답고도 새파란, 푹신한 소재의 도시풍의 겉옷을 입고 있었다. 하얀 샌달, 하얀 지갑, 그녀는 이제 어엿한 여느 도시 처녀가 되어있었다. '하느님'! 베르나트는 지금 생각했다. '저 여자는 스무 살이라구요, 스무 살!'

베르나트는 자신의 나이를 생각해 보고는 이런저런 생각에서 벗어나 그 여자 뒤를 따라갔다. 그는 영혼 속에서 멜로디를 들을 수 있었고, 지금은 기꺼이 노래를 한 곡 부르고 싶었지만, 생각나는 가사가 없었다.

조그만 호수의 다른 편에는 습기가 있고 땅도 진흙이었다. 발을 내딛자, 그만 폭 빠져버렸다. 그들은 재빨리 좀 높은 쪽으로, 작은 나무들이 있는 곳으로 올라섰다. 이곳엔 그늘이 져 있었고, 작은 나무들 사이로 습한 공기가 있었고, 검고 작은 장수풍뎅이들이 날고 있었다. 카타의 두 눈도 장수풍뎅이처럼 되었고, 반짝이는 장수풍뎅이가 되어 갔다.

그러고 그들은 쓰러져 있는 나무 둥치에 앉았다. 개미들이 발밑에 기어 다니고 있었고, 노랑나비 한 마리가 어디론지 날아가다가 보이질 않았다. 카타는 몸을 바로 세워, 주변을 살펴

보았다.

“베르나트 선생님!”

“왜요, 카타?”

“이 세상엔 나무가 많아요?”

“아주 많지요. 하지만 점점 줄어 들어가지요. 그 나무들이 우리의 심장인데도요.” 그는 그 점을 그녀에게 설명해 주어야겠다고 생각했다. 카타는 베르나트를 바라보고 있었고, 그녀의 두 눈엔 존경스런 느낌이 들어 있었고, 그의 설명을 즐거이 경청했다. 아마 아니면, 확실히 그녀는 모든 걸 이해하지 못했지만, 모든 말을 아주 세심하게 들었다. 베르나트는 브라질 대밀림의 파괴에 대해 이야기해 주었다. 그리곤 갑자기 그녀에게 시험 삼아 물어볼 생각이었다.

“저어, 브라질이 어디 있어요, 카타?”

그 여인은 그들이 자주 본 적이 있던 세계지도를 생각했다.

“왼쪽에요. 삼각형 모양의 땅에요.” 그녀가 말했다. 베르나트는 웃었다. “왼쪽, 아래요”? 그렇게 해서 그들은 브라질을 기억할 수 있었고, 가장 중요한 것은 카타는 그가 가르쳐 준 걸 까먹지 않았다는 것이다. 그는 만족했다.

그리고 그들은 더 키가 크고 올곧은 나무들 사이로 더 높이 걸어 올라갔다. 카타는 지칠 줄 몰랐고, 어린 강아지 마냥 모든 나비를 잡아 보려고 옆으로 달리기도 하였다.

“카타!”

“예?”

“나를 붙잡아 봐요!” 그리고 베르나트는 자신의 나이를 잊은 채 뛰쳐 달아났고, 이젠 그도 어린아이가 되었다. 그는 옆으로 달렸고, 경사진 아래 쪽으로도 달렸다. 왜냐하면, 그들은 이미 그 산 한쪽 편으로 가고 있었다. 카타는 작은 소리로 외치고는 그를 뒤쫓아 왔고, 그녀도 아주 즐거웠다. 베르나트는 지그재그로 달렸고, 그 여인은 그를 붙잡지 못했고, 나중에 그들은 피곤해져 헐떡거리며 어느 작은 나무 옆에 멈추게 되었다. 베르나트는 풀밭에 앉지는 않은 채, 지금 자신이 젊다는 걸 보여 주고 싶었다.

그 뒤 그들은 차가 있던 곳으로 되돌아 왔다.

그때 태양은 지고 있었고, 그들이 그 숲을 떠날 때는 그들은 하늘 한 편에서 황금빛 햇살만 볼 수 있었다.

"모든 것이 정말 아름다워요!"

카타는 감동하고 있었다. 베르나트는 카타가 아름다움을 느낄 줄 알자, 즐거웠다. 그의 폐는 숲속 기운으로 가득 있었다. 그가 두 눈을 감으면, 아프리카 영양처럼 카타가 달리는 모습이 아른거릴 것 같았고, 그의 나이에 걸맞지 않은, 여전히 이상한 느낌의 술래잡기하는 모습도 느낄 수 있었다.

다시 도시로 들어오는 길에 베르나트는 차의 속도를 늦추어야 했다. 인도에는 아는 사람들이 보였다. 마치 모든 사람이 바로 지금 그 도로에서 산책을 즐기는 것 같았다. 그들 중 몇 명은 그들에게 손을 흔들어 인사를 했고, 다른 사람들은 그들을 보지 못한 것 같았다. 그러나 그들이 그와 그녀를 보고 있음을 그는 알았다. 한참 뒤에야 그는 그녀가 탐색의 시선으로 궁금해하고 있음을 알았다.

"저 사람들이 우리를 보고 있어요, 그게 나쁜가요?"

"좋아요." 그는 태연하게 대답했다. '빌어먹을. 삶과 관련된 모든 것은 불쌍한 사람들을 포함하고 있지 않아! 그것은 그의 삶이고, 사람은 누구나 단 한 번의 삶을 살 뿐이다!'

더구나 그들의 집으로 향하는 도로에는 많은 사람이 오가고 있었다. 남자 둘이 자동차를 세차하고 있고, 아이들이 자전거를 타고 있고, 열 몇 살 되어 보이는 소년들이 어느 집 울타리에 걸터앉아 있었다.

카타가 대문을 열려고 차에서 내리자, 이웃 사람들이 그 두 사람을 보았다. 베르나트가 백미러를 통해 보니, 사람들은 얼굴에 비꼬는 듯한 웃음으로 서로 쳐다보고 있었다. "저 사람이 집시 여자와 함께 어딜 다녀오다니. 여자와 함께. 몰염치한 사람이야!" 그는 마음속으로 어느 늙은 여자가 하는 말이 들리는 것 같았다. 이곳의 주민들은 정신적으로는 아직 농부라 하더라도 여긴 사실 도시였다. 그는 이를 꽉 다물고 마당으로 자신의 차를 몰았다. 그는 차고 출입문 앞과 불과 몇 센티미터도 놔두지 않고 차를 멈춰 세울 정도로 화가 치밀어 가속페달을 밟았다.

카타는 곧 주방으로 갔다. 하지만 숲속의 기분은 떠나가지 않았다. 그는 카타가 주방에서 무슨 노래를 흥얼거리는 걸 들을 수 있었다. 그날 텔레비전에서는 괜찮은 프로그램도 보이지 않았다. 베르나트는 자신의 탁자에 가서 앉아서는 편지 몇 장을 썼다. 멀리 사는 고객들이 그더러 집터를 한 번 와서 봐달라는 요청이 있었다. 벌써 오랫동안 그는 회신해 주지 못했다. 좀 시간이 흐른 뒤, 그는 뭔가를 생각하고는 자리에서 일어났다.

카타는 이미 욕실에 가 있었다. 현관의 선반 위에는 하얀 지갑이 놓여 있었다. 베르나트는 먼저 조금 엿들었다. 그때 카타는 욕실에서 샤워를 시작했다. 그래서 그는 카타가 지금은 나올 수 없음을 알았다. 그는 카타의 출생 증명서를 꺼내 보고는 생년월일을 내려다 보았다.

"얼마 지나지 않아 곧이군," 그는 자신만 들을 정도로 말하고는 그 출생 증명서를 다시 집어넣고는, 자신의 방으로 살금살금 되돌아갔다.

12. 두 사람의 포옹

베르나트는 며칠간 집에 없었다. 그동안 그는 아주 이상한 느낌을 받았다. 그러나 지금까지 정말 그런 적은 전에도 있었다. 만약 그가 벽으로 둘러싸인 자기 방에서 혼자 잠을 자지 못하면, 언제나 그는 불안했다. 지방 호텔의 단조로움이 바로 지금 그의 기분을 망쳐 놓고 있었다. 출장 중에 고객 둘을 만났는데, 그중 마침내 한 고객과 계약을 할 수 있었고, 다행히 그 고객은 일을 맡기면서 선금을 내놓았고, 베르나트는 그 때문에 기분이 다시 좋아졌다.

"베르나트 선생님! 정말 잘 되었어요!" 카타는 놀라며 손뼉을 쳤고, 차고 문을 열어 주러 뛰어갔다. 베르나트는 곧 자신의 방으로 큰 가방을 들고 들어섰다. 그 남자는 주변을 둘러보았다. 이제 몇 달이 지나서야 베르나트에게 처음으로 그런 생각이 떠올랐다. '빌마라면 아무 대책도 없이 왜 그렇게 했느냐고 정말 말했을 것이다.

그는 이 모든 걸 카타에게 맡겨 두었다. 카타는 정말 그의 돈이나 보석을 훔쳐 달아날 수도 있었을 것이다. 그녀가 이가 득실한 개들이나 불쌍한 말들과 집시 마차들이 있는 집시 움막의 세계로 "잠수해" 버린다면, 경찰도 그녀를 몇 년 동안 찾지 못할 것이다'… 그는 지금 자신의 그런 생각에 부끄러웠고, 조금 전에야 그런 일이 일어나지 않았음을 알자, 더욱 부끄러웠다. 카타는 여기 있고, 집주인이 돌아오길 충실히 기다리고 있었다.

그를 기다린 것은 정원도 마찬가지다. 그는 그 정원 호소를 아주 강하게 느꼈다. 그래서 곧장 그는 밖으로 나왔다. 그는 카타가 풀밭에도 물을 그동안 잘 주어 왔고, 벌써 무더운 여름날이 지났지만, 측백나무도 물을 충분히 받은 채로 있다. 며칠 동안 비가 오지 않아도 물을 주지 않아도 될 정도로 보였다. 그는 만족스러운 듯이 개의 머리를 한 번 쓰다듬어 주고, 다시 집 안으로 들어갔다. 카타는 주방 문 앞에서 그를 기다렸다.

"오늘도 평소처럼 저녁을 안 드실 건가요? 여행하고 오셨으니, 오늘은 저녁을 예외로 드시는 편이?"

"오늘은 예외적으로 전혀 다른 프로그램이 있어요." 그는 가볍게 웃었다. "우리 축배를 들고 축제를 즐깁시다!"

"축제라구요?" 그녀는 두 눈이 휘둥그레졌다. "왜요?"

"카타 생일이라구요."

"제… 생일…?"

"그럼요, 오늘이 카타가 스무 살이 되는 날이라구요, 안그런가요?"

카타는 침을 한 번 삼키고는, 아주 혼돈되었다.

"그럼 그렇게 말씀하신다면… 그 생각은 전혀 못하고 있었어요… 베르나트 선생님. 난 한 번도 생일 케익 자르기나, 생일 비슷한 일을 해 본 적이 없어요."

"이제 하면 되지요." 베르나트는 갑자기 아주 객관적으로 그리고 아주 활동적으로 변했고, 그가 이젠 더는 설명하지 않을 것을 암시하고 있었다. "불쌍한 여자," 그의 내부에서 그런 소리가 생겼다. "보라구. 그녀는 난생처음 생일을 기념한다구. 지금까지 아무도 나이를 계산해 주지 않았고, 아무도 그런 것에 관심을 두지 않았어…”

카타는 자신의 방으로 달려갔다. 베르나트는 생일 케이크와 양초들을 꺼냈다. 그리고 그는 양초를 20개 헤아렸다. 케이크 주변에 양초들을 어지럽게 놓았다. 그리곤 샴페인과 높은 글라스도 들고 왔다. 그는 서둘러 여행에서 돌아오는 길에 사온 생일 케이크와 함께 마실 차를 끓였다. 그는 이런 것이 놀이가 아니지만, 놀이처럼 즐거웠다. 아니 그 이상이다. 그리고 베르나트는 음악 카세트를 틀고, 당연히 진지하고도 축제 분위기에 맞는 음악으로. 그는 촛불을 켰고, 전등은 껐다. 반쯤 어두운 방에 부풀어 오른 분위기는 곧장 그를 사로잡았다. 베르나트는 어릴 때부터 감수성이 예민한 아이였다. 그의 부모는… 어머니는 간호사였다. 어머니는 간혹 집에 있었고, 항상 근무했다. 아버지는 병원 냄새를 가져왔고, 집에서도 의료가운을 입고 있었다.

베르나트는 지난날을, 자신의 사십 대를, 오십 대를 기억해 보았다. 그렇게 세월이 빨리 흐르다니. 햇수를 거꾸로 헤아려 보니 마치 몇 주만 지났을 것 같았다. ‘왜 그 당시 기억 중에 여름만 기억하게 되는가?’ 왜냐하면, 그에겐 휴가철만 기억 속에 남아 있었고, 발라톤 호수 근처에서의 파랗고 홍옥같고 자수정 같고 눈처럼 하얀 여름날들, 온종일 수영하며 호숫가를 쫓아다니던 일… 자신의 가냘픈 몸에서 그는 그때 낮은 산에 올라가, 그 호수를 내려다보고 있을 때의 더운 바람을 기억하고 있었다.

그리고 생일들. 그때 그도 생일 케이크를 받고는 방을 어둡게 했다. 어린 베르나트는 뭔가 홀린 듯이 촛불만 바라보고 있었다. 그때 그것이 이 세상에서 가장 흥미로운 사건이었다… 지금도 똑같이 그림자들이 뛰어다녔고, 그는 그런 촛불의 그림자들과 불빛을 관찰하며, 그래서 두 눈이 떨릴 때까지 그렇게 오랫동안 바라보는 걸 정말 좋아했다. 촛불에서는 난쟁이들이 거인의 그림자를 가질 수 있다.

"아…" 그는 출입문 한쪽에서 나는 소리를 들었다.

카타는 벌써 아마 몇 분 동안 그곳에서 있었다. 그는 카타가 의복을 갈아입고 왔음을 알았다. 지금 카타는 거의 땅에까지 끌리는 눈처럼 하얀 원피스를 입고 있었다. 그 원피스는 그녀의 목을 가려 주고, 그녀를 단정한 모습으로 보이게 했다. 여자 옷다웠고, '정결한 모습이군!' 그가 재빨리 말했다.

"모든 게 정말 아름다워요!"

베르나트는 카타의 두 눈에서 불꽃을 보았고, 낮게 말했다.

"우리가 같은 집에서 일해 왔어도… 내 생각으로, 카타는 선물을 받을만한 자격이 있어요."

"케이크요!" 카타는 약하게 말했다. "저어… 제가 지금 촛불 불어 꺼야 하나요?"

"그럼요, 하지만 단 한 번에 모두를 꺼야 해요!"

그리고 그녀는 능숙하게 그 촛불을 모두 껐다. 그렇게 하는 걸 확실히 영화에서 이미 보았고, 그녀는 정말 기뻤고, 다른 모든 것은 잊어버렸다. 베르나트는 전등을 다시 켜고는, 샴페인 마개를 터뜨리고는, 한 잔 부어 카타에게 주었다. 그리곤 작은 상자를 꺼냈다.

"선물은 케익이 아니라, 카타… 이것이요."

그녀는 그것을 받고는 그 남자에게 짧고도 탐색의 시선을 던졌다. 그러나 베르나트는 바로 그때 딴 곳을 보았고, 그 상자를 열어 주려고 애쓰고 있었다.

카타는 몇 분 동안 아무 말이 없었다. 그 상자에는 그렇게 값비싸지 않아도, 작고도 예쁜 팔찌였다. 넓은 순은으로 된 부분 둘이 유연하게 하나가 다른 하나를 휘감고 있었다. 그것들이 사슬을 만들었고, 위쪽에는 뱀 장식이 놓여 있었다.

카타는 갑자기 자신의 팔을 뻗어 베르나트에게 달려 갔다.

"고맙습니다, 베르나트 선생님!"

두 사람은 서로 포옹을 했다. 그 남자는 여자의 젖가슴이 자신의 가슴에 붙어 있음을 느낄 수 있고, 허벅지 위로 –여자의 허벅지가 다가와 있음을 느꼈다. 그는 혼돈이 되어, 아무 말이 나오지 않았다. 그는 그 1초 동안 –아니면 더 긴 시간일까?– 자신에게 맡겨진 역할과 지금까지 정직하게 해온 역할에서 탈선하는 것 같았다. 그러나 그 순간은 곧 지나갔고, 더는 돌아오지 않았다.

카타는 다시 탁자로 가 앉아서는 그 팔찌를 즐거이 보고 있었다. 베르나트는 그 팔찌를 카타의 팔에 끼워주는 걸 도와주면서, 그녀 살갗이 뜨거움을 느낄 수 있었다. 그리고서 카타는 케이크를 여러 조각으로 잘라, 몇 조각을 접시에 담고, 샴페인을 따라 마셨다. 샴페인은 그녀를 서둘러 좀 취하게 만들었다. 두 사람은 가벼운 화제로 이야기를 나누었지만, 기분은 아주 좋았다.

그렇게 그날 저녁은 온전하게 지나갔다. 베르나트가 마침내 시각을 확인하자, 벌써 10시가 지났고, 샴페인도 이젠 바닥이 났고, 아주 기분이 좋고 가뿐함을 느꼈다. 그는 날아가고 싶었다… 그는 날아가는 것 대신에 정원으로 나가, 출입문들을 조심스럽게 닫았다. 그가 집안으로 다시 돌아왔을 때, 카타는 그릇들을 씻고 있었지만, 카타가 술에서 완전히 깬 상태는 아니었다. 접시 하나를 깨뜨렸다. 베르나트는 웃기만 하자, 그의 즐거운 마음이 카타에게 다시 감지되고, 두 사람은 천연스럽게 웃었다…

그날 밤 베르나트는 아주 행복하게 잠을 잤다. 그는 카타에게 무슨 일이 일어났는지도 몰랐고, 그가 그것을 보았더라면 깜짝 놀랐을 것이다.

카타는 어두운 자신의 방 침대에 옷을 반쯤 풀어헤친 채 앉아, 자신이 불행함을 절실히 느꼈다. 카타 얼굴에 눈물방울이 흘러내리고 있었다.

10월 중순 어느 날, 베르나트는 집의 어느 층, 어느 방의 널빤지로 붙인 벽면에 아직 부족한 널빤지 몇 장을 붙이려고 하였다. 그는 이에 사용할 널빤지가 어딘가 놓여 있음을 알기에, 그 널빤지를 필요한 크기대로 자르기만 하면 되었다. 그런데 그가 톱으로 이 널빤지를 자르다 그만 톱날이 그 톱질하던 틈새에서 빠져나오는 바람에, 그의 왼손 세 손가락이 베였다. 상처는 그리 깊진 않았지만, 그 손가락에서 피가 흘렀다…

"카타!"

그러자 카타가 벌써 달려왔다. 베르나트는 카타가 오는 발걸음 소리를 듣고는, 피를 보면 카타가 혹시 기절하지나 않을까 하는 걱정이 먼저 생겼다. 그러나 그게 아니었다. 카타는 아주 용감하게 대처하며 자신의 입술을 약간 깨물 뿐이었다. 두 사람은 욕실로 가서 그곳에서 붕대를 찾았다.

베르나트는 얼마 전 혹시 무슨 일이 있을지 몰라, 그런 순간을 위해 붕대를 집에 비치해 두는 것이 좋겠다고 말해 두었다… 그리고 이제 지금 그의 말이 맞았다. 두 사람은 함께 상처를 씻었고, 카타는 –베르나트가 가르쳐 주는 대로– 상처를 입은 세 손가락에 붕대를 예쁘게 감았다. 모든 것이 제대로 된 것 같았지만, 그렇게 붕대를 감은 손으로는 그가 자신의 설계 작업을 할 수 없었다. 앞으로 며칠간 그런 처지에 빠진 그는 아무것도 할 수 없고, 그런 휴식을 이젠 즐길 줄도 알게 되었다.

그는 여기저기로 걸어 다닐 뿐, 자신에게 맞는 적당한 공간을 찾지 못하다가, 마침내 어느 모퉁이에 앉아 생각에 잠겼다. 그는 자신이 오십이 넘은 나이임을 잘 알고 있었고, 머지않아 그에게 병마가 찾아올 수도 있을 것이다. 그는 건강하게 살아왔지만, 이제 병마가 만약 닥친다면 그를 도와주는 사람은 아무도 없다. 그리고, 그가 혼자 있게 되면, 그 병마는 공포의 대상처럼 되어 버릴 것이다. 그래, 정말이다. 그는 외롭진 않다….

'외롭지 않는가?'

카타는 지금 여기에 있다. 하지만… 베르나트는 한때 자신의 집 대문 앞까지 카타를 따라온 청년이 순간 기억났다. '그 청년은 이 근처에 살고 있는가? 아마 그 두 사람은 때로는 만나기도 하고, 그 청년이 언젠가 카타를 이 집에서 데리고 나갈 것인가?' 베르나트의 두 손은 지금 주먹을 쥐었다. 그 상처 입은 손도 –그는 나중에야 그 손이 아픔을, 그 붕대 사이로 피가 스며들고 있음을 알았다.

"카타!"

그 외침은 마치 한때 "엄마"하고 부르는 목소리 같았다. 우리는 자식에게 언제나 도움을 주는 어머니를 찾는다. '카타!'

카타가 붕대를 새것으로 교체해 주었고, 이제 다시 그는 혼자가 되었다. 벌써 오후의 커피가 준비되어 있고, 이 '상처가 아무는' 동안 그 시간 만이 매일의 독특하고도 반가운 시간이 되었다. 그때 그는 자신이 아무 일도 하지 않고 있음을 잊을 수 있고, 세상에는 얼마나 많은 다양한 일들이 있는가를 보여주는 신문을 보았다. 비정상적인 사람은 지금도 열심히 활동하고, 다소 정상적이면서도 정직한 사람들은 그렇게 적게 남아 있고, 정직한 사람들은 비정상적 사람들에 대항해 아무것도 하지 못했다. '그들은 숫자로는 너무 적은가? 아니면 많은가, 하지만 언제나 어둠 속에 있는가?' 그래도 그는 자신이 그때 커피를 앞에 두고 앉아라도 있을 수 있으니 즐거웠다.

카타는 쓰레기통에 피 묻은 붕대를 버리고 돌아오면서 정원을 지나가고 있었다. 피….

…카타는 여전히 피 맛이 짜다는 걸 느끼고 있었다. 슈치는 재빨리 때렸고, 그런 때림이 카타에게만 재빨리 행동한 것은 아니었다. 보통 싸움은 술집이나 어느 공터에서 일어났고, 칼을 빼 들고 서로 싸우는 경우도 허다했다. 그러나 슈치는 칼을 싫어했고, 주먹으로만, 손으로만 싸웠다. 그는 상대방을 어떻게 두들겨 패면 되는지, 상대방의 뼈를 어떻게 때리면 부서지는지, 피를 어떻게 흐르게 하는지 감을 알고 있는 것 같았다. 집시들이 술집에서 자주 나올 때는 어둠 속에서 누가 누구를 쫓고, 무슨 이유로 쫓는지 벌써 모를 정도였다. 그들은

비틀거렸고, 고함을 지르고, 서로 때리고 맞는다. 코피가 셔츠에 묻어 흘러내렸고, 술에 취해 자기 집도 찾지 못하는 날이면 모두 아무 집 근처에 가서 잠에 곯아떨어진다. 다음날 오전이 되면 푸른 파리들이 코 골며 잠자는 그들 몸 주위를 앵앵거리며 난다….

카타는 몸을 흔들었다. 슈치는 카타도 거칠게 때렸다. 그것도 자주. 그때마다 그녀의 맞은 자국이 그녀 몸에 오랫동안 남아 있었다. 다음번 맞을 때까지. 다음번에 맞아 멍든 것이 나타날 때까지.

그런데 슈치 동생인 깡마른 토챠가 이제 카타를 건드리기 시작했다. 카타는 토챠의 손길을 겨우 피할 정도였다. 밤에 시동생 토챠가 카타에게 여러 번 다가왔다. 그 동생은 때로는 자기 형이 하는 걸 흉내 내기조차 하였다. 카타가 어둠 속에서 자신의 몸을 그 두 형제 중 누가 더듬는지 모를 것으로 믿고 있었다. 카타는 자신의 몸 위에 올라온 시동생을 밀쳐낸 게 한두 번이 아니었다. 그녀가 그를 발로 세게 차서 밀쳐내기도 하였다. 그 뒤론 토챠는 이제 그런 모험을 시도하진 않았다. 하지만, 카타는 그래도 언제나 그의 시선을 느꼈다. 그리고 슈치가 어느 날 새벽에 집에 들어오지 않았다. 슈치는 이젠 집에 올 수 없다. 왜냐하면, 슈치는 자기 인생에서 가장 큰 싸움을 벌여 경찰서 유치장에 가 있다. 그러자 토챠가 다시 카타에게 나타나, 나이 많은 사람에게는 자기 형이 없는 동안엔 자신이 카타 남편이라고 우겨대기도 했다. 하지만 카타는 그런 그를 허락하지 않았고, 더구나 슈치가 감옥에서 1년 6개월 선고를 받은 다음 날, 카타는 자신의 짐을 싸 들고

자기 부모에게로 되돌아 왔다….

피는 슈치의 인생길을 그대로 보여 주고 있었다. 그것은 앞으로도 그렇게 될 것을 카타는 알고 있었다.

베르나트 손에 피가 계속 흘러, 일도 제대로 할 수 없자, 어느 날 그 손가락 중 하나에서 고름이 생겼다. 그는 카타가 정원에서 고개를 숙인 채 뭔가 열심히 찾고 있던 모습이 떠올랐다. 마침내 카타가 정원 한 곳에서 웅크리고 앉았다. 그곳엔 이미 잔디는 없고, 잡초만 크게 자라 있고, 개가 그 자리에 구멍을 파느라고 긁고 있었다.

카타는 넓은 잎사귀가 보이는 잡초 하나를 발견했고, 그 새파란 잎사귀들은 남자 손바닥보다 더 넓었다. 카타는 헝가리 말로는 그 이름을 모르지만, 그걸 카타가 알았다 하더라도 베르나트에게 말하지 않았을 것이다.

카타는 그 잎사귀 몇 개를 뜯고 난 뒤, 그 잡초가 자라고 있는 곳에 시선을 고정시켜 확인해 두었다…정말 앞으로도 그 잎사귀들이 필요할지도 모른다. 그리고서 그녀는 그 잎사귀를 씻으면서 뭔가를 중얼거렸다. 베르나트는 아주 유심히 엿들어 보았지만, 그 말이 무슨 뜻인지 몰랐다. 카타가 집시 언어로 말하고 있었다.

“무슨 주문을 외었어요, 카타?” 그는 물었다. 카타는 단지 그 남자에게 웃음만 지을 뿐이었다.

“이틀 뒤 상처를 보세요, 베르나트 선생님. 이젠 고름이 나오지 않을 거예요.”

그리고 정말 그렇게 되었다. 그뒤 사흘째 그 상처는 말끔히 나았고, 그 뒤 상처 자국도 사라졌다. 베르나트는 물끄러미 자주 카타만 바라보았다. 그는 정말 카타가 어떤 사람인지 몰랐다.

그 상처는 그에게 자신의 나이를 다시 한번 생각나게 하였다. 정말 그 사건은 전조일 뿐이었다고, 그 점에 의심을 전혀 하지 않았다. 인생의 경종이 될 수도 있겠다고 그는 말할 수도 있었다. 그게 미신이 아니라면. 하지만 그는 단순히 그런 미래를 내다볼 뿐이었다. '그가 만약 병들게 된다면, 그가 혼자가 된다면… 그땐 무슨 일이? 그는 누구와 의논을 한단 말인가? 빌마와?' 그는 씁쓸하게 웃었다. 동시에 그의 딸 소피아도 그를 도와주지 못하고, 정반대로 그 두 사람은 그가 죽으면 유산을 차지할 수 있을 때까지 기다릴 수도 있을지 모른다. 그때 그 손가락은 다시 불끈 쥐어졌다.

"너희들은 당연히 실패할 거야." 그는 화를 내며 다짐했다.

베르나트는 아름다운 집에 병들어 누워 있는 자신을 바라보았다. '그것은 가치 있는 일일까? 만약 아무도 도와주지 않는다면, 아무도 그를 간호해 주지 못한다면? 만약 그가 그의 집에서는 아무 연고자 없어 병원에서 몇 년을 보내야 한다면?' 정말 그와 비슷한 경우는 일어난다. 자주 일어난다.

이제 그는 더 열심히 일하고 싶고, 일을 더 열심히 했다. 만약 그의 머리 위로 하늘이 까맣게 보일 것 같으면, 오늘의 작업이, 그 일에 대한 대가가 어떤 형태로든지 그때 자신을 도와 줄 수 있을 것이다….

"난 아직 서른이야." 그는 짐짓 뽐내면서, 희망을 안고 생각에 잠겼다.

그는 주방에서 카타가 노래 부르는 소리를 들었다.

"Kaj sanas, more?
simas ando foro
Haj so kerdan, jav, strugo
Ando baro foro?“

베르나트는 고개를 들었다. 그는 카타가 그 노래를 여러 번 소리를 작게 하여 불렀거나, 아니면 그가 없을 때 불러온 것을 추측해 볼 수 있다. 왜냐하면, 그 멜로디는 -낯선 멜로디였지만- 뭔가 가정적인 것 같고, 그녀는 습관적으로 노래를 불렀다… 정말 벌써 자주. '그녀는 다른 가사로 똑같은 노래를 불렀던가?'

베르나트는 두 눈을 감았다. 멜로디를 들으면서 그는 자신의 지난 시간을 돌아보았다. 그에게 무슨 일이 일어났는지 자신도 알지 못했다. 한 번도 그는 뭔가 비슷한 과정을 경험한 적이 없었다. 그는 이제 손 아래 설계도면도 전자계산기를 쥐고 있다는 생각도 들지 않고, 자신이 그곳에 있지 않음을 느낄 정도였다. 베르나트는 뜨거운 태양 아래로 갔다. 그 옆에서 개와 고양이가 꼬리를 살랑살랑 흔들고 있을 때, 어디선가 먼지가 일고, 멀리서 산들이 검게 변했다.

"Haj dem dume, jav, strugo,
Hajkam jas te coren…."

그는 두 눈을 떴다. 내가 어디 있는가? 그는 물었다. 그는 한숨을 내쉬었다. '모든 우리 조상은 유목민이었다. 그러니 우리 영혼 깊숙이 지금도 기꺼이 유목민처럼 떠돌아 다닐 수 있다. 우리가 그런 유목 생활을 할 수 있다면….'

밖에서 카타는 계속 노래를 불렀다. 그녀는 갑자기 베르나트가 출입문에 선 채, 그녀 자신을 바라보고 있음을 알아차렸다. 그녀는 자신의 노래를 멈추었다.

"뭐… 뭐라 하셨어요?" 그녀는 혼돈이 되었다. 베르나트는 살짝 웃었다.

"아무것도. 난 노래만 듣고 있었어요. 그걸 헝가리 말로 부를 수 없어요?"

"안돼요. 그 노래는 어느 집시가 다른 집시에게 <당신은 어디에 있어요, 동반자여? 당신은 어딜 돌아다니고 있어요?>라고 묻는 노래이고, 또 다른 사람이 <그는 도시에 있다면서, 좋은 맥주와 술을 마시고 있다>고 해요. 나중에 그들 중 한 사람이 다른 사람에게 <우리 함께 훔치러 가자>고 꼬시는 내용인 걸요…."

그의 얼굴엔 구름이 보였다.

"술꾼과 도둑들이군요… 그들은 전혀 바뀌지 않는군요?"

그는 신문에 한때 공개토론이 실렸던 때가 생각났다. "집시들에겐 올려주어야 해요!" 어느 편에서 주장했다. 다른 편에서는 그 집시들을 특정한 구역에 모여 살게 해야 한다고 주장했다. "집시들이 가진 특권을 빼앗고, 집시들도 일하라!" 또 다른 편은 이렇게 주장하기도 했다. 또 다른 편은 그 집시들이 수백 년간 박해를 받아왔다고 언급했다….

카타는 어느 주방 도구 밑에 켜둔 가스의 양을 낮추었다. 그녀는 가스를 이용한 요리기구에 이미 익숙해 있었고, 낮은 소리로 말했다.

"집시는 자신들 노래 내용과 비슷하게 살아요. 방탕이나 음주, 살인, 속임, 우울함,…그들은 미래에 대한 생각이란 없어요. 제 삶도 마찬가지예요, 베르나트 선생님.”

“하지만, 그들 삶이 그것만이라고는 할 수 없지요. 그런 건 말도 되지 않아요….”

“내가 집시들 속에서 산다면, 모든 게 불확실해요. 남편이 정상적인 사람이라 해도 오늘 아침에는 오늘 저녁에 무슨 일이 일어날지 몰라요… 집시 친구들이 오면, 술을 마시지요, 싸우지요, 허황된 생각만 하지요. 칼 들고 서로 싸우기만 해요. 그리고 다음 날도 마찬가지예요. 그다음 날도요. 언제나, 그런 것이 그들 삶이라구요.”

“그럼 도대체 그네들이 하는 일이 뭐요?”

“제가 했던 일이 그런 일이었지요. 그래요, 정말 우연히도.” 카타는 피곤해 어느 의자에 앉으면서 어두운 눈으로 그 남자를 관찰했다. “선생님은 저를 그곳에서 데리고 나왔어요. 난 갈 곳이 없었어요… 아마 자살하러 갔을지도 모르구요.”

베르나트는 어느 선반에 몸을 기댔다. 그곳에서 그는 그 여자를, 그 여자의 팔꿈치까지 맨살의 두 팔을, 그녀 입술을 지금 볼 수 있다. 완전히 붉은 입술을. 카타는 베르나트를 이젠 바라보지 않지만, 베르나트는 카타가 그를 잘 바라볼 수 있으리라 추측했다. 그의 얼굴에는 역겨움은 이젠 없었다. 집시들은… 지금까지 그는 그들을 피해 왔다. 왜냐하면, 피부색과는 별도로 그는 항상 깨끗하지 못한 사람들을 아주 싫어했다. 만약 그가 우체국이나 상점에 가서 그들이 옆에 서 있으면, 그는 때로 역겨움을 느꼈다.

“저 사람들은 욕실도 없구나.” 그는 그들을 비난하지 않으려고 생각을 하다가도 곧장 다른 생각이 머리에 들어왔다. “저 사람들이 일한다면, 정상적인 집을 가질 수 있을 것이고, 욕실도 자연스레 갖출 수 있을 터인데….”

카타의 목소리가 주방에서 가득 찼다.

“집시에게 돈이라도 조금 있으면, 그 집시는 그 돈을 들고 어디로 갈까요? 집으로요? 그곳엔 그 가족의 식구들이 그 돈을 빼앗거나, 술집에 가자고 꼬시거나, 그가 가진 돈을 훔치기도 해요. 만약 그가 은행에 돈을 맡기면, 저금통장에 넣어둘 기회가 이젠 생겼지만, 길에 나서면 이미 수많은 낚시 거리가 기다리고 있어요. 적은 수효의 사람만이 그런 삶에서 빠져나올 수 있어요.”

“카타는 그래도 성공했군요.”

“그건 베르나트 선생님이 도우셨기에 가능했어요.”

“혼자서도 성공했을 거요. 그날, 부모가 당신을 쫓아내던 그때… 그래 정말, 그분들을 지금도 만나러 가고 싶지 않아요?”

카타는 고개를 내저었다.

‘그곳에 가다니, 다시…?’

그녀는 먼 마을이 떠올랐다. 먼지가 자욱한 여름날 오후, 술집 앞의 수많은 자전거. 때로 그녀가 슈치를 찾아 나서자, 그녀는 제법 예뻐, 헝가리 사람들조차도 이를 알아보았다.

“헤이, 너…. 이봐, 친구들. 애석하게도 이렇게 어여쁜 집시 여자가… 하지만 우린 저 여자와 어울릴 수 있겠어, 안 그래?”

몇 번인가 그녀는 그곳을 뛰쳐나오곤 했다.

“아뇨, 베르나트 선생님, 난 선생님이 그런 방문을 허락하지 않으리라고 믿고 있어요… 하지만 난 결단코 그곳에 가지 않겠어요.”

"결단코라고요?"

베르나트는 그런 자신을 못 믿겠다는 듯이 처음 반은 익살스럽게 물었다. 하지만 짧은 말을 끝내놓고는 그의 음성은 진지했다. 그리고 카타는 마찬가지로 진지하게 말했다.

"결단코요, 베르나트 선생님."

13. 소피아의 방문

베르나트는 언제 자신에게서 그런 <감정>이 생겼는지 몰랐다. 하지만 그는 좀 시간이 흐른 뒤, 그 점에 이제 더는 의심하지 않았다. ―그 감정은 그의 몸 안에 있다. 몰래 들어 와 있었다. 처음에 그것은 그런 감정과 같은 것이 아니라 단지 그리움이었다. 그는 그 여인이 일하는 모습을 관찰했다. 그녀가 싱크대 옆에서 몸을 숙여 그릇들을 들어 올릴 때와 커피를 날아올 때도. 그녀가 베르나트에게 살짝 웃어 보일 때도. 그리고 저녁에 두 사람이 영화 한 편 보면서 텔레비전 앞, 불 켜진 환한 방에 나란히 앉아 함께 웃고, 함께 감동에 잠길 때도. 그리고 텔레비전 시청의 앞뒤 시간에 베르나트가 그녀에게 뭔가를 설명해 줄 때도. 그는 그 여인의 흥미로운 눈길을 느낄 수 있었다. 카타는 박식한 베르나트를 믿고 있고, 그렇게 그녀는 듣고 있다. 한 번도 그녀는 그가 한 설명을 의심하지 않았다.

베르나트는 아주 잘 지냈다. 그는 시간이 흘러감을 전혀 의식하지 못했다. 날이 샜다가 저녁이 되고, 아침에 뜬 해가 정말 서쪽으로 달려가는 것도… 그가 행복을 생각하면 자신의 지금 처지가 행복에 가까운 것으로 추측했다.

그러나 몇 가지 일이 그를 방해했다. 그는 하늘에 아직 도달하지 않았음을 알고 있었고, 그의 마음속엔 조바심이 되살아났고, 또 그런 감정이 그를 혼돈에 빠뜨렸다.

'저 아가씨는 누구인가?'

왜냐하면, 그는 정신적으로는 카타가 남편이 있는 여자라는 걸 전혀 받아들이지 않았다. 아니면 ―그녀가 결혼한 여자라는 것도. 베르나트는 그녀가 스무 살의 인생을 시작하는 젊은이로, 봄의 꽃망울로 보였고, 바로 그렇게 그는 카타를 대했다. 자주 그는 말했다.

“카타가 그걸 이해하려면 더 나이가 들어야 할거요.” 그때 카타는 신비한 웃음을 보일 뿐이었다. 그녀 자신이 지금까지 자신이 살아온 삶, 그 삶 중에 몇 가지 사항은 그가 쇼크를 받을 수도 있기에 말하지 않았다. 그런 것은 있었지만, 그녀 비밀로 남겨 두었다.

베르나트는 매일 아침 그가 혼자가 아니라는 사실을 생각하며, 참 좋다며, 잠에서 깼다. 그리고 그가 바깥에 카타가 있음을 알려주는 달그락거리는 소리를 듣자, 그의 안에선 영혼의 미소가 퍼져 갔다. 그는 즐거운 마음으로 아침 식사를 하러 가서 두 사람은 서로 인사를 나누고, 카타는 아침 식사 때, “베르나트 선생님”이라고 항상 말하는 것에 전혀 거부감도 느끼지 않고, 그 말 속에는 뭔가 원초적 분위기가 들어 있었다. 베르나트는 ‘그가 정말 이 “아름다운 노예”의 주인이 된다면 무슨 일이 벌어질까?’를 머릿속에 생각해 본 적이 한두 번이 아니었다. 나중에 그는 재빨리 그런 생각에서 벗어났다. 그에겐 정말 터키 총독이 되고픈 그런 영혼은 없었다.

그날 다른 시간에도 그는 카타 존재를 똑같이 느꼈다. 그가 무슨 일을 하든지, 집이나 정원에서 어딜 가든지, 어떻게 해서든지, 어디에서나 그녀 존재가 그에게 크게 다가왔다. 베르나트는 자신이 시내에 갔다 올 때도 그런 존재로부터 자유롭게 있지 못했다. 그가 그 점을 원하지 않았어도. 어느 거리에서 위로 쳐다보면, 하얀 담, 지붕에 놓인 창문이 보였고, 그 앞엔 큰 소나무가 보였다. 그는 카타가 그곳에 있음을 알았고, 그녀는 그가 돌아오기만 기다리고 있음도 알았다.

카타는 그런 점을 많이 생각해 보진 않았다. 그녀로서는 그 집에 남자 한 사람이 있고, 그녀가 그 남자를 위해 봉사함은 자연스러운 일이다. 슈치에게 하듯이 하진 않는다 하더라도, 어릴 때 아버지를 대하는 것처럼 하지 않는다 하더라도.

베르나트는 착한 사람이었다. 한 번도 그는 카타를 때린 적이 없고, 한 번도 카타와 심하게 다툰 적도 없다. 그리고 그는 한 번도 카타에게 뭔가 원하지 않았다. 하지만 밤엔, 그것은 벌써 카타가 온 지 넉 달이나 다섯 달째 되던 때에 일어났다. 6월부터 카타가 이 집에 거주하게 되었는데, 이젠 가로수 잎들이 벌써 떨어지고, 아침엔 안개가 자욱하니, 방에 외로이 누워 여러 번 한숨을 내쉬었다. 카타는 남자가 그리웠다….

카타는 그 당시 간혹 방해하더라도 그 남자가 작업하는 걸 지켜 보고 있었다. 그녀는 베르나트가 대형 종이 앞에서 뭘 하는지 잘 이해가 가지 않았다. 베르나트가 집을 설계하고 있다고 간혹 말해 주었지만, 카타는 -카타가 세밀하게 그 복잡한 선들을 바라보고 있어도- 도무지 이해가 되지 않았다. 더구나 카타는 그런 설계에 대해 그 건축가가 모든 벽마다, 센티미터까지 재는 크기와 길이와 높이와 그 안에 벽돌이 몇 장이 들어가는 지까지의 계산을 왜 하는지도 알지 못했다. 그리고 집 전체를 보면, 벽마다 벽돌이 몇 장이 있어야 하는지를, 얼마나 많은 시멘트와 벽 타일, 콘크리트 기둥과 기와들이 필요한지 -카타로서는 까맣게 모르고 있었다. 카타는 언제나 그림 1장으로 된 조감도만 바라보길 좋아했다. 왜냐하면, 베르나트는 그것을 기쁜 마음으로 카타에게 보여 주었다. 그것은 미래의 완성될 집을 그린 그림이다. 그것은 언제나 아름다웠고, 그런 순간엔 카타도 베르나트를 우르러보게 되는 긍지를 가졌다. 카타로서는 그때 그의 과업이 몇 주간 동안 제도판 앞에 서서 계산하고, 적고, 한숨을 쉬며 했던 그 노력이 의미 있음을 느낄 수 있었다….

카타로서는 베르나트가 곧 이 집이고, 이 집이 곧 베르나트였다. 베르나트와 이 집, 그 두 사물은 하나가 되고, 분리되지 않았다. 하지만, 그 여자는 자신을 제삼자로 인식하려고 애썼다. 정말 카타는 이 집의 계단 높이와 문의 손잡이 위치도 알게 되고, 어느 문은 세게 밀쳐야 하고, 어느 문은 약하게 열어도 되는가를 알고 있고, 정원의 땅은 그녀 발에 이젠 익숙해진 것과 마찬가지로, 예로부터 가축과 식물이 모든 사람의 친구가 된 것처럼 그렇게 지금 -이 정원에서만- 황금의 시대가 다시 왔다. 개, 고양이와 이 정원의 나무에 살아가는 새들, 잔디밭에 기어 다니는 달팽이들, 삼나무 가지들 이 모두가 카타의 친구가 되었다. 카타와 함께 고통을 받았던 그 동반자들. 만약 몇 주간에 걸쳐 비가 오지 않으면, 카타 스스로 그 식물에 물을 길어 주어야 했다. 카타는 자주 작은 나무 앞에 멈추어 서서, 새로운 가지를 손으로 만지다가, 마음에서 우러나오는 낱말로 속삭였다. 그런 건강을 염원하는 말들은 한때 수천 년 전, 이곳에서 1천 km 떨어진 숲의 식물에 전해지면, 그 식물은 건강한 모습을 되찾았다. 어느 날 아침 고양이가 머리에 상처를 입은 채 나타나, 피를 흘리고 있을 때 카타는 고양이를 손으로 잡고는 집시의 말로 쉿-소리를 내며, 손가락으로 그 머리에 난 상처들을 눌러 주었다. 고양이는 놀라면서도 움직이지 않고 가만히 있었고, 카타는 그 고양이에게 최면을 걸었다. 그녀 손으로 그 상처가 낫기를 선의로 바랐고, 고양이는 카타가 하는 대로 가만히 있었다. 며칠 지나지 않아, 그 상처는 흔적도 없이 말끔이 나았다.

한편, 두 사람의 주변의 시간은 앞을 향해 달리고 있고, 모든 것이 변했다. 아침은 다음 날 아침까지, 저녁이 지나면 서글피 천천히 뒤따랐고, 자연은 서두르지 않았다. 가지 위엔 여전히 열매가 달려 있지만, 이젠 많지 않다. 여명은 안개를 낳았고. 오전은 비를 낳았다. 때로는 태양도 비쳤지만, 태양은 제힘을 제대로 갖지 못했다. 구름들이 해를 재빨리 가려 버렸다. 11월 초순, 길고도 끈질긴 비가 그 두 사람의 즐거움과는 정반대로 행동했지만, 그 남자와 여자는 서로 바라보고, 살짝 웃기만 할 뿐이었다.

벌써 오래전에 제비는 멀리 날아가 버렸고, 둥지만 처마 밑에 외롭게 달려 있었다. 언제나 더 많은 박새들이 땅에서 먹이를 찾고 있었다. 정원의 언제나 푸르던 식물들의 반짝임은 옅어지고, 주변 풀도 색이 바랬다. 오후는 재빨리 저녁이 되고, 집에 불을 켜야 했다. 베르나트는 집 안에서 커피를 마셨고, 신문을 뒤적거렸다. 어디서나 평화로웠다.

험담이 그 두 사람의 작은 세계에까지 들려 괴롭혔지만, 때론 베르나트가, 때론 카타가 그걸 무시하고 살아갔다. 카타가 자주 시내로 나가자, 사람들은 카타를 보고 쑥덕거리며, 카타를 향해 뭔가 비천한 말로 모욕마저 주었다.

한 번은 철모르는 아이 몇 명이 카타 뒤를 졸졸 따라 와,

베르나트 집에까지 왔다가, 필시 여교사인듯한 어느 중년 부인을 보자 달아났다. 카타는 그걸 베르나트에게 말하지 않았다. 물론 베르나트도 아는 사람들로부터 비웃음을 당하거나, 짐짓 중립적인 자세를 취하면서도 의문을 갖는 것에도 무시해 버렸다.

“어이, 베르나트, 잘 지내? 자넨 지금도 가정부 두고 있어?” 그는 “가정부”라는 낱말이 그들에겐 그런 병적인 환상을 대체하게 하는 말인 것을 의심하지 않았다. 그 두 사람은 서로를 믿으면서도 이렇게 원했다.–<우리는 서로에게 불쾌한 일을 말하지 않는다면, 그 불쾌한 일은 단순히 저녁나절의 그림자들처럼 그렇게 존재했다가 어디로 사라지는지 아무도 알지 못하는 것처럼 여겼고, 그리고 나중에 우리는 그 그림자들이 온전히 존재했다는 것도 생각하지 않을 것이다…> 베르나트는 남자로서 마치 자신의 심리에 외부 영향을 받은 듯이 여러 번 카타를 관찰해보다가도 서둘러 그런 생각을 접었다. 그의 두뇌는, 아주, 때로는, 너무 그런 자신의 태도가 적합하다는 것을 이해했고, 그의 환상은 다른 주제로 재빨리 관심을 돌렸다…만약 저녁에 흥미로운 책을 읽고 있거나, 아직 해야 할 일이 있으면, 베르나트는 카타에게 먼저 욕실을 이용하라고 말했다. 그리고 베르나트는 몇 분 뒤 현관으로 가면서, 욕실 출입문에서 카타를 보았다. 그 출입문은 카타를 뒤로 한 채 닫혀 버렸다.

베르나트는 밖에 나왔다. 그의 두뇌는 여러 가지 그림을 만들고 있었다. 1분 뒤엔 카타가 옷을 벗고, 샤워기 아래 서 있거나, 욕조 안에 앉는다. 그러면 하느님… 남성의 욕구는 그에게서 곧장 일었다. 한 번은 그녀가 샤워하는 동안, 의도적으로 무슨 변명거리를 찾지 않으면서도 정원을 산책하러 나갔다. 그는 도로 쪽 대문이나, 비슷한 문이 제대로 닫혔나 살피는 것처럼 보이지 않았다. 곧바로 그는 그 욕실 창문으로 몰래 갔지만, 그 창문은 닫혀 있었다. 11월이라 기온이 찼기 때문이다.

욕실 안 창문에는 커튼이 쳐져 있어, 베르나트는 아무것도 보지 못하고, 그가 몰래 도착했을 때처럼 몰래 자리를 떴다. 그는 그런 어린애 같은 일에 대해 스스로 화가 났고, 자신을 책망했으며, 침대에 누워 잠을 청했다.

법원 건물에 공기는 무척 따뜻했다. 그 공기는 사방의 넓은 벽이 있음에도 불구하고 안으로, 계단으로, 방으로 속속 들어와 흩어졌다. 창문을 통해 들어 온 거대한 빛은 모든 사물로 흘러갔다. 아직 여름 초입에 있고, 군중이 모이자, 열기는 더욱 더 무덥게 느껴졌다. 뜨거운 공기에 뜨거운 감정이 부풀어 있었다.

법정은 곧장 만원이 되고, 방청객들은 어제보다 더 많은 숫자다. 많은 방청객은 첫날엔 정말 흥미로운 일은 아무것도 일어나지 않았다고 말했다.

"이봐, 저 판사는 사로시와 그 집시여자 주변 사람들의 감정이 어떤지, 또 그게 사건과 무슨 관련이 있는지를 잘 파악하고 있는지 난 통 모르겠어!"

정반대로 다른 사람들은 정말 기뻐했다. 왜냐하면, 그들은 첫날의 법정공방을 지켜보지 못한 이들로, 잃어버린 것이라곤 아무것도 없는 사람들이었기 때문이었다. "진실로 흥분되는 날은 오늘이군! 그래, 저어, 어떤 사람이 죽었다. 왜 죽었어? 살인 사건이라네! 그리고 범인은 저 법정에 앉아 있지. 우리도 그 사람을 볼 수 있어!" 사건에 대한 이런 흥미가 그들의 두 눈에 알아볼 수 있고, 때로는 그 흥미가 그들 말 속에도 들어 있다. 그것은 그들 마음의 태도에서도, 주의를 기울이는 듯한 얼굴에도 보였다. '살인자가 올 것이다! 하지만 그 사건의 희생자는 참석할 수 없다. 그는 몇 주 전에 무덤 속에 가 있다'. 하지만 그 사건의 희생자는 참석해 있다. 누군가 살짝 웃는다. 정말 사람들은 언제나 그를 두고 화제로 삼는다. 그 재판부는 아직 법정에 들어오지 않았다. 복도에는 법원 정리의 복장들이 보였고, 여름인 지금도 집시 여자들의 밝은 빛깔의 재킷들도 보였다. 갈색 피부의 아이들도 들어가 구경하고 싶어도, 법원 정리들이 애들은 가라며 그들을 쫓아낸다. 집시들 사이에는 반대의 소리도 있다. 그러나 아이들은 복도에 남아 있다. 그 때문에 안에는 긴장이 더 고조되었다. 뒤편엔, 법원의 다른 출입구에는 어두운 갈색의 마이크로버스가 한 대 멈춰 선다. 법원 정문 수위가 그 버스 안의 회색 제복을 입은 동료들을 보자, 고개를 끄덕이고는, 전기개폐기 버튼을 눌렀다. 피의자를 실은 자동차가 법원에 도착했다.

어느 날 아침, 두 사람은 겨울이 오기 전에 무엇을 준비해야 하는지 알아보려고 정원에 갔다. 카타와 베르나트는 어느 나무의 마른 가지들을 잘라, 바람이 없는 구석 쪽으로 가서 불을 피웠다. 마른 풀과 쓰레기는 화염이 치솟았다. 두 사람은 불 옆에 서서 바라보았고, 카타의 두 눈엔 즐거운 불꽃이 뛰어다녔다. 카타는 이 가을에 슬픈 감정이라곤 아직 없음을 알아차렸다. 카타는 정말 젊었다.

“카타, 지금 이 가을에 슬픈 것이 없어요?”

“전혀요! 난 늙은 사람이 아니니까요.” 카타는 짓궂은 미소를 짓고는 곧장 뛰어 달아났다. 베르나트는 카타를 뒤쫓아 갔고, 두 사람은 마치 어린아이처럼 서로를 쫓아갔다.

“내가….늙었는가?”

베르나트는 가쁜 숨을 몰아쉬면서, 온 힘을 다해 달렸다. 두 사람은 그 집의 어느 모퉁이 주변에 있고, 카타는 요리조리 피해 다녔고, 그 모습은 지금 짖어대는 개에 쫓겨 달아나는 암토끼 같았다. 카타는 삼나무와 관목들 사이로 숨었다. 베르나트는 카타를 붙잡아 보려고 애썼다. 그는 마침내 그녀의 손 하나를, 겨우 손가락들을 잡을 수 있었다. 그 뒤 카타의 뜀박질은 늦추어졌고, 베르나트는 헐떡이며 카타 허리를 잡을 수 있었다… 카타는 그런 행동에 아주 거부하진 않았으나, 조금은 거부했다. 그러나 정말 카타는 다시 달아날 채비를 하고, 그래서 베르나트는 다른 손으로도 카타를 붙잡고는, 꼭 붙잡았다… 두 사람의 얼굴은 아주 가까이 있고, 두 사람은 두 나무 사이에 서 있고, 이웃사람들이 그 두 사람을 볼 수는 없었다. 그런 사실은 다시 그의 두뇌에 경고하면서도 허락도 하듯이 떠올랐다. 베르나트는 카타 체온을 느낄 수 있고, 옷 안의 신선한 육체도 느낄 수 있다. 베르나트가 카타에게 지난번 생일선물을 줄 때, 카타가 고마움을 표시했을 때, 그때가 지금까지의 유일한 기회였다.

그리고… 두 사람은 그렇게 서 있었다. 아무도 움직이지 않았다. 두 사람은 자신들의 숨소리만 들었고, 베르나트는 카타

뒤에 서 있고, 한 손은 카타 허리를, 다른 한 손은 그녀 어깨를 잡고 있었다. 카타 손은 베르나트의 손을 꼭 쥐고 있었다. 박새들이 근처로 날아왔고, 그 작은 새 중 한 마리가 어느 나뭇가지 위에 앉아 노래하고 있었다. 관목 아래 개가 있었다. 그 개도 집에 사는 사람들을 뒤따라 달려왔고, 지금은 무심히 멈추어 서서, 뭘 해야 할지 모르는 것 같았다. 그 뒤, 그 개는 앉아서 두 사람을 바라보았다.

“이렇게 있으니, 좋은데….”

베르나트가 말했지만, 겨우 들릴락 말락 하는 소리였고, 그의 목은 말라 있었다. 그는 지금, 지금까지 그 어느 때보다도, 홀로 차가운 침대에 누워 있던 그 어느 순간보다도, 지금 카타를 더 원하고 있었다.

…카타는 자신을 누르고 있는 두 팔이 다른 남자를 생각나게 했지만, 그 순간은 짧았다. 슈치와 토챠는 둘이 함께 술 취해 집에 오면 카타를 괴롭힐 궁리만 하고, 그녀를 공격해 왔고, 그 집의 어느 모퉁이로 그녀를 몰아세웠다. 카타는 찬장이 쓰러지고 벽이 흔들릴 정도로 밀쳐졌고, 시동생 토챠 손이 그녀 젖가슴을 잡았고, 슈치는 웃으면서 카타의 치마 아래에 손을 집어넣고는 아이들에게 소리치기도 했다.

“와서, 이것 좀 봐, 허벅지 사이에 뭐가 달려 있는지.” 그러면 아이들이 큰 소리로 웃는다. 카타는 겨우 그들로부터 빠져나와서는 토챠를 세게 때렸다. 하지만 슈치는 자기 동생 편을 들면서 카타를 아주 세게 쳤다…

…그러나 이번의 손길은 정말 느낌이 달랐다. 공격적이지도 않았고, 그렇게 세게 잡지도 않았다. 보호의 손길이요, 원함의

손길이었다. 만약 카타가 그런 낱말들을 안다면, 지금 카타는 그런 말을 할 수 있을 것이다. 이것은 사랑의 고백이었다. 그러나 카타가 그 점만 느꼈다면, 그땐 카타 스스로 본능의 여성적 존재가 되었을 것이고, 마찬가지로 베르나트도 그 본능에 이끌려 카타를 뒤쫓았을 것이다… 하지만, 그 감정은 베르나트의 자각 속에 지금까지 모아 둔 모든 것을 포함하고 있었다. 베르나트가 카타의 도움에 고마움을 표시해야 할 시간이었다. 그 아픔을 카타는 쉽사리 기억 속에서 잊었지만, 베르나트에게는 그 상처의 아픔, 카타의 나직한 말투, 호기심 어린 시선, 저녁의 침묵, 배움, 카타…

"좋아요."

카타는 말했다. 카타도 아무 듣는 사람이 없다 하여도 속삭이며 말했다. 두 사람은 서로 몸을 닿게 하여, 그렇게 시간이 얼마나 지났는지 몰랐다.

나중에 도로 쪽 대문에서 누군가 초인종을 울렸다. 그때 베르나트는 크게 한숨을 쉬면서도 그 초인종을 무시할 의도로 아무 말이 없다. 그러나 그는 천천히 그녀 손에서 자신의 손을 떼어냈다. 그 여자도 평상시 기분을 되찾았다.

"난 불을 보러 가겠어요…. 집을 태우지 않으려면."

"그럼, 정말, 불조심해야지요." 베르나트는 두 가지 의미로 말했다. 카타는 그를 뒤돌아 보면서 웃었다.

베르나트는 대문 앞에 가서 깜짝 놀랐다.

소피아였다. 딸이 그곳에 서 있다. 그 남자에게 처음 떠오른 생각은 전혀 아버지같지 않았다. '오, 하느님, 이 아이는 어머니를 떠나, 가방을 들고 왔는가? 이 아이는 여기서 살려고 왔는가?' 그러나 곧 그는 그런 생각을 한 자신이 부끄러웠다.

"안녕하세요, 아버지."

"안녕, 무슨 일이 있었니?" 베르나트는 딸이 아버지 안부를 묻자고 온 것이 아님을 알았다. 소피아는 자기 어머니처럼 확실한 용건이 있을 때만 방문했다. 지금 그는 딸이 가방을 들고 있지 않음을 보자 마음이 다소 가벼웠다. '그럼 이 아이는 여기서 머물진 않겠구나, 그건 나쁘지 않군!'

"그런 것은 아니예요." 소피아는 대답하면서 좀 두꺼운 얼굴의 중앙의, 아무 색깔 없는 두 눈을 빤짝이고 있었다. 베르나트는 아직도 카타 몸이 자신의 손안에 있는 듯한 느낌에 여전히 빠져 있고, 전혀 달라져 있는 지금의 상황에 적응을 못 하고 있었다. 여러 번 베르나트는 헛기침을 하였지만, 그의 목소리는 힘이 없다. 그는 대문을 열어, 딸의 얼굴에 자신의 입술을 살짝 건드렸다. —항상 그렇게 인사하듯이.

"학교에서 새 소식이라도?" 베르나트는 그렇게 묻고는 집안으로 몸을 돌려 들어갔다. 베르나트는 조금 뒤, 딸이 자신을 따라 들어오지 않음을 알았다. 그는 깜짝 놀라 몸을 돌렸다.

"저어, 왜… 들어오지 않구선?"

"아뇨," 소피아는 확고한 태도로 고개를 저었다.

"왜?" 그는 대답을 기대하지 않고서 물었다. 베르나트는 어찌할 바를 몰라 그 자리에 멈추어 섰다. 그의 머릿속에는 카타가 관목 사이에서 누가 왔는지 정말 유심히 볼 것이라는 생각이 들었고, 소피아가 온 걸 알면 카타는 그 상황을 이해할 것이다. '빌어먹을!…' 베르나트는 피가 뜨거워졌고, 화가 난 채 딸을 보고 있다. 그러나 소피아는 아버지를 보지 않고 고개를 숙인 채 땅만 내려다보고 있었다.

"난….집 안으로는… 안 들어갈래요, 아버지."

"바보 같으니! 그럼 왜 왔어?"

소피아는 움직이지 않고 느리게 대답했다.

"저기요, 또 돈이 필요해서요, 아버지."

베르나트는 다시 반사적으로 손을 호주머니에 넣었다. '얼마만큼……? 이만큼.' 그리고 그는 지난번처럼 1년에 서너 번씩 하듯이 지폐를 꺼내 헤아렸고, 소피아는 큰 축제가 있을 때면 그 행사 기간에 앞서 언제나 여기에 나타났다.

그러나 지금 베르나트에겐 고집스런 반발이 생겼다. '딸과 아내는 그의 가정은 존경하지 않고 정말 돈만 가져가려고 하니…?' 빌마는 그 점도 생각했었다. 그런 여자가 바로 빌마였다.

"네가 들어오지 않으면, 돈도 못 주겠어." 아버지는 자신이 생각했던 것보다 더 심하게 말했다. 소피아는 여전히 땅만 바라보고 있었다. 그래서 베르나트는 딸이 무슨 가능성을 계산하고 있겠구나 추측했다. '아니면, 그녀가 어머니에게 아버지 집의 대문 문턱을 넘지 않겠다고 약속을 해 두었던가?'

소피아는 자신의 몸을 돌려 돌아가려고 하였다. 그러자 아버지는 깜짝 놀라, 1분 지난 뒤 아버지도 움직였다. '소피아는 자신이 만만한 건가? 내 딸인데도! 그러나 정말 그 아이는 동시에 빌마의 딸이야. 빌어먹을!'

그는 딸을 뒤쫓아 인도까지 나왔다. 다행히 길에는 아무도 없었다. 그는 호주머니에서 일천짜리 지폐를 몇 장 꺼냈다.

"이것, 가져가…"

소피아는 울먹이며 그 돈을 받고서는 얼른 집어넣었다. 지금도 소피아는 자신이 8살 때 자주 아파 울던 순간의 모습처럼 울 줄 알았다. 베르나트는 잠시 뒤, 딸의 얼굴을 따뜻하게 안아주고 싶은 충동을 느꼈지만, 손은 그대로 가만히 있었다.

"그럼 가보거라, 정말 네가 집에 들어오지 않으려면."

그리고 소피아는 떠나갔다. 베르나트는 그 딸이 가는 걸 오랫동안 지켜보고 있다가 대문을 닫았다.

정오가 가까워졌으나, 길거리에는 사람들이 보이지 않았다. 소피아도 이젠 보이지 않았다. 베르나트는 한숨을 내쉬며, 불을 지펴놓은 곳으로 갔다. 카타는 이미 그곳에 없고, 카타가 좀 전까지 여기에 남아 있었음을 알 수 있었다. 모아 둔 마른 가지에서. 카타는 점심을 마련하러 갔다. 베르나트는 작대기로 불을 바로 세우면서 아주 낭패감을 느꼈다.

"사로시 부인입니까?"

빌마는 입술을 혀로 핥았다. 지금도 빌마는 입술에 제비꽃의 붉은 루즈를, 손톱에도 같은 색깔의 매니큐어를 바르고 있었다.

"그렇습니다. 판사님."

"이혼은 언제 했습니까?" 판사가 물었지만, 판사는 후회했다. 그건 정말 아무 의미가 없다. 그는 대답도 귀담아듣지 않았다. 그 사실로는 아무런 전해 줄 일이 없었다. 정말로.

"지난해 가을과 겨울에, 전남편의 행동에서 뭔가 특이한 점이 있었다면 말씀해 주세요. 그리고 시중 사람들 의견이 그 점을 어떻게 받아들였는지 부인은 나름대로 말해 주세요."

법정에서는 환상 없는 한숨이 뒤흔들렸다. '그럼 그는 다시 그 일을 묻는가?' 마치 판사 자신도 발설하지 않은 물음을 들은 것 같았다. 검사와 변호사는 아무 말이 없이 앉아 있었다. 빌마는 침을 한 번 삼키고는 말을 시작했다.

“저어… 모든 사람이 그 때문에 그이를 비방하고 있었어요. 어처구니없는 일이 벌어진 것은, 집시 여자와 동거하고 있다는 것이었어요…” 출구 가까이 쪽의 벤치에서는 웅성거렸고, 발로 땅을 차고 있다. 판사는 그곳을 한 번 바라보았다. 갈색의 얼굴들. 그들은 자신들이 상처를 입었다고 정확히 느끼고 있는 것 같다. 아마 지금은 그가 시선을 한 번 주는 것만으로 충분하다. 집시들은 법정에서 어제 떠밀려 나간 일이 떠오르자, 곧 잠잠해졌다.

“… 사람들이 그이를 배척하기 시작했어요. 그건 그이도 확실히 알고 있어요. 그리고 그의 친구들도 그를 떠나갔어요.“

이 마지막 말은 문학적 어투였다. 판사가 나중에 묻는 것에 대해 그 여인은 더 자세히 대답해 주려고 애쓰는 것이 확연했다. 지금은 모든 방청객이 소피아가 아버지에게 돈을 얻으러 어떻게 찾아갔는지와, 그 딸이 그의 집 대문 안으로 한 걸음도 넘어가지 않았음을 듣고 있었다.

“그이의 딸조차도 그이를 존경하지 않았습니다. 판사님!” 전처로서 그녀 자신은 한때 남편이던 베르나트 사로시에 대해 적대 감정을 갖게 하려고 무슨 궁리를 하느냐는 질문에 그 여인은 그렇지 않다고 대답했다.

뭔가 변화가 있고, 두 사람은 그런 변화를 알고 있다. 언제나 낮은 점점 짧아지고, 밤은 더욱 길어만 갔다. 전등 불빛은 창문마다, 방마다 더 일찍 보이기 시작했다. 정말 베르나트는 지금도 매일 정원에서 건강을 위해 산책하고, 카타가 창문으로 베르나트가 돌로 만든 작은 길에서 걷고 있는 모습을 보고 있다. 카타도 몇 번 함께 산책에 나섰지만, 언제나 손에 뭔가를 들고 나왔다. 이 산책 도중에도 꼭 무슨 일이든 해야 하는 것처럼 행동했다. 가축에게 줄 음식이나, 낙엽을 끌어모을 갈퀴나, 비가 오면 우산을 들고. 베르나트는 그녀가 작은 일에도 세심하게 노력하는 모습이 고마웠다.

두 사람은 서로 마주 보았다. 식사하면서, 텔레비전 앞에서도. 두 사람은 서로 가까이 앉고, 상대방 특색을 관찰했다. 베르나트는 카타 얼굴에 익숙해 있고, 그는 카타가 기분이 좋은 순간과 나쁜 순간을 알았다. 그는 카타의 이마 위에 -다행히도!- 자주 사라지는 작은 주름을 볼 수 있었다. 카타도 베르나트를 관찰하며 그의 마음 상태를 봐가며 살아갔다. 만약 이 도시에서 뭔가 불쾌한 일이 베르나트에게 있으면, 카타는 그의 화를 삭이는데 애썼다.

그달 말경, 베르나트는 집을 이틀간 비우는 여행을 하였다. 그 여행지에서 용역 계약을 맺는 일과, 자신이 설계할 건물부지를 검토하기로 약속이 되어 있었다. 그의 머릿속에는 몇 년 뒤 완성될 집들이 떠올랐고, 미래의 주인이 될 고객들과 전반적 동의를 구해 놓았다. 다시 집으로 돌아온 길에 그는 이미 빌라 몇 채를 스케치해 돌아오고 있었다. 도시 근교에 들어서자 비가 바로 그쳤고, 크리스마스까지는 한 달이 채 못 남아, 언제라도 눈이 오겠구나 하고 생각이 들었다… 그는 산을 통과하는 길을 택해 차를 몰고 되돌아오고 있었다. 그 길이 더 짧고도 아름다웠다. 하지만 그는 지금 혼자 달리면서 마치 구름 속을 달리는 것 같았다. 베르나트는 속도를 늦추었다. 고도

가 높은 곳이라 귀가 멍한 압박을 느꼈고, 나중에 아래쪽으로 내려오자 그 기압 차이는 보상받았다. 그가 사는 도시가 위치한 곳을 그가 잘 알고 있음에도 그 도시는 언제나 갑자기 그의 앞에 나타난다. 어느 구비진 곳에 이르자, 마침내 집들은 하얀 색깔로 보였고, 아스팔트의 검고도 축축한 반짝거림은 회색의 마른 상태로 바뀌어 있었다. 여기 이 도시에는 전혀 비가 오지 않았다. 베르나트는 즐거이 가속 페달을 밟았다. 집에서는 그가 오기만을 기다리고 있고, 지금 그는 매우 즐거운 마음으로 그 점을 느끼고 있었다.

집 앞에서 차를 세움.

굴뚝엔 연기가 피어오르고 있었다. 맞다. 난로에 불이 지펴 있고, 따뜻한 공기가 벽 사이에도 퍼졌고, 카타도 집 안에 있었다.

베르나트는 집 안으로 자동차를 몰았다. 그가 차고 앞에 자동차를 멈추자, 카타는 재빨리 외투를 걸치고 나왔다. 두 사람은 서로 손을 들어 인사를 나누었다.

"안녕!"

"어서 오세요, 베르나트 선생님." 카타는 낮은 소리로 말했다. 카타는 정말 기뻤다. 이젠 베르나트가 집에 왔고, 무사히 도착했고, 베르나트에게 나쁜 일도 아무것도 없었으니…

…왜냐하면 카타는 벌써 이틀 전부터 무서운 생각에 빠져 있었다. 카타는 전보가 올 것으로 믿었다. 아니면 경찰차가 집 앞에 멈추어 서서 사고가 났다며, 베르나트는 이젠 집에 오지 못한다고 이야기할 것만 같았다. 베르나트가 죽으면 여기엔 집만, 개 한 마리만, 고양이 한 마리만, 정원만 남게 될 것이

다…. 카타는 자기 자신은 그 대열에 넣지도 않았다. 정말 카타가 어떻게 이 집과 관련을 짓는단 말인가? 그 남자와도? 하지만 카타 마음속에는 큰 아픔이 있다. 더구나 하염없는 아픔만, 전혀 하염없는 아픔만. 카타는 밤에 집의 침대에 앉아 쉬면서도 아주 만사가 정말 아팠다. 카타는 이 도시 사람들이 자신을 그냥 놔두지 않고 죽일 것만 같은 생각이 닿았다! 그리고 카타는 그런 자신을 생각하면 스스로 아주 불쌍했다. 마찬가지로 진실로 두려움이 카타를 흔들리게 했다. '그렇게 아름답게 시작되었던 이 모든 것은 -정말 추하게 끝나고 말 것인가?'

하지만 지금, 그 자동차는 마당에 멈추어 서 있고 베르나트는 카타를 보며 차의 창문 안에서 웃어 보일 때는 정말 건강한 모습이었다… 카타는 온몸에서 아름다운 음악을 들을 수 있고, 그리움이 다시 깨어났다. 카타는 차고 문을 열어 주려고 뛰어나왔다. 카타는 가장 기쁜 마음을 노래 부르기 시작했다.

어느 일요일 저녁 두 사람은 각자 잠자리에 들었다. 그런데 그때 비가 세차게 내렸다. 벌써 그 이전부터 천둥과 번개가 쳤다. 때로 번개가 치면 그 순간 어둠이 밝기도 했다. 바람에 나뭇잎들이 나무에서 찢겨 나가고, 카타는 자신의 방에서 여전히 불을 켜 놓은 채 있었다. 베르나트는 이미 잠자리에 들고, 온몸을 쭉 펴고 누워 있었다. 그는 최근 척추가 자주 아팠다. 그는 자신의 방 창문을 열어둔 채 자기 방을 지금 환기하고자 했다. 11월의 오늘 날씨는 따뜻한 9월의 어느 날 같았다.

그런데 이 모든 것은 아주 순식간에 벌어졌다.

갑자기 요란한 소리가 들렸다. 마치 수천 명의 작은 군인들이 이 집을 향해 공격해 오는 것 같았다. 그리고 그 수천 명의 발걸음이 더 가까이 온 것 같이 느껴졌다… "그 군인들은" 처음에는 잔디 위와 차고 앞의 시멘트 바닥 위로, 나중에는 집 전체를 공격했고, 처마 홈을 때렸고, 단조로우면서도 요란하게 기와들도 공격해 왔다.

잠시 집 주변에는 비구름이 생기더니, 마치 온 세상의 태풍이 바로 이곳에서 날뛰는 것 같았다. 지붕엔 수백만의 낙하산 용사들이 때리는 것 같았고… 그런 태풍들이 날뛰는 동안 처음에는 줄곧 몸을 떨고 있다가 그 태풍들이 치명적인 결과를, 예를 들어, 천둥이 텔레비전 안테나를 때리고 집을 불태울 것 같은 그런 장난을 증오했다… 바로 곧장 그의 집이 얼마나 아름다운 건축물인가 하는 생각이 들었다. 베르나트는 자신의 온몸을 될 수 있는 한 뻗어, 자신을 태풍으로부터 보호할 수 있도록 했고, 여기서 그는 한때 동굴에 숨었던 경우처럼 자신을 숨길 수 있었다. 여기서는 그에겐 모든 것이 안전하다. 정말 안전한가?

그리고 바로 그때 그는 아래층 방에서 위로 올라오는 중간 창문을 열어 둔 채, 그 창문을 도로 닫는 걸 잊은 생각이 났다. 그리고 그 바람도 바로 그 방향에서 불어오고 있음을 알고, 위층의 이곳에도 똑같은 방향에서 소낙비가 그 창문을 세차게 때리고 있다…'그럼 아래층의 그 창문에 일이 벌어졌을 텐데?'

베르나트는 침대에서 벌떡 일어나, 잠옷을 입은 채로 맨발로 아래층으로 달려갔다. 그러면서 그는 카타의 방문 아래로 불빛이 흘러나오고 있음을 얼핏 보았다. 또 그는 이제 현관으로 가, 그곳 돌바닥이 그의 발에 정말 싸늘하게 부딪혔지만, 계속 앞으로 달려갔다. 그가 서둘러 현관문을 열어보자, 곧 자신의 몸 앞으로 세찬 차가운 바람이 불었다. 그는 전등을 얼른 켜자… 바다에서나 볼 수 있는 일이 벌어져 있었다. 마치 배가 바다에서 침몰한 것 같았다. 창문 정방형을 통해 물이 방안으로 흘러들고 있었고, 전에 설치해둔 방충망의 천 개 틈새로 물이 흩어졌고, 불빛에 비친 모든 것은 완전히 하얗다. 바닥은 이미 작은 늪이 되어 흥건해 있고, 벽은 이미 축축한 채 반짝이고 있었다.

"카타!" 그는 외쳤다. "빨리 나와 봐요"

그가 창문으로 다가가자, 물과 바람이 그의 눈을 때렸고, 그 때문에 그는 한동안 눈이 멀 지경이다. 마침내 두 손으로 얼굴을 막고서 그는 창문에 다가섰다. 그때 이미 그의 온몸은 젖어버렸다. 그는 얼음 위에서 걷는 것처럼 미끄러지거나 넘어지지 않으려고 무진 애를 썼다. 창문도 이미 젖어 있고, 그가 그 창문을 닫으려고 두 번이나 당겼으나 그의 손에서 미끄러져 버렸다. 한편 그 물 회초리를 동반한 성난 바람은 여전히 그를 괴롭혔다.

"카타!"

그 외침이 본능적으로 베르나트의 목소리에서 나왔다. 만약 카타가 아니라면, 도움을 청하러 누구를 부르겠는가?

카타는 벌써 와 있었다. 베르나트는 옆 눈길로 뭔가 하얗고 푸른 것을 볼 수 있을 뿐이다. 그는 카타를 쳐다볼 겨를이 없었다. 카타는 유행 잠옷을 허벅지까지 걸치고 있고, 그 옷에 떨어지는 물 때문에 그녀의 갈색 피부는 이미 검게 되었다.

"저 여기 왔어요… 베르나트 선생님!"

"이걸 닫읍시다!"

베르나트는 그때 이미 그 창문의 문짝 하나를 누르며 바람과 맞서 싸우고 있었다. 그는 뭔가를 본 것 같았다. 전기불이 잠시 나갔다가 다시 들어 왔다. 가까운 곳 어디선가 번개가 쳤다. 밤 풍경은 낮처럼 밝았고, 다시 잠시 뒤 밤으로 변했다. 베르나트는 자신의 반쯤 감은 두 눈을 통해 풀밭에는 이미 물이 들어찼고, 산책용 돌도 이미 끓고 있는 것 같았다. 천 개의 작은 물방울이 그 돌 위에서 토닥거리는 모습이 마치 화가 난 것 같았다. 그리고 나중에 다시 밖은 컴컴해졌다. 그들은 마침내 그 창문의 2개 문짝을 함껏 당겨 닫는 데 성공하였고, 축축한 문고리가 채워졌다.

"걸레를 가져올게요." 카타가 말했다. 그녀는 맨발이었고, 자신의 발바닥의 물기를 마루 바닥에 남기면서 지금 현관으로 달려갔다. 베르나트는 자신의 두 눈에까지 들이닥치는 물을 닦고 난 뒤, 몸을 숙였다. 베르나트는 바닥에도 이미 물이 얼마나 들어왔는지도 보았다. 그는 한숨을 내쉬었다.

카타는 되돌아 왔다. 베르나트는 그때야 그녀의 차가운 잠옷이 이미 완전히 젖어 있고, 온몸에 찰싹 붙어 있어 그녀 몸매를 그대로 보여주고 있음을 알았다. 젖가슴도, 허벅지도. 베르나트는 침을 삼켰다. 이 모든 것은 순간에 볼 수 있었다. 번개가 다시 쳤기 때문에. 그리고 갑자기 집안의 전깃불이 나갔다. 온 시가지도 전기가 나갔다. 그 두 사람을 둘러싼 온 천지가 암흑이었다.

"카타, 어디 있어요?"

"여기예요." 그는 그 목소리를 아래쪽에서 들을 수 있었다. 카타는 바닥이 삐-걱 소리가 나도록 닦았다. 베르나트는 걸레를 집어 들어 그녀를 도와주려 하였으나, 이미 아무것도 볼 수 없어, 먼저 손으로 물이 어디에 흘러들어 와 있는가를 더듬어 볼 수밖에 없고, 그 물기가 있는 쪽으로 마른걸레를 던져 놓았다. 그 마른걸레는 잠시만 마른 상태로 있을 뿐이었다. 그는 어찌해야 좋을지 몰라 선 채 있었고, 젖은 걸레에서 물이 뚝뚝 떨어지고 있었다.

"주세요. 주방으로 가져갈게요." 카타가 말했다. 두 사람은 주저하며 어둠 속에서 서로를 찾았다. 베르나트가 내민 두 손엔 뭔가 물컹한 것이 닿았다. 그는 그곳이 그녀 젖가슴인지 팔인지 몰랐고, 지금도 그는 그 부드러운 살과 근육 사이의 차이를 느낄 수 없을 만큼 혼비백산해 있었다. 그가 남자였다 하더라도 그때에도. 그는 아주 좋은 감촉을 바로 그곳에서 느꼈다.

카타는 그 걸레를 받아서는 곧 돌아왔다. 다시 어두웠고, 그들은 바닥과 창문을 닦았다. 베르나트는 숨을 크게 쉬었다.

"감기 들겠어요." 카타는 걱정스러운 듯이 말했다.

"난 슬리퍼를 찾아 신어야겠어요." 그 남자는 순종하듯이 대답했다. 그들의 눈은 아직도 어둠에 익숙하지 않아, 다시 두 사람이 부딪혔다가 헤어졌다. 베르나트는 현관에서 슬리퍼를 찾아, 얼음처럼 차가운 발에 신었다. 그는 지금도 젖은 옷을 입고 있는 여인이 눈에 들어왔다.

"카타도 감기들겠소. 옷을 갈아입어요." 그는 나중에 조언했다. 그는 카타가 지금 옆에 같이 있지만, 자신에게서 멀리 떨어져 있으리라고 믿었지만, 그는 카타 대답이 아주 가까이서 들리는 것을 알았다.

“곧 저는 제 방으로 갈 거예요. 다른 창문으로 비가 들이치지는 않나요? ”

“내가 알아보겠소.” 베르나트는 주방으로 더듬어갔고, 나중에 일층의 둘째 방으로 갔다. 그는 창문의 처마 복공을 일일이 손으로 검사를 했다. 다행히도 다른 창들은 말라 있었고, 밖에서 갑자기 번개가 다시 한 번 있고, 하늘은 끊임없이 천둥소리를 냈다.

카타는 주방 한가운데의 하얀 점으로 남아 있고, 비에 젖은 자신의 옷을 벗었다. 그 집에서 −바로 그런 상황에서 쓸려고− 순찰용 전등이 준비되어 있었으나, 그들은 더 많은 불빛은 원치 않았다. 수도꼭지에서 물이 쏟아져 나왔다.

“그 잠옷도 벗으세요.”

그는 그 말에 순종하기에 앞서 그의 머릿속엔 갑자기 불이라도 들어오면 어쩐담 하는 생각이 들었다. 그래서 그는 주방 불빛도 싫었지만, 나중에 옷을 벗었다. 그는 알몸으로 서 있었다. 카타는 멀리서 두 손을 내밀어 그 잠옷을 받았다. 그 하얀 점이 갑자기 빨랫감을 놓는 통으로 움직이는 것이 보였다. 베르나트는 침을 삼켰다. ‘그럼 지금 카타도 알몸이구나.’….그의 두 눈은 실루엣을 볼 뿐이고, 나중에 그녀가 떠나는 소리를 들었다. 카타는 복도 계단에서 말을 건넸다.

“저는 자러 갑니다… 뭐 필요하신 거라도?”

그 질문은 그 두 사람 사이에 벌어졌던, 진실로 마지막 15분간에도 전혀 변하지 않았던 두 사람의 관계를 재정립했다.

그것은 변할 수 없었다. 베르나트는 여전히 주방에서 떨며 서 있었다. 마치 그가 다시 불빛이 들어오기라도 한다면 카타가, 그를 본다 해도 그렇게 그런 자신의 알몸에 부끄러워 할 것이다… 그는 자신의 배가 이미 불거져 나와 있고, 그의 등은 굽어 있고, 다리는 가늘다는 걸 알고 있었다… "난 멋진 사내가 아냐. 난 유혹할 만한 상대가 못돼… 하지만 카타는 정말로 멋진 여자야!"

베르나트가 자신의 방이 있는 위로 올라오면서 그녀의 방문을 보자, 문은 닫혀 있었다.

그의 주저함은 짧아 약 10분의 1초 정도였고, 계속 걸어 자기 방으로 올라갔다. 베르나트는 자신의 침대에 누워, 침대 이불 아래서야 비로소 떨기 시작했다. 그는 알았다. 추위로 인해서가 아니라 그리움으로 떨고 있음을.

14. 정복 차림의 간수와 가죽 축구공

<집>에서도 떨어진 채, <시내>에서도 먼 곳에, 여느 도시처럼 이 대도시의 넓은 벽으로 둘러싼 오래된 옛 큰 집에는 수천 명이 살고 있다.

정복을 입은 사람들만 이곳에 스스로 원해서 와 있다. 그들에겐 이곳을 지키는 것이 일이다. 그 일로 급료를 받는다. 이들은 근무일정에 따라 살아가고, 그 큰 집 안에서는 전혀 사용하지 않지만, 무기도 휴대하고 있다. 만약 다른 집단 중에 누군가 이 집단의 몇 명을 데리고 가려거나, 그 회색 옷을 입은 사람들이 무기로 무장이라도 한다면, 몰라도…이곳의 보안체계는 강하고 이 큰 집에서는 천 개의 쇠사슬이 서로 연결되어 있다. 전자 눈이 이 모든 곳을 감시한다. 마당, 작업장, 복도, 통로와 계단에서도. 모든 창문에는 튼튼한 쇠창살이다. 높은 담 위로는 날카로운 철사가 설치되어 있고, 망루도 설치되어 있다. 밤에는 전깃불이 환하게 비치고, 때로 벽에는 반사경의 불빛이 비친다. 그 불빛은 수백 개의 창문을 차례대로 건드린다. 무장한 남자들은 죄수들이 결코 다가서지 못하는 안전거리에 포위망을 쳐 놓고 있다.

모든 출입문의 여닫는 일은 중앙 통제에 따른다. 그래서 그곳 사람들은 모든 것을 안다. 중앙과 망루는 단파 무선으로 의견교환을 한다. 큰 집마다 적당한 자체 전력 발전소가 있다. 외부에서는 감옥을 불구로 만들 수 없다. 수도관과 전화선도 밖에서 절단할 수 없다. 모든 것에는 전파를 통한 이중안전장치가 작동한다.

작업장에서는 사람들이 공을 꿰매고 있다. 갈색 공과 또 다른 여러 색깔의 공을 만들고 있다. 그 공으로 나중에 어느 스타디움 안에서 축구팀들이 수많은 관중 앞에서 경기를 벌이게 된다. 사람들은 아스팔트나 풀밭이나 맨땅에서나, 광산에서나 놀이터에서나 들판에서도 그 공을 쫓으며 발로 찬다. 여긴 남자들만이 작은 테이블 앞에 몸을 숙였지만, 대부분은 공을 무릎 사이에 놓고 양손을 재빨리 움직인다. 이들은 만든 공에 대한 대가를 받지만, 아무도 담배를 피우지 않고 말도 없이, 쉴 틈도 없다. 그러나 때로 무슨 소리가 울리면, 그땐 남자들은 한쪽 모퉁이로 가서 담배를 피운다. 감시 카메라의 둥근 유리 눈은 그 작은 집단을 향해 열려 있고, 죄수들은 어딘가에서 ―아무도 어딘지 모른다― 교도관들이 그 화면을 지켜보고 있음을 알고 있다.

교실들 안도 침묵이다. 글자들은 크고 검푸른 칠판 위에서 꼬불꼬불하였고, 그곳엔 숫자들도 보였다. 한때 한 번도 학교에 가본 적이 없는 이들은 지금 배워야만 한다. 흔한 일이 아니지만, 교사들은 자주 죄수들로 편성된다. 이곳의 정복 복장은 권위와 침묵을 강요한다. 규율은 백인도, 갈색인종도 조금씩 집 안에서처럼 체득하게 된다. 여기서는 아무도 반대할 권리가 없다.

햇빛은 마당에서나, 몇 개의 창문에서만 볼 수 있다. 많은 얼굴이 그쪽을 향해 있고, 가장 원시적 영혼에서도 그 순간에는 뭔가 울린다. 자유를 뺏긴 사람들은 바깥세상의 삶을 그리워하고, 아무도 이곳에서의, 이 안에서 사는 것을 좋아하지 않는다. 간수들조차도.

간수들은 죄수들을 싫어한다. 정말 바로 그 죄인들이 그들을 먹여 살리는 데도 그 일은 중요하지 않단다. 사람들이 억지로 말하자면, “수형인”, 그 수형인들은 우연히 이곳에 있게 된 것이 아니다. 모두가 싸움꾼들이고, 음모를 꾸민 사람들이다…. 간수들은 그 점을 자신이 근무하는 시간마다 유념해야 하고, 한 번도 그들은 그 점을 잊지 않고 있고, 죄인들을 무서워해야 한다. 그 수형인들은 정말 가장 나쁜 모든 것을 할 준비가 되어있고, 언제나 그들은 규칙을 깨는 일에, 음모에, 궁리에 여념이 없다.

죄수들의 세계에서는 간수들이 큰 역할을 하지만, 아무도 그 간수들을 좋아하지 않는다. 몰래 비방이나 하는 자들은 더욱더. 그 죄인들은 자신에게 쉬운 일거리를 찾아내고, 자주 그들은 그런 일을 찾고 있다. 간혹 간수들의 도움을 받아. 그런 두 세계는 상호의존하고 있음에도 불구하고 정말 결코 화해하지 않는다.

매일 수백 개의 가죽 축구공이 만들어지고, 그 생산품들은 상자에 담아, 때로는 트럭이 와서 이 상품들을 가지고 간다. 죄인들은 트럭의 모터 소리를 듣고는 운전기사를 선망의 대상으로 쳐다본다. 정말 그 기사들은 -불과 몇 분이 지나면,- 이곳의 높은 담 바깥에 있게 되고, 전기 모터로 대문의 출입문 한 짝은 레일 위로 당겨지고, 운전기사들은 휘파람을 불며 가속 페달을 밟는다. 그들로선 그 짐도 다른 짐과 마찬가지다. 아마 저녁에 일을 마치고 나서 맥주를 앞에 두고 앉아서나 화제로 삼을 것이다.

“그런데, 오늘 그 감옥 안은 어땠어?” 그들은 그 정도의 관심이 있을 뿐이다.

죄수들은 저녁에 널빤지로 된 침상에 누워 있지만, 잠은 적게 잔다. 온전히 원시적 영혼만 –영혼조차 없는 사람들일 테지만!– 잘 잔다. 그들은 이미 재판을 받았고, 그들은 결정의 결과를 알고, 그럼에도 세상은 전처럼 똑같이 돌아간다. 하지만 정말 이곳엔 시간이 멈춘 것 같다. 그들로서는 하루하루가 길고 아주 길다.

신경조직은 이때나 저 때나 말을 듣지 않는다. 자정을 넘는 시각엔 –언제나 자정을 넘거나 아니면, 같은 감방 사람들이 모두 벌써 곯아떨어졌을 때인 새벽에– 어떤 죄수는 자신에게 위해를 가한다. 어느 모퉁이에서 훔쳐 온 긴 줄로 자신의 목을 맨다. 아니면, 동맥에 유리 조각으로 상처를 내, 검붉은 피가 흐른다. 그때 어느 기계장치가 요란하게 소란을 피우고, 몇 분 뒤엔 그 장치는 벌써 작동하고는, 또 몇 분이 지나지 않아 그 달려옴은 끝난다. 그 새벽엔 발걸음이 부산하게 들리고, 자동차에는 이미 차디찬 몸이 실려 나간다.

관련 부서 테이블 위로 전등이 빛나고 있다. 타자기로 그 사건을 타이핑하고, 전화로 알리고 어디선가 아주 강하게 개인별 문건을 끄집어낸다.

감옥 뒤에는 봄의 하얀 구름이 여럿 날아다니고 있다. 그리곤 순수한 여름의 하늘, 더위. 가을이 다가왔고, 그리고 이젠 겨울이 다가왔다. 얼음 같은 찬바람이 넓은 마당의 한 모퉁이에서 떠돌아다니고 있다. 그때 간수들은 추위를 느낀다.

11월말, 12월초 이때 눈이 온다. 올해는 눈이 많이 오고, 길고 차가운 겨울이 될 것이라고 한다. 벽마다 하얗고. 가시철망 위에도 하얀 선이 보인다. 겨울은 붉은 지붕도 하얗게 만들고, 연통엔 연기가 세차게 나오고 있다. 불을 지피는 아궁이 앞의 눈은 갈탄 때문에 새까맣다. 회색의 옷을 입은 죄수들은 공터에 일렬로 서면, 그들의 입마다 푸른 입김이 떠다닌다…

…증기는 베르나트가 하늘이 보이는 바깥에 서서 주변을 바라볼 때, 그의 입가에도 나왔다. 그는 바람을 싫어했지만, 그 신선함은 좋았다. 그는 공기를 한번 깊게 들이 삼키자, 공기가 심장과 온몸으로 느껴졌다.

오후였고, 그는 정원에 서서, 팔은 방금 일을 끝낸 것을 느낄 수 있다. 다시 그는 어떤 건축 설계를 마감했고, 그 때문에 그는 기분이 상쾌했다. 그는 도시를 보고 있다. 그 “불쌍한 사람들은” 헛된 노력을 하고 있고, 그를 해칠 수는 없다. 그에게 위해를 가하고 싶음을 그는 이제 자주 확신하고 있었다. 그는 자주 피를 끓게 하는 비방의 소리를 들었고, 그때마다 기꺼이 그는 못들은 채 귀를 닫을 것이다. 정말 그는 그대로 서 있을 뿐, 그는 아무것도 듣지 않는 것처럼 하였고, 때때로 그는 반대자들을 비웃었다. 그러나 그는 마음속으로 전혀 웃지 않았다.

지금 베르나트는 자신의 집을 쳐다보았다. 얼마 지나지 않아 베르나트는 카타에게 요즘 유행하는 겨울옷을 한 벌 사주어야 함을 알았다. 그녀로서는, 자신의 급료로서는 그걸 살 수 없을 정도이니, 그는 그 옷을 크리스마스의 가장 이른 선물로 생각해 두었다. 밝은 갈색 옷이 그녀에게 썩 어울렸다. 그 남자는 전반적으로 그 여인이 모양새도 있고, 얼굴도 그런대로 생겼음을 알았다. 그는 이미 그 얼굴에 익숙해 있으나, 지금은 어떤 의미에서는 그녀의 얼굴이 달라 보였다. 카타는 지금 변하고 있었다. '아니면, 그를 보는 그녀의 시선이 변했는가?' 그는 그 점에 대해 어떤 결론도 갖고 있지 않다. 카타는 쓰고 남은 돈이 한 푼이라도 남으면, 남은 돈을 베르나트에게 되돌려 주었고, 그 계산은 종종 오래 계속되었고, 그로서는 그녀가 길고도 자세히 그녀가 얼마를 주고 무슨 물건을 샀는지 말하는 걸 듣는 것은 곤혹스러웠다. 그렇지만 그는 그 여인이 그가 어렵게 일해 번 돈을 낭비하지 않는 걸 알고는 기뻤다.

오후의 카타는 낮은 소리로 지나가는 작은 그림자였고, 마치 그의 바람을 아는 것처럼 그가 생각하고 있던 물건을 가지고 왔다. 카타는 저녁에 사라지는 그런 사람이었다. 먼저 욕실로 향해 있었고, 나중엔 자신의 작은 방으로 향했다. 카타는 은방울꽃 비누 향을 남겼고, 아침까지는 그녀를 볼 수 없었다. 하지만 카타는 그 집에 있고, 베르나트는 그 점도 느끼고 있었다. 베르나트가 주방에서 그릇을 씻는 그녀의 얼굴을 유심히 보며 이렇게 말하곤 했다.

"오늘은 무엇을 줄 거요?"

"베르나트 선생님은 보면 알게 될 겁니다. 그것은 맛있는 음식이니까요." 한 번은 카타가 오늘 점심에 무슨 음식이 나올지 먼저 말해 주었고, 때로는 그 점을 애교있게 비밀로 해두었다가 베르나트가 문 앞에 들어서면, 그 음식의 향기로서 무슨 음식이 준비되었는지를 알게 했다. 만약 그가 알아차린다 해도, 카타의 즐거워하는 모습을 뺏지 않으려고 그는 짐짓 모르는 체했다.

세면대에서의 증기에 싸인 그녀의 얼굴. 카타는 욕실 창문을 통해 밖을 내다보았다.

하얀 모기 방충망 뒤에 선 카타. 만약 베르나트가 두 눈을 감으면, 그는 자신 앞에 선 카타가 보였다. —그렇지만 자주 그는 카타의 특색을 잊어버리는 것 같았다.

저녁에 그는 잠자리에 들려고 누웠다가도 아침에는 카타의 얼굴을 자세히 그려 볼 수 없었다. —하지만 몇 분 뒤엔 그 둘은 현관에서 만나게 되었고, 곧 모든 것은 그의 뇌에서 제자리로 찾아 들었다. 기억력은 —그는 믿고 있었다.— 실수 없이 제대로였다.

카타가 그 집을 가득 채웠고, 카타는 어딘가에 있고, 어느 곳의 뒤쪽에도 있었다. 그 집은 벌써 오래전부터 카타의 도움을 받아야만 움직였다. 그녀 자신은 이미 만들어진 일 그 자체였고, 앞으로 해야 할 일 대부분이 그녀를 기다리고 있었다. 베르나트는 "그것을 카타가 했어요." 라거나 "내가 그곳으로 카타를 보내겠어요." 그가 반쯤 쉰목소리로 말하려면 그로서는 어떻게 명백하게 있어야 하는 지를 처음에는 잘 알아차리지 못했다.

그 여인은 조금씩 벽과 가구와 집 일부가 되고, 그의 영혼의 일부가 되었다.

그해 12월의 마지막 반달은 바람이 불고, 날씨도 매서웠다. 카타는 아침에 갈색 외투를 입고 시내로 갔다. 그녀 뒤로 문이 닫히고, 베르나트는 그 사실을 안 뒤 곧 침묵 속에 뭔가 이상함을 느끼게 되었다. 그리고 잠시 시간이 지나고, 다시 정원 쪽 대문이 끼—익—하며 열리는 소리가 났고, 그의 긴장은 사그라졌다. 그때야 그는 자신에게 무슨 변화가 있었는지를 알았다. 카타는 이미 그곳에 와 있었고, 집은 더욱 안락하게 느껴졌다.

차가운 바람은 저녁에도 벽을 때렸다. 오후에 베르나트는 마당으로 갔다. 그는 운동이 좀 부족했다. 그래서 그는 그렇게 넓지 않은 나무둥치를 톱으로 잘랐다. 그 나무를 도끼로 여러 조각으로 내어, 그것으로 저녁에 벽난로에 불을 지폈다.

그는 불 앞에 붉은 포도주 반 잔을 들고 앉아 그 불을, 그 불을 계속 바라보고 있었다. 그는 연기가 지층에 닿을 그 순간이 언제 오는지 잘 알고 있고, 그 원시 향기는 그녀에게도 가서, 그녀도 오게 될 것이다… 카타가 왔다. 지나간 천 년의 방랑자들이 불 냄새를 맡으며, 불이 지핀 곳으로 오는 것과 마찬가지로.

어딘가 가까운 곳의 관목들에서 산양과 개들이 앉아 있고, 동물의 눈은 작은 화염도 싫어했다.

꾀죄죄한 모습의 옷을 반쯤 입은 아이들이 이곳저곳으로 가고 있었다. 붉은 치마를 입은 여인들이 마른 가지들을 주워다 불에 놓는다. 그들은 큰 솥에 음식을 만들어, 그 향기는 멀리까지 날아가고, 그 때문에 더 많은 사람이 모인다. 널빤지에 앉아 있는 어떤 사람은 둥근 나무를 자르고 있다. 젊은 아가씨들의 목에는 황금 목걸이가 빛나고 있었다. 계곡에는 말의 울음소리가 들렸고, 흥분한 젊은이들은 달구지 천막 아래서 열두 살의 소녀들을 여자로 만들었다. 힘센 남자들은 큰소리로 웃으면서도, 때로는 남자들은 서로 싸우고, 그때나 이제나 칼로 몸을 찌른다…그리고 밤의 어두움은 노래하고, 또 노래한다. 불도 스스로…

Romale,butale,

Astaren taj ttaden…!

길을 떠나자, 집시여,

말엔 안장을…!

그리고 이젠 말발굽 소리가 요란하다. 바퀴가 삐거덕거리고 그 무리는 떠나간다. 줄 망태기 안에 잡힌 산토끼들처럼 아이들이 울어댄다.

집시 일행은 아주 조용히, 거의 조용하게 떠나갈 수 있다. 하지만 말은 히-잉거렸고, 개는 짖어대고, 채찍 소리가 탁-탁- 들린다. 마차들은 길이 없는 땅에서도 달리고, 자주 마차들에서 추적자들이 집시들을 발견하지 못하도록 저녁 불은 피우지 않는다. 아이들은 몰래 강가로 가서 조용히 강물 속에 물통을 넣어 조심조심 물을 길어 온다. 만약 그들 중에 누가 오는 길에 걸려 넘어져, 그 물을 쏟기라도 한다면, 다시 물을 가지러 가야 한다.

이젠 난로의 불에서는 과거가 탁-탁- 타들어 간다. 나무둥치들이, 한때 아가씨들의 눈이, 남자들의 아픔이 타오른다. 그런 시대에서는 집시들은 노래도 불렀지만, 자주 눈물도 흘렸다. 누군가 도둑을 잡으면, 그 잡힌 도둑은 손이 잘리기 때문이다. 아니면 목이 잘리기도 있다. 길옆엔 아무렇게나 걸려 있는 집시 남자 시체가 바람에 흔들고 있다. 그땐 마차들은 옆으로 조용히 지나가기만 할 뿐, 까마귀들만 즐거이, 큰 소리로, 끊임없이 까악-까악-한다.

카타는 불 앞에 앉아 있었다. 안락의자엔 지금까지 한 번도 앉은 적이 없다. 언제나 카페트 위에서만, 그녀 앞으로 날아오는 불똥이 떨어지지 않을 정도의 거리를 두고서 앉는다. 그녀는 자유로운 불은 아주 무서워했고, 그리고 전에는 한 번도 그 불이 집 안에도 존재할 수 있음을 상상조차 해보지 못했다. 집시의 집에서는 쇠로 만든 화구 안에서만 불을 자주 보아 왔다. 하지만 여기 화로는 불이 제 스스로 달아오르고, 다른 목적으로는 사용하지 않는다… 그 불은 겨우 이 공간을 덥히는 일만 하지, 물을 끓이지도 않고, 음식을 끓이는 데도 사용하지 않는다. 하지만 이젠 카타도 이곳에서의 불은 불필요한 것이 아님을 안다. 정말 그런 날들이, 그 불이 그리운 날들이, 그 불이 필요한 때가 있다. 그녀는 이런 생각으로 불과 만나고 있었다.

그리고 그 젊은 여인은 카페트에 앉아, 발을 몸 아래 에 가지런히 두거나, 아니면 두 다리를 한쪽으로 포개어 두었지만, 시선은 불을 떠나지 않았다.

…베르나트는 여러 번 자신이 전혀 낯선 동물과 함께 방 안에 있는 것 같은 느낌을 받았고, 카타를 조금 무서워했다. '카타는 지금 무슨 생각을 하는가?' 그는 옆으로 카타의 얼굴을 관찰해보았지만, 아무것도 알 수 없었다. 좀 길고, 붉고도 누런 점이 되어 그녀 얼굴과 그녀의 온몸으로 뛰어다니는 화염들. 벽에는 그림자가 거대하게 보였고, 그 수효가 많아졌다.

무슨 생각에 잠겨 있는 카타를 그 남자가 보니, 카타의 얼굴 표정은 바뀌고, 코에 작은 주름이 생기고, 나중엔 그 주름이 이마에 나타나기도 전에 곧 펴졌다. 만약 그때 그가 뭔가를 말했다면, 카타는 그걸 못 듣는 경우가 자주 있고, 그러다 좀 나중에 "깨어났다."

"무슨 말씀을 하셨어요?"

베르나트는 어려서 읽은 소설이 생각나 웃었다. 생포되어 도시 생활을 강요받은 인디언에 대해. 밀림으로 산으로 되돌아가고 싶은 그리움이… 아마 그는 그 점을 증명할 길이 없었지만, 그 점을 그는 알 수도 없었다. '카타는 지금 자신을 붙잡힌 사람으로 느낄 때도 있는가?' 만약 그걸 묻는다면, 카타는 오랫동안 침묵하다가 나중에 이렇게 말했다.

"베르나트 선생님은 정말 이해 못 할 거예요."

그리고 그가 바로 그 때문에 물은 것이 헛된 논쟁거리가 되었다. 정말 그는 카타를 이해해 주고 싶었다.

카타는 대답 대신 뭔가 흥얼대며 노래를 부르거나, 아니면 그녀는 조용히 왔듯이 조용히 떠날 것이다. 한 번도 그녀는 그 불이 다 꺼질 때까지, 그와 함께 기다리는 경우는 없었다.

판사는 한숨을 내쉬었다. 증인들은 사소한 일에 대해서는 아주 말이 많았다. 하지만 중요한 대목에 있어 그들이 자세히 기억해 주기라도 한다면 좋겠는데…

"난 소피아 사로시 양을 부르고 싶어요."

1분도 지나지 않아 그 아가씨는 벌써 법정에 서 있었다. 소피아는 서툴렀고, 아마 놀라지는 않은 것 같았다. 소피아는 어머니 다음엔 자신을 재판부가 부를 것을 알고 있는 것처럼. 소피아는 법정 안으로 들어섰다. 많은 사람이 수군댔다. 소피아는 그 점을 듣고 있다. 판사는 소피아의 발걸음이 지금은 출입문 앞에서보다 좀 덜 확신적임을 보았다.

"내게 증명서를 보여주세요." 판사는 소피아에게 의식적으로 친절하게 말했다. 부드러운 목소리로. 판사는 그런 식으로 사실대로 간혹 말할 수 있었다. 소피아가 얼굴을 붉힌 것으로 보아 창백해 있는 것 같다. 신경이 쓰이고 겁도 집어먹고 있었다. 판사는 다른 동료 판사들이 그 점을 알고 있는지 몰랐지만, 그 동료들에게 관심을 불러일으키려고 애썼다.

“아무것도 두려워할 필요는 없어요. 아가씨. 신경 쓸 필요는 없어요.” 그리고 그 판사는 소피아를 향해 웃음을 지어 보였다. 그러나 소피아 사로시는 그 말에도 용기를 크게 가지는 것 같지 않았지만, 오른편 배석 판사가 고개를 들어 소피아를 유심히 관찰하고 있었다. 좀 둥근 얼굴이지만 썩 흥미롭지는 않다. 몸매는 좀 엉성하고, 그 아가씨는 치마를 입고 있다. 틀림없이 그 어머니가 그렇게 옷을 입혔나 보다. 소피아는 18살의 고등학교 졸업생처럼 하얀 블라우스를 입고 있었다.

“우린 소피아와 아버지, 두 부녀 사이의 만남이 어떠하였는지 알고 싶습니다.”

소피아는 고개를 반쯤 돌려 뒤를 보려 했지만, 판사는 손으로 그 행동을 제지했다. 판사는 소피아가 누굴 보고 싶어했는지 몰랐다. 어머니는 이미 증언을 끝낸 사람들 사이의 첫 열에 앉아 있고, 피고인 양편엔 법원 정리가 지키고 있고, 그 정리들은 그가 도망하리라는 걱정은 않고 있고, 법정 주변을 둘러보곤 했다. 판사는 모든 사람이 잠시 휴정을 원하고 있음을 느꼈다. 다소 힘이 빠지고 인내심을 잃어가는 흡연자들에게는 특히. 검사도 지금까지 여러 번 의미 있는 신호를 보내고 있었다. 모두가 휴정을 원하고 있었다. 그러나 점심시간이 되기에는 아직 1시간 남짓 남아 있다. 그래서 판사는 그 시간을 유용하게 쓰려고 했다.

"아버지하고요..?"

소피아는 아랫입술을 앞으로 조금 내밀었다. 그것은 뭔가를 집중해서 생각할 때 하는 그녀 습관이었다. 판사는 앞에서 피고인의 전처가 말했던 것에 기억을 되살렸다. "남편은 전혀 우리를 사랑하지 않았어요. 딸은 마찬가지고 나두요!" 그렇게 확고부동한 대답을 하자, 법정의 수많은 사람이 수군댔다. 집시들만 말없이, 아무 말 없이 앉아 있었다.

"그렇습니다. 그분과요. 무엇보다도 나는 최근 몇 년에 대해 알고 싶어요." 판사는 침착하게 또 큰 소리로 모든 말을 또박또박했다.

"그건… 그건 냉담했어요."

"아버지도 같은 생각이셨나요?"

"그렇습니다. 아버지 성격은… 아버지는 우리를 사랑하지 않았어요."

"만약 그분이 어머니에게, 그분 전처에게 그렇게 느낀다면, 그것은 자연스러울 수 있지만, 아가씨는 그분 딸인데도요…"

"그렇습니다. 저는 딸입니다." 소피아는 고개를 숙였다. "때로 아버지는, 내가 원하면, 돈은 주셨어요."

"그럼 그게 딸을 사랑하지 않는 아버지라고 할 수 있어요?"

"정말입니다." 소피아는 고집스럽게 말했다. 지금 그 딸은 어머니와 아주 비슷했다. "저는 아버지에 대해 나쁘게 말하고 싶진 않지만…" 그 아가씨는 다시 뒤를 돌아보고 싶었다. 그러나 판사는 다음 물음으로 그녀의 관심을 그에게만 집중하게 했다.

"돈 이외에 아버지가 아가씨에게 준 것은 없나요?"

“아뇨… 아무 기억이 나지 않아요. 아마 제가 어렸을 때엔… 하지만 부모님이 헤어진 뒤로는 아무것도.”

그 판사는 그녀에게서 아무것도 얻을 수 없음을 보았다. 정말 소피아는 내부적으로 비어 있었다. 소피아의 지성은 증오심이나 악에 대해서조차도 불충분했다. 동시에 그녀는 아버지를 확실히 좋아하지 않았다. 어머니와 이혼한 이후론 더욱. 그래서 판사는 좀 다른 질문을 지금 해 보았다.

“아마, 우리는 어느 구체적인 사례를 보면 모든 걸 밝히는데 도움이 되겠군요. 지난해 크리스마스는 기억하나요? ”

<크리스마스>라는 말은 지금 이 자리에서는 조금 낯설다. 열어둔 창문을 통해 법정 안의 열기가 밖으로 날아가고, 푸른 하늘이 빛나고 있다. 벌써 여름철이다. 크리스마스는 지금으로서는 어딘가 믿기 어려울 정도로 멀고, 또 아직도 멀다. 지난해 크리스마스엔 폭설이 내렸고, 그 당시 기후도 이상기후였다,

“눈이 많이 왔어요.” 소피아가 말했다. “아버지가 우리를 찾아 왔어요.”

“그 날은 정확히?”

“12월 24일요.”

“그분은 저녁에 왔나요?”

“아뇨, 오후에요… 아마 네다섯 시에요. 그쯤이면 벌써 어둡거든요.”

판사는 그 도시를 잘 알고 있었다. 지금도 그는 머릿속으로 산 중턱에 있는 베르나트 사로시 집에서부터 산중의 도로까지 그려볼 수도 있고, 지금 그의 전처와 딸이 사는 집도 그려볼 수 있다.

'오후의 시각이라 하지만 이미 어두워져 있고, 아니면 거의 밤이라 할 수도 있다. 사로시 씨는 자동차를 운전하며 가다가, 바로 어느 다른 집 앞에 차를 세웠다. 그는 자기 집을 떠나, 자기 집엔 라카토스 부인을 혼자 남겨 둔 채. 그는 정말 그 여인을 '라카토스 부인'으로 부르지 않고, 어떻게… 더 직선적으로 더 친밀하게 말했으리라… 만약 그런 비방이 진실이라면. 그리고 모든 신호는 그 점을 입증해주고 있다. 그들 사이에 다른 뭔가의 접촉이 있어야만 그렇게 된다. 우린 그것도 알아봐야 해.' 그 판사는 그런 생각을 했다.

"그래요. 크리스마스 축제일이었지요. 그분은 무슨 선물을 들고 왔던가요?"

"아버지는 돈을 갖고 왔어요. 봉투엔 몇천 정도가 들어 있었어요." 소피아는 다시 아랫입술을 앞으로 내밀었다. 그 판사는 그녀 어머니가 긴장해 하는 표정을 읽을 수 있었다.

'오 저런, 저 여인이 저렇게 두려워하고 있군. 어머니는 딸이 이 재판정에서 모녀를 모두 신임하지 않게 되는 뭔가를 말할까 두려워하고 있구나! 아니면 어머니는 딸이 아버지에 대해선 호의적 의견을 말할까 두려운가? 아마 나만 그 점을 생각하고 있겠지. 내 동료들은 아닐거야.' 판사는 그런 생각을 하고 있었다.

"그리고 아버지는 어떤 행동을 하던가요?"

"아버지요? 아…평소처럼."

"좀 자세히 말해 주세요."

"예." 소피아는 자신의 입술에 침을 조금 바른 뒤, 어머니에게 도움을 청해 볼 생각으로 다시 돌아보고 싶었지만, 마침내 그걸 포기했다.

"아버지는 들어오셨지만, 뭔가 실수로 다른 집에 들어선 게 아닌가 하고 보였어요. 우리와 함께 있을 때는 항상 그렇게 행동했어요."

"오래 머물다가 가셨나요?"

"아뇨, 15분 정도… 아버지는 즐거운 크리스마스가 되었으면 한다고 하였고, 봉투를 내밀고는 몇 분간 앉았다가, 곧장 떠나갔어요."

"그분은 다른 말씀은 없었나요?"

"저어…일상적 일에 대해서요. 일반적 일만…"

"따님이나 어머니는 라카토스 부인에 대해 말을 꺼냈나요?"

"아뇨." 소피아는 확실하게 말하고는 고개를 내저었다. "그땐 아무도. 그… 그 여자에 대해선 아무 말도 하지 않았어요."

그 판사는 입술을 깨물고는 그녀를 관찰해보다가 나중에 물었다.

"따님은 아버지가 오시면 즐거워하지 않나요? 그리고 그런 즐거운 기분을 아버지께 보여 드릴 수는 없었나요?" 그 판사는 지금은 딸의 얼굴이 아닌 다른 쪽을 보고 있었다. 그곳에는 다른 얼굴이 있었다. 그 얼굴에는 –역시 걱정스러움과 회의심이 있었다. 소피아 얼굴에도 마찬가지였다. 단지 다른 이유로… 그는 자신의 시선을 사로시 부인에게도 재빨리 던졌다가, 다시 소피아에게 돌아왔다. 소피아는 다시 바닥을 내려 보았다.

"판사님… 우리는 서로 함께 나눌 화젯거리가 없었습니다."

베르나트는 잔뜩 화가 난 채, 집으로 돌아왔다. 그는 도로 쪽으로 나 있는 대문을 요란하게 닫았다. 집 안의 개도 그가 화가 나 있음을 알아차리고는, 평상시 같으면 그의 손을 핥거나, 그의 손가락에 코를, 그 축축한 검은 삼각 모양을 갖다 대기라도 할 텐데 전혀 가까이 가려고 하지 않았다. 베르나트는 나중에 숨을 크게 쉬고는 다시 대문으로 가서 그 대문을 다시 열쇠로 잠갔다.

"뭐 빌어먹을 일이 있다고 내가 그곳에 갔어야 했어…? 이젠 가지 않을거야!" 그는 중얼거렸다.

카타는 그 요란하게 문을 닫는 소리에 집 안에서 바깥으로 나왔다. 아니면, 그 남자가 가까이 왔다는 텔레파시라도 통했던가? 불빛은 출입문 위에서 반짝이고 있고, 두툼한 숄을 한 카타도 문에 서 있었다. 많은 불빛은 눈에 반사되었고, 천 개의 불꽃이 동시에 터졌다. 그리고 베르나트는 그 가득 쌓인 눈 위로 카타의 두 눈만 계속 보고 있었다. 카타의 어두운 두 눈, 카타의 얼굴, 카타의 몸매. 카타가 집에서 그를 기다리고 있다. 베르나트는 씁쓸한 감정을 곧 누그러뜨리고는 눈을 밟으며 출입문으로 갔다. 그가 한 걸음씩 움직일 때마다 행복을 향해 다가서고 있었다. 그때에도 그는 아직 그런 느낌을 모르고 있었다.

"무슨 나쁜 일이라도?" 카타가 물었다. 언제나 카타는 똑같은 낱말로, 똑같은 목소리로 바로 그렇게 물었다. 이 목소리에는 깊고도 걱정스러움이 담겨 있었고, 베르나트는 그 점을 아주 잘 느꼈다. 그녀는 한 번도 호기심 때문에 묻는 경우는 전혀 없었다.

“그 사람들이 날 밀쳐내더군요.” 그 남자는 말했다. “그 사람들은 나더러 가라고는 말하진 않았지만… 그 점을 여러 방식으로 느낄 수 있어요.”

그가 불필요하게 왔고, 그와 함께 있는 것도 불필요하다고. 그의 자리가 아니라면 그가 그 자리에 왜 앉아 있는가?

“그 두 여자는 이미 서로 닮아, 난 그 두 사람을 구분해 볼 수도 없었어요.’ ─그는 지금도 자신 앞에 그 사람들의 방과, 빌마를, 바로 빌마를 보는 듯했다. 소피아는 언제나 두 눈의 끝에 장밋빛의 작은 반점이 있고, 진실로 반대를 하는 이는 전처 빌마다. 언제나 빌마다. 벌써 오래전부터다. 그는 한 번 더 그 점에 대해 생각해 보기로 했다.

‘빌마가 죽으면, 무슨 일이 벌어질까? 병이나 사고로….’ 갑자기 다른 생각이 뒤따랐다. ‘그건 아무 도움이 안 돼. 그동안 소피아는 성장했고, 그 아이는 이전에 엄마가 했던 걸 그대로 하고 있으니… 빌어먹을!’

카타는 지금 본능적으로 느꼈다. ‘가만히 있는 것이 더 낫겠구나.’ 카타가 무슨 말을 한들 그건 나쁘게 작용할 것이다. 그래서 그녀는 아무 말 없이 있었고, 바로 그 침묵으로 인해 베르나트는 불평을 늘어놓았다. 그래서 그는 말해 주었다. 소피아는 아버지가 주는 용돈을 졸라서 받기보다는 고통스럽게 받았다며, 그 두 사람이 사는 집엔 크리스마스 분위기라고는 전혀 찾아볼 수 없었다며, 더구나 그 두 모녀가 그로 인해, 그로 인해 그렇게 되었구나 하고 느끼게 했다고 하며. 그가 함께 있으면, 그 두 여인은 진정한 축제일을 즐기지 못할 것 같고, 어머니와 딸은 그가 이혼한 것 때문에 똑같이 고통을 받고 있음을 그에게 보여 주고 있다며.

그래서 베르나트는 그 집 실내 탁자의 딱딱한 의자에 앉아, 아무 대화도 하지 않았음을 잊지 못한다고 했다. 그는 곧장 난상토론으로 변해버릴 걸 화제로 삼아 말할 용기가 없었다며. 또 말싸움.

"적어도 크리스마스엔 싸우지 맙시다." 그 문장이 그의 입에서 맴돌았지만, 그 말은 하지 못했다. 말싸움보다 더 나쁜 경우가 생겨버렸다. 그들 셋은 전혀 아무 말을 하지 않았다. 빌마와 소피아는 앉아 있기만 할 뿐, 말이 없었고, 그가 묻는 말에 퉁명스럽게 대답했다. 아마 그 두 사람은 이미 이런 전략을 택하기로 의견교환이 있는 것 같았고, 베르나트는 어리석은 짐승처럼 포위망 안으로 들어간 꼴이 되어 버렸다. 그는 정말 "저어, 학교에서는 뭐 새로운 일이라도 있는지?" 라든지 이와 비슷한 질문들만 해야 했다. 물론 그런 그의 화제 찾기는 곧 바닥이 드러났고, 그 여자들은 조용히 앉아, 그를 바라보기만 할 뿐이다. 빌마의 뱀 같은 눈에서는 이런 질문도 있었다. "당신의 그 집시 갈보는 아직도 우리 집에 있어요?" 왜냐하면, 그녀는 그의 집도 자신의 집인 것처럼 여기는 걸 중단하지 않고 있었다. 베르나트는 이 모든 걸 모르는 체 그렇게 행동했다. 이혼한 뒤로 그들과는 언제나 불협화음이지만, 지금은 그것마저도 이미 절망적이었다. '카타가 나타난 이후로…'.

그 마지막 생각을 그는 발설하지 않았다. 그러나 어떻게 해서 그 말이 입 밖으로 나왔다. 왜냐하면, 그 젊은 여인이 갑자기 말을 꺼냈다.

"모든 게 저 때문이라면…저는 떠날 수 있어요."

그러자 베르나트는 그때 두 손으로 그녀의 두 팔을 세게 잡으면서 말했다.

"안돼요…! 아무 데도 가면 안 돼요."

이 움직임에는 잘 조제한 한 첩의 비상약과 같은 절망이 있었다. '그런 움직임은 그의 마음을 드러내고 있는가?' 그는 알 수 없었고, 그때는 몰랐다. 카타는 천천히 숄을 벗었고, 베르나트는 외투를 벗었다. 그는 혼돈에 휩싸여 카타가 그의 얼굴을 보지 않도록 고개를 숙였고, 자신의 슬리퍼를 찾는 시늉을 했다. 카타 얼굴에는 웃음이 지나갔고, 그녀는 주방으로 들어갔다. 그리고 베르나트는 몇 분 뒤 욕실에서 기분을 전환한 뒤 나와서는 출입문 틈새로 흔들리고 있는 불빛들을 보았다. 카타가 양초들을 켜서는, 뭔가를 집시의 말로 낮게 중얼거리면서 주변에 그 양초들을 가져 왔다. 베르나트가 문 앞에서 멈추어 서서 아무 말도 아직은 아무 말도 하지 않았다. 카타는 그가 와 있음을 보았지만, 집의 구석구석으로 다가갔다. 아마 그녀는 나쁜 환영이나 귀신을 내쫓는 것 같았다. 아니면 집시의 하느님이신 데블라(Devla)[4]에게 이 집에 축복을 빌었거나…. 그리곤 그녀는 자신의 몸을 돌렸다. 그 엷은 웃음은 아름다웠고, 얼굴도 아름다웠다. 그리고 카타는 베르나트에게 진심으로 말했다.

"베르나트 선생님, 즐거운 크리스마스가 되세요."

---

4) *역주: 'Devla' 또는 'Del'은 집시들이 사용하는 언어나 문화(Romani)로 하나님을 직접 부르거나 기도할 때 사용되는 단어. Devla는 기본적으로 신을 의미한다.

15. 꽃, 새, 바람과 불꽃

영혼 밑바닥에는 그 두 사람은 물론 자기 자신에게 그 점을 말하지 않았다 하더라도, 두 사람이 무엇을 할 의도인지 오래 전부터 알고 있었다.

크리스마스와 새해는 즐거운 축제의 연속이고, 그 두 명절이 속해 있는 주간은 끝이 없을 것 같았다. 카타는 매일 아침 정원 마당에 나가 고양이와 개에게 먹이를 주고는 하늘을 한 번 쳐다보았다. 회색 구름은 눈을 불러와, 온종일 여러 차례 눈이 내렸다. 회색빛에 눈조차도 하얗게 보이지 않고, 그 눈을 어둡게 만들었다. 그러나 눈은 땅에 떨어져, 땅에 펼쳐지면, 마치 죽은 이의 얼굴 같은 풍경은 평온하다.

카타는 굽높은 신발을 자주 신고 울타리 근처로 다가가, 모든 소나무를 둘러 보았다. 개가 카타를 따라나서면, 카타는 기뻤다. 그 짐승은 눈이 쌓인 곳에선 어렵게 발을 내디뎠으나, 꼬리를 즐겁게 흔들었다.

베르나트는 그런 나날엔 음악을 듣는 것 같았다. 그는 두툼한 옷을 입고 정원에 나오기도 하고, '그 일행'을 뒤따르기도 했다. 간혹 간혹 그는 소나무 가지들을 덮고 있는 눈을 좀 치워주려고 빗자루나 삽을 들고 다니기도 했다. 어떤 가지들은 눈 무게에 눌려 땅에까지 닿아 있었다. 베르나트는 나뭇가지가 부러지는 걸 못 본체 가만 놔둘 수 없었다. 이곳의 모든 나무는 베르나트가 직접 심고, 물주고, 돌보았다. 베르나트는 당시 빌마에겐 아무 말을 하지 않았지만, 영혼의 저 아래에는 그 점을 잘 알고 있었다. '사람은 식물을 사랑해야 한다'고. 그 식물을 향해 말을 건네는 것, 가지들을 어루만져 주는 것, 아니면, 그 옆에 서 있기만 해도 기분이 썩 좋아진다. -왜냐하면 그 생각은 나무도 느끼고, 고마워한다. 아마 이 모든 것은 원시 미신이 될 수도 있었지만, 그게 의미가 있다고 그는 보았다.

이제 그는 그걸 비밀리에 할 필요가 없어졌다. 반대로…. 정말 카타 스스로도 그렇게 하고 있었다. 이전에 한 번도 나무를 심어 보거나, 식물을 직접 길러 본 적이 없는 카타에게도 무언의 명령을 하고 있었다.

'사랑이 커지면, 그 사랑은 삶에 건강과 희망도 준다.'

그래서 카타는 마치 기도하듯이 겨울에 겨울잠을 즐기는 나무들 옆에 섰다. 베르나트는 창문을 통해 그런 카타 모습을 여러 번 보고, 베르나트도 그 정원으로 나왔다. 두 사람은 그래서 나란히 서게 되고, 말을 건넬 필요는 없다. 카타 입술이 조금 움직였고, 베르나트가 이해하지 못하는 낱말들을 조용히 말했다. 카타는 저 먼 땅에서 이곳으로 이민 온 사람들의 말로 말하고 있었다.

나중에 그들은 계속 걸었다. 집 뒤에는 무릎 높이까지 자란 작은 삼나무들이 있다. 그 나무들은 더욱 높이 자랄 것이다. 이 나무들은 시간이 정말 남아 있구나 하고 베르나트는 낙관적으로 생각하였다가도, 나중엔 그 자신에게 의심과 두려움이 찾아왔다.

'삼나무들은 시간이 남아 있는데… 그 자신은 시간이 남아 있는가?' 그는 아직 늙은 편이 아니었지만… 아침에 일어날 땐 아픔을 느끼는 경우가 이미 몇 번 있었다. 손과 발이, 때로는 가슴조차 벌써 아프다. 지금까지 베르나트는 언제나 의사를 멀리해 왔고, 병원의 하얀 벽만 보기만 해도 생각하기 싫었다. 큰 건물, 하얀 벽. 하얀 가운을 입은 사람들과 번쩍이는 의료기구들. 그런 것은 베르나트의 세계가 아니다. 가장 맨 나중에, 아마도. 지금은 아직 야외 공기가 맛있다. 이렇게 여기 내 집이 있다. 집이 가장 훌륭한 의사이다.

그런 몇 분간의 그의 시선 속에서도 언제나 카타를 찾고 있었다. 카타는 개와 함께 달리면서 웃었고, 처음엔 개가 달리면서 짖었다…. 베르나트는 그들 모습을 보다가 처음엔 웃기만 하였지만 나중엔 그도 달리기에 끼어들어, 그들을 쫓아갔고, 이젠 이웃 사람들에 대해서 생각하지 않았다. 이웃 사람들 의견은 그에겐 별 관심이 없다. 그는 아무도 그들을 보지 않는다고 믿고 있고, 그렇게 희망했다.

그다음 들를 "역"은 새를 위한 둥지다. 베르나트는 며칠 전 직접 둥지 3개를 만들었다. 하나는 주방 창문 가까운 곳에, 다른 2개는 정원에서 좀 먼 곳에 마련했다. 언제나 오전에 그들은 새 모이를 갖다 두었다. 박새들은 즐겁게 배회하고는 놓아둔 잘게 자른 돼지고기 조각들을 날쌔게 채갔다. 눈 위에는 해바라기 씨껍질들이 보였다. 카타의 두 눈엔 행복이 넘쳤다. 박새들은 모이를 기다리며, 사람들이 좀 더 멀리 갈 때까지 계속 기다리고 또 기다린다. 그 박새들은 둥지로 날아들고, 그 쫑알대는 소리가 마치 하늘 위로 올라가는 것 같았다.

베르나트는 카타 얼굴을 한 번 보았다. 카타 입에선 하얀 입김이 나왔고, 지쳤음에도 불구하고 카타 모습은 더욱 달리고 싶은 망아지 같구나 하는 생각이 들었다. 카타는 여전히 개와 달리기에 열중하고 있었다.

“카타는 아직 아이 같구나….”

카타는 한 번도 장갑을 끼지 않았다. 장갑을 끼는 것은 여인들의 바보 같은 짓으로 여기고 있다. 카타의 갈색 머리카락은 때로는 이마 위로 내려왔고, 오른쪽 눈 위쪽에 머리핀이 여전히 달려 있었다. 그러한 겨울 아침나절, 베르나트는 몇 번 그 머리핀을 빼어 보려고 손을 뻗었다. 그때 카타는 그 손이 닿자, 자신의 두 눈을 감았다가 떴다. 카타의 까만 눈동자에는 햇살 같은 웃음이 있었다. 베르나트는 그런 행동을 더 자주 하고, 카타는 그런 행동에 전혀 개의치 않았다.

나중에 두 사람은 다시 집 안으로 들어와, 하루 일을 시작했다. 두 사람 모두 각자 자기 할 일이 있었지만, 동시에 두 사람은 상대방이 더 가까워졌음을 느꼈고, 그 때문에 두 사람은 행복감을 느꼈다. 점심때가 되었다. 카타는 라디오에서 들은 몇 가지 일에 대해 이번에 물어보았다. 지난가을 베르나트는 그녀에게 라디오를 1대 사주었고, 아침나절 그녀는 주방에서 식사 준비하면서 그 라디오를 틀어 놓고 있었다. 그런데 몇 번 베르나트는 카타의 질문에 당황했다.

라디오가 어떻게 말을 하는지, 어디서 인간 목소리나 음악이 라디오 안에 들어오는지? 그 라디오의 작은 건전지의 감춰진 힘이 어떤 모습인지도? 가톨릭과 루터교의 차이점은 무엇인지? 나비는 어째서 색깔을 띠는지, 녹음테이프에는 어떻게 소리가 기억되는지도?

그는 그런 질문에 일일이 대답해 주진 못했지만, 카타의 관심은 외부로 향해 있었고, 벌써 카타 자신의 삶만 그녀 자신에게 흥미로운 것이 아니라는 사실에 베르나트는 즐거웠다.

물론 카타 개인의 삶은 중요했다. 그런 날들 동안 카타는 모든 것을 새롭게 느꼈다. 그녀 마음속으로 단아한 느낌이 모여, 그녀 손은 짐승만 어루만지는 것이 아니라, 이 집의 가구에도 손길이 갔다.

가구에 손길이 한 번 지나가면 카타는 그 가구 표면과 굽이와 매끈함을 자신의 뇌리에 느낄 수 있다. 카타는 이제 이 집을 사랑하게 되었다.

베르나트는 줄곧 카타와 더욱 가까이 있고, 카타는 전혀 반대하지 않았다. 그 남자는 자신이 어떻게 해서 벌써 가깝게 느껴지는지조차 모르는 것 같았다. 이제 매일 저녁 그 여인은 벽 옆의 긴의자 한 모퉁이에 앉아, 텔레비전 화면과 그 남자를 바라보고 있었다. 그러나 베르나트는 그녀가 그를 유심히 보고 있다고 느끼는 경우는 많지 않았다. 그녀의 두뇌 파장이 그의 두뇌로 다가서는 경우가 항상 있는 것은 아니었다. 그리곤 카타는 자리에서 일어나, 말린 자두를 먹고 난 씨가 담긴 작은 접시를 들고는 그 자리에서 물러났고, 주방에서 이런저런 일을 여전히 마무리하고, 그 사이 베르나트는 자신의 방으로 갔다. 몇 분 뒤 그녀는 베르나트가 슬리퍼를 신고 아래로 내려오는 걸 보았다. 잠시 현관에선 푸르고 하얀 잠옷이 보였고, 욕실 출입문이 닫혔다. 카타는 집안의 전등들을 차례로 끄고는, 눈이 덮인 정원과 거리의 가로등 불빛을 쳐다보면서, 저 가로등들은 정원의 하얀 풀밭엔 어떻게 반짝이는가도 보고 있었다. 베르나트가 욕실을 나간 뒤, 카타가 그 욕실을 사용하게 된다. 거의 매일 카타는 목욕하면서 온몸에 뜨거움을 즐겼다.

비누 거품의 물이 그녀를 안아 주었지만, 그것은 '그런' 포옹과는 달랐다. 그런 그리움으로 카타는 마음이 아팠다.

그 뒤 카타는 자신의 방으로 갔다. 사진첩들을 보거나, 아니면 어둠에 곧장 익숙해 갔다. 카타는 작은 방 안에 두 눈을 감은 채 누워 있지만, 그녀 생각은 이미 두 손을 뻗어 벽을 만지고 있다. 그녀는 상상 속에서 그 벽을 만지다가, 그 벽을 부수었다.

그 순간 갑자기 여름이 다가왔다. 그 사진집에서 본 빛나는 여름이었다. 오색찬란하고 무더운… 카타는 바람에 흔들리는 종려나무들과 믿기지 않을 정도로 검푸르고, 구름 한 점 없는 하늘을 보았다. 그리고 바다도. 그것은 카타에게 가장 큰 기적 중의 하나였다. 정말 바다는 어떤 모습일까?

그 사이 카타는 베르나트가 아직도 아래로 내려오고 있는 걸 들을 수 있었다. '그분은 뭔가 빠뜨린 게 있는구나.' 그런 생각을 하면서 잠시라도 주변이 조용하면, 카타는 그에게 무슨 나쁜 일이 있지는 않은지 걱정도 하였다… 만약 베르나트가 마치 아픈 사람처럼 힘들게 발걸음을 옮긴다면, 그녀는 벌써 그를 도우러 달려간다. 그녀가 도울 수 있는 일이라면.

시원한 물 한 컵을 주는 것, 그의 목 주변을 마사지해 주는 것… 카타는 자신이 청소원으로 일할 때의 어느 사무실에서 들은 어떤 여자 동료의 말을 아직도 기억하고 있다. '그러나 그 정도 하는 것으로 충분한가?'

몇 분 뒤, 카타는 베르나트가 다시 위로 올라가는 걸 들었다. '아마 그이가 약을 한 알 먹었거나, 아니면 물을 마셨을까?' 카타는 숨을 죽인 채 기다렸다. '만약 그이 발걸음이 그녀 방문 앞에서 멈춘다면'. 그리고 몇 번 그 발걸음이 그곳에서 늦춰졌다. '만약 그이가 들어선다면… 아무 것도 묻지 않은 채… 정말 그 두 사람은 서로 무슨 말을 할 수 있는가… 나중엔 벌써… 어둠 속에서… 어둠 속에서 찾고 있는 두 손은 목표를…' 그녀는 몸을 흔들었다.

베르나트는 그런 저녁의 산책이 자신의 마음을 폭로하고 있음을 아마 모르는 것 같았다. 그 산책은 그의 마음을 드러내놓고 있었다. 그는 그녀 앞에서 벌거숭이가 되었다. 정말 그녀가 그의 천천히 움직이는 발걸음을 듣고 있었다. 그리고 그런 주저함이 뭘 의미하는지 알았다. 그녀는 밤에도 낮에도, 만약 그 두 사람이 그 점에 대해 말하지 않더라도 알고 있었다. 카타는 웃음을 지었다.

웃음은 동시에 가장 원시적이자 가장 현대적이다. 여성으로서의.

한편 베르나트의 걱정은 맹렬했다.

"이 증인에게 다른 질문이 있습니까? " 판사는 변호사에게 물었다.

변호사는 내키지 않는 몸짓으로 넥타이를 고쳐 맸다. 그는 그 젊은 아가씨에게 시선을 던졌다. 소피아는 그런 걸 보지 못했고, 판사가 주시하는 쪽으로 투항하듯이 몸을 돌렸다. 소피아는 다음에 있을 때림을 기다리고 있었다. 소피아는 —그녀는 그렇게 느꼈다. 살아오면서 지금까지 큰 때림만 맛보았다. 지금 소피아는 변호사가 그녀 얼굴을 일초 동안 관찰한 뒤 포기하듯 손을 내젓자 깜짝 놀랐다.

"질문하지 않겠습니다."

빌마는 만족한 듯 자신을 똑바로 세웠다. 빌마는 평소 딸의 태도에서 확신을 얻을 수 없었고, 그 딸은 정말 자주 어리석게 행동했다…. 만약 사람들이 오랫동안 물고 늘어지지만 않는다면 다행이다. 그랬다면 무슨 바보 같은 일도 발설했을 것이다. 한편 그 여인은 여전히 불쾌한 느낌이 있다. 불편한 심기는 그 여인이 이 법정에 들어설 때부터 온종일 그녀 영혼 속에 꽉 차 있다. 누군가가 그녀를 유심히 보고 있다. 그 점을 그녀는 자신의 피부에서도 머리에서도 어깨에서도 느낄 수 있고, 그 남자가 누군지도 잘 알고 있다. 그러자 빌마는 입을 꽉 다물고, 이가 부딪히는 소리가 날 지경에 이르렀다. 빌마는… 허락하지 않을 것이다. 빌마는 아무것도 허락하지 않을 것이다. 지금까지와 마찬가지로 앞으로도 그녀는 자신이 알고 있는 걸 모두 말할 것이고, 그녀는 무슨 일이 있었는지를 법정에서 모두 말할 태세다. 이 도시 시민들이 그걸 듣는다면 더욱 좋다. 적어도 헝가리 사람들이라도. 집시들은 이곳에 다른 이유로 와 있다.

"증인 사롤타 파즈토르 씨를 불러 주시오." 판사는 큰 소리로 말했다.

빌마는 깜짝 놀라 움직였다. '사롤타… 그녀가 어떻게? 그녀는 누구인가?' 그녀는 까닭 모를 위험에 대해 두려워 마음이 불안해하자, 곧 등 뒤의 시선은 곧 잊어버렸다. 이 모든 것은 지금 어딘가 지평선 너머로 사라졌고, 그 여인은 긴장하여 출입문을 쳐다보았다. '사롤타 파즈토르라는 여인은 누구인가?'

사롤타 파즈토르는 35~40세쯤 되어 보이는 여성으로 활기 넘치는 움직임과 몸매가 잘 생긴 여자였다. 그리 큰 키는 아니지만, 언제 어디서나 특히 남자 시선을 한 몸에 받는 그런 부류의 여성이다. “이 여성은 필요한 건 모두 다 갖추었군.” 빌마는 자기 내부의 부러움에 찬 시선으로 중얼거렸다. 더구나 그 낯선 여자는 옷차림도 좋은 취향을 가지고 있다. 지금은 그렇게 눈에 띄는 복장은 아니었지만, 자신의 성공에 대해 확신을 가진 것처럼 보였다. 남자들 세계에서의 성공.

판사도 물론 제비꽃 색상의 블라우스와, 하얀 바지를 입은 암갈색의 머리의 그 여자를 보았다. 용기 있는 눈매, 섬세하게 화장한 입술과 입술 색과 같은 색깔의 손톱. 그리곤 그 판사는 그 증인의 아름다움에 대해서는 무감각했다. 판사는 언제나 자신의 아름다움에 대해 너무 자신만만한 여자들이 싫다. 그래, 바로 그녀가 그런 여자였다. 그러나 판사는 지금은 남자가 아니다.

“베르나트 사로시 씨의 집을 언제 방문했는지, 또 무슨 일이 있었는지 말씀해 주세요.”

“지난해 연말, 크리마스와 새해 그 중간이었습니다.” 그녀의 목소리는 상냥했다. 판사는 변호사가 자기 의자에서 편안하게 자리를 하고 있었지만, 정말 주의를 해서 때로는 한 손으로 뭔가를 몰래 기록하는 걸 보았다. 판사는 옆을 보았다. 검사는 피고 측의 여자 증인이 얼마나 관심이 가는지를 감추지 않았다. ‘그녀는 무슨 말을 할까, 그녀는 지금까지 사로시 씨와 라카토스 부인에 대해 그려진 그림에 어떤 변화를 줄 것인가?’

“저는 발라톤 호수 근처에 건축이 가능한 대지를 유산으로 상속받아, 그곳에 작은 빌라를 한 채 짓고 싶었어요.” 그 낯선 여자가 말했다. ‘언제나 뭔가 있는 사람이 유산을 받는군.’ 빌마는 어디선가 그런 문장을 본 기억이 났다. 그녀는 입술을 살짝 깨물었다. '저 여자는 누군가? 베르나트의 한때 애인인가?'

"그래서 저는 우리 지역에, 훌륭한 건축가가 계시는지 찾아보게 되었어요." 그 여인은 계속 말을 이어 갔다. "누군가 사로시 씨를 소개해주더군요. 누군가 그분 주소를 주었지만… 저는 곧 내게 그 정보를 알려준 사람이 비웃는 걸 알 수 있었어요. 그 여인을, 소위 말해, 어느 건축가와 함께 사는 집시 여인을 말하더군요."

변호사는 여증인에 시선을 고정한 채, 1초도 다른 곳으로 옮기지 않고 있었다. 여증인은 방청석은 보지 않고, 피고인석도 보지 않고, 맨 앞줄에 앉아 있는, 지금까지의 증인들도 관심이 없었다. '저 증인은 지금 재대로 증인석에 있는 것을 즐기는가, 아니면 정말 저 증인이 그런 사람인가?' 그 여성은 아주 자신에 차 있었다. 변호사는 그 증인을 얼마 전에 알게 되었다. 그녀, 사롤타 파즈도르가 스스로 이 사건의 증인이 되겠다고 증인 신청을 해왔다. '그녀는 대중 앞에서 무슨 역할을 하기를 좋아하는구나.' 그 변호사는 곧 그렇게 생각했고, 지금 그의 확신은 더욱 확고해졌다. '그녀가 여배우가 되고 싶은 걸 알았다 하더라도 난 놀라지 않았겠는걸.'

"…내가 그 댁 대문 초인종을 눌렀어요. 그러자 곧장 그 여성이 대문을 열어 주었어요. 젊고 매력적인 여성이었어요." 그런 표현이 그 증인 입에서 이상하게도 나왔지만, 바로 그렇게 언급하므로 모두가 그렇게 믿게 되었다. '라카토스 부인, 즉 "카타"가 그 일행을 응접했고, 그 일행이 그녀를 매력적인 여자로 보았던가?' 판사는 그 여자 증인을 보면서 자기 아내 생각이 났다. 최근 그 판사 부인은 자신에 대해 그리 썩 관심을 두고 있지 않았지만, 오래지 않아 50의 나이에 들어서게 될 터이지만, 늙은 여자로 보였다. 판사는 아침에 일어나자마자, 곧 코로 자신의 침실 향기를 맡았다. 그런 생각이 들 때, 그 증인은 말을 계속해 갔다. "…그 여성은 나를 사로시 씨에게로 안내해 주었고, 나는 그분과 모든 걸 서둘러 의논했어요. 한편 카타는… 용서하십시오. 라카토스 부인은 차를 끓였어요. 사로시 씨의 요청으로요."

"증인의 경험에 비추어 그때 그 집안의 분위기는 어떻던가요?" 판사가 묻자, 변호사 얼굴엔 고마움을 표시함을 알 수 있다. 그래, 정말 변호사도 그걸 묻고 싶었는데, 지금 중립적인 판사의 입을 통해 그 질문을 듣게 되었다. "저어…" 사롤타 파스토르는 잠시, 그것도 1초간만 머뭇거리다가 얼굴에 선의의 웃음을 띠며 말했다.

"그 두 사람은 서로 사랑하고 있었어요. 그건 누구나 알아차릴 수 있었어요."

"알아차린다고요?" 판사는 이해하지 못했거나 아니면 이해하지 못한 체하는 것 같았다. 그것은 그의 능숙한 방식으로 증인들만이 그 점을 모르고 있엇다. 그 여성은 황급히 손을 들었다.

"판사님, 조그만 경험만 있으면, 누구나 느낄 수도 볼 수도 있어요. 그 두 사람이 지금까지 서로 사랑한다고 말하지 않은 것까지도요."

변호사 두뇌는 최고 속도로 움직였다. '만약 그들이 사로시의 집에서 그때 완벽한 조화가 있었다는 점을 법정에 확신하도록 하는데 성공한다면, 아마 그들은 절반은 이미 승리했을 수도? 그것은 다음에 펼쳐질 사건을, 아니면 그 사건 때문에 그들 모두 지금 이 법정에 나온 바로 그 사건 자체를 설명해 줄지도 모른다. 그 증인은 가장 적절한 순간에 왔다. 아마도 이 여성은 지금까지 도달해 놓은 효과를 나쁘게 하지는 않을 것이다. 몇 가지 전혀 생각지 않은 말로 사람들은 사건을 망칠 수도 있다. 그래, 정말, 가장 중요한 사건들은 나중에 계속될 것이다. 중요한 건 살인이 있었고, 여기서 정말 살인 사건이 일어났다. 그러나, 그 집에서 맨 처음 사체를 발견한 증인이 여기 오기 전에 법원은 모든 걸 명쾌하게 보아야 한다. 바로 그 집에서.

저녁에 베르나트는 난로에 불을 피웠다. 그는 아직도 자신의 팔에서 상쾌하지만 동시에 피곤함도 느끼고 있었다. 오후에 그는 나무둥치를 톱질하여 잘랐고, 그 부드러운 톱밥이 하얀 눈 위에 쌓였다. 그리고 그는 도끼로 장작을 패자, 조각들이 여기저기에 날아 흩어지며 눈 속에 꽂혀 묻히기도 하자, 그 자리엔 은빛 구멍만 남았다. 그는 장작을 보며 말했다. “이리 와, 오늘 저녁 너는 불타, 우리를 따뜻하게 해 줘야지.” 그때 개는 가까이 오지 않고, 장작 패는 도끼질과 튀는 조각들로 신경이 예민해졌다. 그 개는 안전한 거리에서 주인을 관찰하고 있었다.

그리고 저녁이 되고, 그 장작들은 불태워졌다. 베르나트는 바지와 셔츠를 입은 채, 안락의자에 앉아, 카타가 가져올 포도주 반 잔을 기다리고 있다. 그 포도주를 난로 앞에서 그녀와 함께 격식을 갖춰 마시게 된다. 카타도 자신의 잔을 가지고 올 것이다. 그 남자는 불을 바라보며 생각에 잠겨 있다. 카타. 1분 뒤 그는 카타의 발걸음을 들을 것이다. 카타는 그를 위해 봉사하고, 그를 위해서만 존재한다. 그를 위해서만…? 그 여인은 이 집에 처음 왔을 때는 이 세상을 등진 것 같았고, 아마 그녀는 이곳에 계속 남을 것이다. 카타는 이 집을 꽉 차게 만들었다. 그는 카타가 없는 이 집을 전혀 알아볼 수도, 상상해 볼 수도 없었다. 그녀가 반년 밖에 이곳에서 생활하지 않았지만…

베르나트는 그녀가 다가오는 소리를 들을 수 있었다. 그의 코는 포도주 향기를 느낄 수 있다. 그는 두 눈을 감고 있다.

"고마워요. 카타. 모든 일에 고마워요."

침묵.

베르나트는 두 눈을 떴다.

카타가 그의 앞에 서 있고, 그녀의 두 눈은 그를 향해 웃고 있다. 그녀는 말을 하지 않았다. 불빛은 벽에 여러 개의 그림자를 만들며 뛰놀고 있다. 카타는 글라스 두 개를 받친 쟁반을 천천히 빼냈다. 그 글라스들 안에는 포도주가 보였다. ―그리고 불가로 가서, 난로 옆에 멈춰 서서, 그를, 오로지 그를 바라보았다.

어디선가 깊은 곳에서 누군가의 목소리가 들려 왔고, 그 목소리는 이젠 그녀 목소리가 아닌 것 같았다. 카타는 노래를 부르고 있었다.

> 아, 저 작은 새는
> 넓은 숲속에 숨을 수 있지만,

나, 이 어린 고아는

가련하게도 어디로 날아가리?

베르나트는 침을 삼켰다. '고아라고?'

방금 그는 카타가 자기 가정을 여기서 찾았다고 생각했었다. '그러나 이 집이 정말 그녀 가정인가?' 카타는 축제 때처럼 하얀 옷을 입었다. 생일날처럼… 그녀는 고개를 높이 들었지만, 시선은 그 남자를 향하고 있었다. 그녀 목소리는 높았다.

나는 작은 새, 너에게

오, 저 호수의 물은 못 마시라 했거늘

너는 이미 그 물을 마셨으니,

너는 친구를 잃었네…

베르나트는 두 눈에 눈물이 핑 돌았다. 카타와 불… 카타 스스로 불이다. 그 여인의 목소리는 마치 베르나트를 가는 비단 끈으로 묶는 듯이 껴안았다. 포옹은 달콤하게 누르고, 누르고 있었다.

하늘 아래 땅 위에

나 홀로 있음은 외로움이요,

나를 위해 울어주는 것은

숲과 다섯 색깔의 새, 너뿐이네.

카타는 지금 여느 때와 똑같았지만, 또한 전혀 달랐다. 그녀의 고운 목소리는 온 방을 휘감았고, 벽의 존재마저 없애버렸고, 눈을 녹게 했고, 따뜻한 바람을 불러 왔다. 베르나트는 그 바람이 그의 머리카락을 흩날리게 하는 느낌을 받았다. 그는 다른 아무것도 보지 않고, 다만 카타의 두 눈만 보았고, 그 목소리의 노예가 되었다.

방랑하는 내 마차의

바퀴 하나가 깨졌구나.

오, 아무도 고쳐주지 않네.

오, 아무도 내 마음 사랑하지 않네.

베르나트는 그때 일어섰다. 그는 카타에게 다가갔고, 그녀의 두 눈앞엔 그의 모습이 커 갔다. 이제 그는 더는 주저할 수 없다. 이제 더는…! 그것은 불필요한 고통일 것이다. 만약… 만약 언제나 더 앞으로 살더라도, 그가 그의 마음속에 모인 모든 것을 말하지 않는다면 마침내 그는 그 점을 말해야 하고, 그리곤 모든 것이 달라질 것이다. 카타, 카타,..

베르나트는 카타의 손을 만지기 전에 먼저 말을 했다.

"카타…"

카타는 이해했다. 그녀는 모든 걸 이해했고, 그보다 훨씬 일찍 이해하고 있었다. 카타는 살짝 웃었다. 웃음은 허락을 뜻했고, 유혹적이다. 카타 스스로가 웃음이었다. 숲에 일렁이는 바람이 산비탈에서 쉬어 가듯이. 호수들이 하늘을 담아내듯이. 새떼가 높이, 높이 날듯이. 갈대밭 위로 따뜻한 바람이 휘달렸다.

카타는 동시에 꽃이고, 동시에 새가 되고, 동시에 붉은 머리의 물까마귀였다. 그것은 하얀 거품 속으로 떨어졌고, 수많은 물방울로 둘러싸여 올라왔고, 다시 날아오르며, 무지개 속에서 다시 태어났다. 숲속의 시클라멘 꽃나무가, 소사나무 사이에 숨어지내다가 다른 관목들 사이에 자주 고개를 숙인 듯하다. 제비꽃에 벌이 날아든다. 그리고 동시에 카타는 작은 물고기가 되어, 등에는 무지개색을 띠고, 여기저기로 유유히 헤엄쳐 다니는 작은 생물이다. 그리고 영혼과 온몸, 생물, 동물과 사람, 돌과 물, 바람과 불.

바람… 불꽃이 카타의 두 눈에 이미 퍼져 있었지만, 여전히 카타는 기다리고 있었다. 카타는 자기 자신이 움직이지 않고 여전히 자리를 지키고 있다. 만약 베르나트가 가까이 다가오지 않는다면, 카타는 아무것도 하지 않을 것이다. 카타에겐 두려움과 망설임이 있다. 그럼 무엇이 있겠는가, 다른 무엇이 있을 수 있겠는가?

방에는 침묵이 얼음처럼 되어 버렸다. 불꽃만이 탁탁 소리를 낼 뿐. 베르나트는 자신의 발걸음을 들으면서 카타를 향해 더욱 가까이 갔다. 앞의 멜로디는 아직도 그의 안에서 살아 있었지만, 그는 이미 그걸 잊은 듯하였고, 그 효과만 느낄 뿐이었다. 그 효과는 그의 머릿속으로 침입해 들어갔다. 마치 가벼운 포도주처럼. 카타의 까만 두 눈은 더욱 밝아, 모든 것을 다 채워가고 있었다. 가득 참. 그리고 그물과 에덴. 그 두 가지가 하나라 하더라도 그 두 가지가 그를 유혹했다.

불꽃들은 나무 둥치를 둘러싸고는 나무껍질 위로 달리면서 그 안을 깨물기 시작했다. 발그레함이 방을 뜨겁게 진동시켰다.

베르나트는 이제 하얀 옷을 입은 여인 옆에 섰고, 더욱 다가섰다. 그의 한 손은 처음에는 망설이면서 앞으로 내밀었고, 손가락들이 카타 몸을 건드렸다. 팔과 어깨를. 나중엔 베르나트가 손을 들어, 카타 얼굴을 어루만졌다. 카타 살결은 그녀가 불에 가까이 서 있는 것처럼 따뜻했다. 그러나 정말 카타 스스로가 불이었다.

우리가 귀신의 손안에 있다는 말을 카타는 오래전에 들은 적 있다. 카타의 할머니는 카타와 함께 강가에 서 있을 때 자주 그런 말을 해 주었다. 아래쪽에는 봄의 파란 강물이 휘돌아 가고, 좀 차가운 바람이 불어 왔다. 해는 힘을 잃은 채 창백했고 땅에는 비 온 뒤의 향기를 느낄 수 있었다. 아주 갈색의 할머니 얼굴에는 즐거움이란 없었다. 그리고 카타는 -아직 소녀라- 할머니 치맛자락을 붙들고 있었다. 할머니는 강을 쳐다보며 있고, 그 강은 나무 둥치들과 쓰레기를 하류로 내려보내며 세차게 달리고 있었다. 때때로 강물에 떠내려가는 널빤지 위에 앉은 새들은 그들 두 눈앞으로 펼쳐지는 여행을 즐기고 있었다. 귀신들이라… 모든 사물엔 자기 영혼의 존재가 있다. 정말 모든 것은 살아 있다. 물도. 땅도. 하늘도. 산도. 집도. 인간도.

카타의 두 눈은 휘둥그레졌다. 베르나트가 다가왔고, 카타는 마찬가지로 그걸 기다리고 있다. 카타의 온몸은 기다림으로 떨고 있다.

두 사람은 말이 없다.

그 뒤 한 시간 동안 그 방에서는 한 마디도 들리지 않았다. 베르나트는 점점 즐거웠다. '난 남자야. 나는 남자라구. 그리고 이젠 카타는 내 여자야!' 그의 손은 카타의 따뜻한 몸을 눌렀다. 불의 탁탁거리는 리듬도 베르나트를 돕고 있다. 카타는 그를 향해 몸을 돌렸고, 카타는 베르나트의 가슴에 숨으려는 듯이 그렇게 움직였다. 그리고 그 남자는 그 여자를 포옹했다. 한때 먼 옛날의 동굴 앞에서 서로 이제 헤어져야 할 때처럼. 그때 남자들은 자기 여자들을 보호해주었다. 그리고 그도 그렇게 했다. 두 팔은 카타의 하얀 옷의, 가냘픈 몸을 껴안았다. 두 사람은 가까이서 서로의 숨막히는 숨결을 들었다. 아니, 지금 두 사람은 말이 전혀 필요 없음을 알고 있었다.

베르나트는 그녀 목에 먼저 입을 맞추었고, 나중에 고개를 들었다. 그는 카타의 둥근 입술을 바로 앞에서 볼 수 있다. 천천히. 거의 카타의 두 입술이 분리되는 것 같았다. 카타는 웃고 있다. 그리고 베르나트가 그렇게 아주 가까이 있을 때, 그 작은 웃음은 사라졌고, 불빛에 비친 하얀 치열이 보였다.

카타가 먼저 베르나트의 입술을 건드리자, 베르나트는 떨었다. 베르나트는 진실된 입맞춤이란 어떤 것인지 벌써 잊고 있는 것 같았다. 그는 지금 다시 맛보고 있다. 그리고 그것은 지금까지 그의 영혼 속에 잠자던 선의를 자유롭게 해 주었다.

지금까지 다른 사람을 위해 단순한, 형식상의 악의를 싫어하던 것이 지금은 그리움의, 영원한 선의가 되고, 그는 자신을 당겨, 카타에게 아주 아주 많은 선물을 주고 싶었으리라. 그리고 그는 자신이 지금까지 추측해 온 것 때문만이 아니라, 그 자신을 카타가 그리워하고 있었음을 확인하자 그는 더욱 기뻤다.

그 남자는 지금 자신의 나이에 대해 생각하지 않았고, 그런 것이 원인이 될 수 없었다. 그의 두 손은 이미 알려진 길을 찾았다. 언제부터라고? 30년 전에 아니면 더 일찍, 맨 처음은?

작은 산의 숲속에서 마을 아가씨와의 처음.

그의 왼손은 그곳에서 그때 처음으로 옷을 풀어헤친 여자의 젖가슴을 향해 미끄러져 가고, 그는 그녀 살갗이 따뜻함을 느꼈다. 똑같이 그때 그는 자신의 몸이 다리부터 목까지 달콤한 떨림을 느꼈고, 그 신경 쓰이는 기다림을, 거의 확실할 것 같은 의식 속에 섞여 있는 똑같은 불확실성을…

그의 온몸으로 함께 키스하는 두 입술은 언제나 더욱 가까이 가 있었다. 그 두 사람은 벌써 카펫 위에 앉아, 벽난로 불에 빛을 의지하고 있었다. "영화에서 하듯이," 그는 아직도 생각하고 있었고, 그것은 정말 그의 마지막 의미심장한 생각이었고, 오랜 시간 만의 마지막 생각이었다.

카타는 몸을 몇 번 움직여 자신의 하얀 옷을 벗었다. 카타는 부끄러워하지 않았다. 그 여인은 바로 그 지지자에게 모든 비밀을 알려 주고 싶어 하는 큰 비밀들을 가진 여사제같이 움직였다. 베르나트가 지금 그녀의 모든 것이 되었고, 남자이자 주인이고, 모든 것은 그를 위해서만 있었다. 과거는 사라졌다.

베르나트로서는 반쯤 어둠이 사그라지는 듯했지만, 더욱 어두워지는 것 같았다. 그는 카타 몸을, 그녀 옷의 감옥 속에서 드러나는 젖가슴을 보았다. 그는 그녀의 하얀 둔부와 허벅지도 보았다. 그러나 가까이 온 행복은 그의 두 눈을 어둡게 했다. 그를 지배하는 것은 동시에 밝음과 어둠이었다.

카타는 카펫 위로 누웠다. 베르나트는 그녀 위로 몸을 숙였다.

…말이 필요 없는 사랑. 두 손은 자신의 길을 찾아간다. 일만 년 전부터 그 손들이 알고 있는 그 길을 따라. 온몸은 그들이 언제나 느껴온 것을 느꼈고, 그래도 모든 것은 단 한 번에 일어난 것처럼 있다. 난로에는 불이 타오르고, 그 불은 오래 탈 것이다. 아직도 그 난로는 오랫동안 따뜻함을 가져다줄 것이다

…카타는 알고 있다. 카타는 그에게 즐거움을 주어야 함을, 바로 카타도 그걸 원하고 있다. 카타의 감정은 원초적이고, 머나먼 옛날에도 있었던 그런 원함이 카타의 뇌리에 지금 있다. 카타는 태어나 처음으로 '그것을' 원했고, 정말 원했다. 지금

카타는 또 다른 남자에 대해 생각했고, 그와는 한 번도 좋았던 경우가 없었다. 그는 카타를 동물처럼 그의 아래로 눕혔다. 그러나 베르나트는 손을 내밀기만 했을 뿐이다. 요청하고, 스스로 제안하는 손길?

…침묵의 사랑. 베르나트는 더 이른 자신의 기억을 되새겨보았고, 그런 경험들조차 빠르진 않았고, 오랫동안 즐거움을 가져다주지 못했고, 마찬가지로 그런 즐거움을 오랫동안 받지 않았음을 느낄 수 있다. 서두름은 바람직한 일은 아니고, 그럴 필요도 없다…

아직도 그는 온몸으로 그녀에게 키스하고 있고 마침내 느꼈다. 이제 모든 것은 그의 것이 될 수 있을 것이고, 정말 그의 것이 될 것이다.

그들은 한 해의 마지막 날을 카펫 위에서, 그 위에서 깨어났다. 몸의 관절은 조금 뻐근하였으나 기분은 좋아, 그 두 사람은 서로 바라보았다. 베르나트는 가까이서 카타의 튀어나온 얼굴 윤곽을, 갈색 살갗을 보았다. 잘 정렬된 두 눈과 코를. 그가 어제 처음으로 입을 맞춘 입술을. 어제였다. 그것은. <적어도 백 년보다 더 일찍.> 지금 베르나트는 다시 그걸 하고 싶었다…

밖은 거의 새벽이었다. 난로는 아직 뜨거움만 있고, 재색의 베일처럼 층을 이룬 아래엔 몇 개의 형태를 알아볼 정도로 타고 있는 장작이 있고, 다른 모든 것은 숯처럼 검고도 검었다. 그리고 침묵… 이제 새들도 잠을 자고 있고, 정말의 새 아침은 아직도 오지 않았다. 겨울의 아침은 차갑다. 그리고 그렇게 어렵게 오전이 다가왔다. 햇볕이 많아지고, 그러더니 어느새 하늘은 회색 베일이 나타났다.

베르나트는 카타를 바라보며 즐거웠다. 그리고 아무것도 물어볼 필요가 없었다. 그녀 얼굴이 모든 걸 말해 주고 있었다. 반쯤 밝음 속에서 베르나트는 카타의 펴지는 웃음을 보았다. 카타는 행복해 있었다.

…그렇게 그날은 시작되었다. 12월 31일. 도시는 즐거움으로 충만해, 사람들은 벌써 오후부터 종이 트럼펫들의 외침을 들을 수 있고, 거리는 샴페인 병을 들고 오가는 남자들이 많아졌다. 날씨는 그런 축제에 참여해 보고 싶지 않은지 온종일 흐린 채 있고, 벌써 몇 주 이전부터 그러했다. 12월의 눈은 사람들이 낮은 산의 군데군데 던져 놓았지만, 도로를 여전히 덮고는, 도로에서 자동차 바퀴가 지나간 자리엔 눈이 까맣게 변해 있었다. 여러 정원 위엔 새들이 추위에 떨면서도 요란스럽다.

두 사람은 밤에 일어났던 일에 대해 말을 하지 않았다. 마치 그 일이 비밀인양, 그들 자신에게조차도 비밀인양. 그래서 그들은 서로 말로 표현하지는 않았다. 그들은 서로 지나다니면서도 어깨를 건드리거나, 상대방의 손을 건드리기도 하였고, 웃음 띤 얼굴이 곧장 어둠을 갈라놓았다. 그 밖에 모든 것은 더 일찍 일어났다. 카타는 아침 식사를 준비하여 베르나트를 오게 했다. 이젠 더는 "베르나트 선생님"이라고 말하지 않았다. 그의 이름만 부르는 것으로도 벌써 충분했다. 카타는 벌써 그를 "당신"이라고 불러야 했지만, 아직은 그렇게 할 수 없었고, 그녀로서는 좀 부끄러웠다. 그래서 만약 그녀가 그에게 당신이라는 말을 건네야 하게 되면, 그녀는 되도록 그 인칭대명사를 피해 말했다. 그 첫날에는. 나중에 어떻게 그것도 자연스럽게 되고, 카타는 그런 어투가 자신의 몸과 의식의 일부분으로 언제부터 그렇게 되었는지 알아차릴 수 없을 정도였다.

두 사람은 오전에는 옥외로 나와, 무릎까지 빠지는 눈으로 갔다. 발아래 겨울은 뽀-드-득-소리를 내고 있었다. 지붕 홈통 밑에 고드름이 매달려 있었다. 그 고드름에서 떨어진 물이 작은 얼음 강을 만들어 놓고 있었다.

박새 떼가 두 사람이 갖다 준 먹이를 보자, 곧장 날아들었다. 주변은 연푸른 눈부심으로 가득 차 있고, 백 개의 새 날개가 퍼드덕거리며 소리를 냈다. 고양이는 주방 창문에서 바깥으로 튀어나온 처마 복공에 앉아 그 새들을 바라보며, 고양이는 자신의 털은 벌린 채, 헐떡거리면서도 떨고 있고, 사냥 본능이 그 고양이를 사로잡고 있었다. 그러나 사실은 그렇지도 않다. 고양이는 생각하고 있었다. 고양이는 눈 위로 온몸을 몰래 다가가야 하고, 그 사냥 결과가 아무래도 아주 의심스러웠다. 그래서, 그 고양이는 곧장 자신의 떨기를 멈추고는 새들에게 관심을 돌렸다.

그러나 개는 그 새들을 끊임없이 따라 다녔다. 카타는 불을 지피는 보일러가 설치된 곳의 출입문까지 나 있는 작은 길을 빗자루로 청소하고 있는 베르나트를 도와주려고 했다. 개도 그곳에 가 있고, 몇 번 그 남자에게 뛰어들기도 하였다. 그리곤 카타가 시내로 시장보러 가자, 베르나트는 신선한 바깥공기를 느끼고는 아주 상쾌했다. 그래서 그는 둘째 정원에서 다른 길도 청소하고, 좀 더 키 큰 소나무들로 제각기 나 있는 작은 길을 터고 그 나뭇가지들에 덮인 눈을 쓸어내렸다.

그날 -그들이 어떻게든 모든 일을 해내려고 애쓴 때에, 아무 일도 일어나지 않은 것 같지만, 모든 것은 전과 전혀 달랐다. 시간의 색채조차도 달랐다. 오전은 눈이 내려 회색이고, 12시부터 오후 2시까지는 날씨가 맑고, 나중엔 그 풍경이 조금씩 갈색으로 변해, 집안에서조차 공기가 지금은 그제나 어제보다는 점차 더 밝아져 있고, 빛은 그 두 사람 속에 살아 있다.

두 사람은 오후에도 여러 번 키스하였지만, 그들은 곧장 찾아드는 그리움을 참아냈다. 두 사람이 그 점을 말하지 않고 있지만, 저녁까지 참을 수 있으면 더 좋았다. 베르나트는 이전에 그렇게 즐거운 적이 없었다.

저녁에 그들은 텔레비전을 같이 시청했고, 샴페인을 조금 마신 뒤, 갑자기 이젠 더 참을 수 없는 순간이 왔다. 그 두 사람은 서로를 향해 마주 보고, 서로의 시선엔 똑같은 감정이 흐르고 있었다.

"베르나트…"

"카타…"

그리고 더는 말이 필요 없었고, 그들은 위층의 다락방으로 올라갔다. 카타는 자신의 출입문 앞에서 놀리듯이 발걸음을 천천히 옮겼고, 마치 그녀 자리가 그곳임을 나타내려고 했다. 그러나 베르나트는 그녀 허리를 잡고서, 그 여인을 자신의 방으로 곧장 안고 갔다.

"나와 함께 가 봐요. 저곳이 당신 자리요."

베르나트가 자신의 방에서 카타를 보는 것은 이상했다. 지금까지는 카타는 이 방을 청소할 때, 그때만 간혹 모습을 보였다. 그녀가 이 방을 청소하던 순간에, 베르나트가 뭔가 잊은 걸 찾느라고 들어 온 적은 이전에도 몇 번 있었다.

두 사람은 도시에서 내는 이미 작은 불꽃놀이의 천둥소리를 들으며, 끊임없이 들려 오는 트럼펫 소리를 들었다. 이 모든 것은 새해가 다가왔음을 알리고 있고, 그건 두 사람에겐 더 많은 의미를 가져다주었다. 그러나 그 외부의 소란스러움은 창문을 통해서만 들려 왔기에, 그것은 곧 그리 중요하지 않았다. 이 방 내부에 숨겨진 제국이, 두 사람에게만 속해 있는 숨겨진 제국이 있었다.

"이리 와요." 그 남자는 조용히 말했고, 사막 같은 목마름이 그의 목소리에 배여 있었다.

카타와 베르나트는 여러 날의 밤을 일일이 헤아려 보지 않았다. 낮도 마찬가지다. 그렇게 새해의 첫 주는 지나갔다. 동시에 꿈이고, 동시에 현실이었다. 두 사람은 모든 자세한 것을 기억했지만, 그 그림들은 그들 기억 속에 합쳐졌다… 카타는 그의 무릎에 앉아, 자신있게 머리를 들었다. 베르나트는 자신의 손바닥으로 카타 젖가슴을… 베르나트가 텐트처럼 그녀를 감싸자, 두 사람의 몸은 공동의 리듬으로 움직였다. 그녀 입술과 혀는 그 남자의 무릎을 떨게 하면서도 즐거이 건드렸다. 베르나트는 카타의 숨겨진 골짜기에 입을 맞추었다. 그 여인이 창가에 서서 밖을 내다본다. 그곳엔 벌써 눈 아래 잠겨 있는 풍경이 깨어나, 멀리 사슴 한 마리가 강에서 되돌아가려 하고 있다. 남자가 여인에게 다가와, 그 여인 뒤에 서면, 두 사람의 나신은 서로 건드리게 되고, 베르나트는 그녀 어깨에 고개를 숙인다. 그들은 땔감으로 따뜻해진 방에 둘러싸인 채 그렇게 오랫동안 서 있다. 카타는 어둠 속에 몰입하게 된다. 베르나트는 카타가 때로 연결되지 않은 집시들이 쓰는 문장을 몇 마디 들었고, 카타는 아마 '바레 데블라(bare Devla)'를 말했고, 나중에 그는 등 뒤로 카타 손길을 느낀다. <위대한 신이시여>! … 카타는 그를 위해 마사지하는 것 같지만, 그것은 마사지 이상의 것이다. 모든 손가락이 제각각 움직이고 노동하고, 동시에 그 손가락은 그의 몸을 공격하기도 하고, 동시에 아픔을 없애고, 믿기 어려운 기쁨을 가져다준다. 손가락이 스스로 근육에 작은 아픔을 주지만, 나중엔 그 아픔마저 사라진다. 먼저 베르나트가 그만큼만 느꼈지만, 나중엔 그는 열 손가락이 모두 제각각으로 움직이게 됨을 알게 되었다. 카타는 그에게 본능적 지식으로, 주고 싶은 마음으로, 애틋한 사랑으로 그의 몸을 치료해 준다. 그러자 그 남자에게 있어선 그것도 언제라도 행동할 준비가 되어 있는 그리움을 불러 왔고, 아주 즐겁게 지냈다. 카타의 손가락들은 이제 그의 등 뒤에 남아 있지 않지만, 그 손은 먼저 그의 허리를 마사지해 주고는 나중엔 그 손들이 더 아래 허벅지를 찾으면서 '길을 잘못 들었다'. 때로는 어느 손가락이 옆으로 미끄러지자, 그 남자에게서 뜨거운 육욕적 불꽃이 일었고, 그는 한숨조차 내쉬었다. 카타가 새처럼 웃을 때는 비둘기였고, 아마 이 모든 것은, 일어난 그 모든 것에 속했다. 베르나트는 그 동작에 매료되고, 두 눈을 감은 채 밀림의 숲을 보고, 그곳에서 앞으로 나아 갔지만, 나뭇잎들을 없애기도 했지만, 어느새 그의 앞에는 더 많은 나뭇잎이 나타났고, 밀림 끝은 보이지 않았다. 그녀의 두 손은 제각각 움직이고 있고, 그런 손가락 유희 도구는 움직이는 사람에게 속해 있지 않은 것 같았다. 밤은 마치 동굴에서처럼 새까맣고, 빛이라곤 아무 곳에도 없고, 저 멀리서만, "바레 데블라(bare Devla)……바레 데블라(bare Devla)…"만 웅웅거리며 들려 왔다. "바레데블라바레데블라바레데블라"…카타!

그는 이제 좀 쉬면서 얼마나 시간이 지났는지 몰랐고, 그녀 숨소리를 듣고 있었다. 베르나트는 자신의 두 눈을 뜨지 않은 채 카타를 향해 몸을 돌렸고, 멀리 활을 쏘기 이전의 활처럼 온몸의 강력함을 느꼈다…

"카타..!"

"저, 여기 있어요, 내 사랑."

그리고 두 사람에게 화산은 다시 폭발했다.

"증인은 뭘 보았습니까?" 판사는 물었다.

그 여인은 얼굴과 몸이 같은 모습으로, 몸집이 뚱뚱하여 마치 거대한 비곗덩어리 같이 보였다. 그녀는 이런 "행사"에 어울리겠다 싶은 옷을 입고 나왔다. 그녀는 눈에 띄는 붉은 색 블라우스와, 작은 조끼를 걸친 채 회색 치마를 입고 있었다. 그녀로서는 몹시 덥게 보였지만, 그 점은 별로 중요하지 않고, 그녀는 오늘 자신의 옷차림새를 자랑하고 싶었다. 그녀 발도 팔과 마찬가지로 넓고 컸다. 손가락 3개 위에는 금반지들이 보였다. 판사는 자신이 이 증인에겐 무관심함을 억누를 수 없어, 비슷한 경우에 언제나 내색하지 않으려고 주의를 기울였다. 그러나 정말 어려운 것은 그것을 참는 일이었다. 그리고 그는. 이 <도시>에는 비슷한 부류의 여자들이 수없이 많음도 동시에 알고 있었다. 이 나라에도.

그 여자 증인은 주위를 둘러보면서 지금 자신이 중요 인사임을 알리고 싶었다. 그녀는 피고인석을 쳐다보지 않고, 방청석은 더 자주 쳐다보았지만, 작은 두 눈은 판사를 쳐다보며 말했다.

"나는 옆집에 살고 있어요. 세 번째 집이라 볼 수 있겠지요. 나는 자주 사로시 씨의 집 앞을 지나가게 되어요. 언제나 그 사람들이 사는 집을 지나가게 됩니다. 그곳에만 아스팔트가 깔려 있어서요. 그래서 나는 그들 정원도 보게 됩니다. 물론."

"증인이 지금 말하고 있는 그때가 언제였어요?" 판사는 재빨리 물었다. 그 여자는 괴로워하며 화를 조금 냈다.

"아마 1월 중순일 겁니다. 그날 나는 땔감용 숯을 가지러 갔어요… 그날이 아마 1월 14일, 15일쯤일 겁니다."

"좋습니다. 계속해 주십시오. 부인은 뭘 보았어요?"

"사로시 씨와 그 사람요… 저어 그분이 어디서나 자기집 가정부라고 소개하는 그 여자를요… 그 두 사람은 서로를 붙잡으려고 쫓아다니고 있었어요."

"뭐라고요…?" 판사는 처음에 그가 무슨 말을 잘못 들었구나 하고 생각했다. 장미빛 블라우스를 탱탱하게 입은 큰 덩치의 여자는 떨고 있었지만, 웃음을 참고 있었다. 그 여증인은 자기 이야기의 일부가 법정의 웃음거리가 안되도록 진지하게 그 일을 대했다. 마침내 그 진지한 일이 언급되었다. <사람이 사람을 죽였다.>

"그래요, 판사님, 정말 그들은 아이들처럼 서로를 쫓아 다녔어요. 소나무 사이로, 그 정원에는 키 큰 소나무들도 자라고 있었어요. 나중에 사로시 씨가 그 여자를…그 여자를 뒤따라

가더니 그녀를 향해 몸을 던지더군요. 그들은 그렇게 했어요… 축구장의 선수들처럼요. 그는 호랑이같이 덤벼들더군요…”

변호사는 자신의 머리카락을 매만졌다. 판사는 그가 무슨 말을 하려는구나 하고 추측했다. ‘지금 난 그걸 허락하지 않겠어.’ 판사는 이미 그렇게 마음을 정했지만, 그때 검사도 –그렁대는 목소리로 말하려고 했다. 검사 얼굴은 불만스러웠다. ‘그는 이해를 못 했는가, 아니면 본능적으로 무슨 이야기인지 추측하는가?’ 지금 벌어지고 광경은 피고에게만 도움이 될 뿐, 검사에겐 아무 도움이 되지 않았다. 그래서 검사에겐 그 점이 마음에 들지 않음은 당연했다.

“…그들은 산토끼처럼 달렸고, 그렇게 눈이 많이 덮여있는데도요. 판사님. 그래서 난 그들이 실없는 사람들이구나 하고 생각했지만, 나중에 그들은 멈춰 서는 걸 보았어요. 사로시 씨가 그…여인에게 손을 내밀자, 그 여자는 그 손을 잡았고, 그녀가 멈추어 서자 그들은 서로 키스를 했어요. 그곳, 그 정원에서 말입니다. 상상해보세요, 여러분! 누구나 그 모습을 볼 수 있는 데서 말입니다!”

“하지만 증인만 그걸 본 거로군요.”

“그 시각엔 나만 지나갔으니까요.”

“그들은 오랫동안 키스를 했어요?” 그 남자가 재빨리 물었다. 그의 말이 빠르자, 그 증인도 똑같이 빨리 대답했다. 그녀에겐 벌써 과장하고 싶은 마음도 생겼다. 그리곤 그녀는 그리 오래 생각하지 않았다.

“적어도 5분간요, 판사님!”

“그리고 증인도 그렇게 오랫동안 그곳에 서서 그들을 지켜

보았어요?"

법정에서는 수많은 사람이 웃음을 터뜨렸다. 그 얼굴이 두꺼운 여자는 얼굴을 붉혔고, 양 입술은 화를 참느라고 깨물고 있으면서, 자기 손가락을 만졌다. 그녀는 어떻게 대답해야 할지 몰랐다.

판사도 화제를 바꾸어 말을 시작했다. 그때 마침내 검사가 손을 들어 말했다. "나는 그 일이 살인 사건과 무슨 관련이 있는지 이해가 되지 않습니다."

판사는 자신의 의자에 더 편한 자세를 취하고는 목소리는 낮았지만, 결정적인 태도로 몇 마디를 했다. 그의 의견에 따르면, 그런 종류의 증언은 살인 사건이 일어나기 전의 모든 정황을 명쾌히 살펴보려는 법정에도 도움이 된다고 했다. 그리고 그는 "이미 지금까지의 증언에 따르면!" 베르나트 사로시 씨와 라카토스 부인은 지난 겨우내 아주 가까운 사이가 되었음을 보여 주는 좋은 신호라고 덧붙였다.

"아니면 여름부터요." 누군가 그 법정에서 큰 소리로 말했다. 판사는 자신의 입술을 깨물고는, 자신의 서류를 내려다보았다. 그는 잠시 뒤에야 그 뚱뚱한 여자에게 말했다.

"고맙습니다. 이젠 그만 가셔도 좋습니다. 부인."

카타는 이젠 과거에 대해선 아무것도 가진 것이 없고, 이전에 존재해 있던 뭔가도 지니지 않았다. 모든 것은 중단되고, 어느 달콤한 안개 속으로 잠겨 버려, 자신의 경험과 개인 내력의 상상의 수평선의 한 가장자리로부터 떨어졌다. 그녀 스스로 그 점에 대해 진실로 아직 모르고 있지만, 그녀 의식은 뭐든 없애버리려고 했다.

그녀의 복잡할 것 없는 존재는 오직 한 사람에게 매달려 있었다. 그녀는 모든 것을 그 사람 아래에 두었지만, 그녀는 그것조차도 의식적으로 하지 않다. 카타의 영혼은 그 사랑 속에서 녹아들고, 동시에 그 영혼은 뜨겁고도 차갑고, 복잡하면서도 간단했다. 그녀는 자신이 베르나트에게만 속해 있음을 '이미 알고 있었다'.

베르나트가 그 여인에게 찬란하게 빛나는 태양이 되었다. 그녀는 그것에 대항하는 일은 아무것도 전혀 하지 않았다. 매일 매시각 그런 구속 됨은 더 강해져, 그렇게 있는 것이 너무 좋았다. 세찬 바람이 부는 고원에 외롭게 있어도 꽃피우는 관목들처럼. 거대한 호수에 사는 큰 물고기들처럼, 삭막한 사막에서의 큰 바위처럼… 카타는 그런 것에 대한 지식 없이도 대양에서의 섬이 되고, 베르나트가 그 섬에 머무는 유일한 거주자였다. 그들에겐 다른 무엇도 필요하지 않았다.

1월이 지나고, 어느 저녁에 2월이 왔지만, 아무것도 변한 것은 없었다. 찬 바람이 그 집에 휘몰아쳤지만, 나중에 그 바람도 조용해지고, 소나무들은 가지를 늘어뜨리고, 새들은 날고 있었다. 아침까지 바람은 집집의 대문 앞마다 눈을 수북 쌓아 놓았고, 그들은 빗자루로 쓸지 않으면 정원이나 마당으로 나갈 수도 없었다. 무겁고도 신선한 공기가 폐 속에 들어왔다.

베르나트는 꿈속에 생활하는 것 같았다. 오전에 그는 일하고, 나중엔 점심때가 되면, 그들 둘은 서로 마주 보고 앉아, 기분좋게 대화를 나누고 있었다. 나중에 그 남자는 15분 정도 누워 있다가 다시 일했고, 이젠 다소 느린 속도로 커피와 신문읽는 시간엔 그는 그녀의 웃는 얼굴을 다시 보고, 그의 영혼에는 행복함이 넘쳐 흘렀다. 카타는 이제 이곳에 있고, 그와 함께 있고, 그녀는 그의 사람이다. 그녀는 빌마와 닮지 않았고, 이 도시의 다른 누구와도 달랐다. 몇 번 그가 자신을 부인방을 가진 주인으로 또는, 하녀와 사랑을 나누던 일백 년 전의 어느 귀족으로 상상해보기도 하였다. -그러다가 나중에 그는 언제나 자신의 그런 생각에 부끄러워했다. 카타는 다른 사람이고, 그도 그런 남자들이 살았던 시대와는 다른 시대에 사는 사람이다. 그는 그런 선조들에 대해 읽었을 뿐이다. 그러나 지금 이런 경우에 있으니, 그는 마음속으로 이 일을 "우연"이나 "모험"으로 이름 짓지 않았고, 카타는 모든 것을 충족해 주었고, 베르나트는 아주 기쁜 마음으로 저녁을, 밤을 고대했다. 만약 오후에 그가 두 눈을 감으면, 그의 앞에는 침실이 떠올랐고, 저녁에 카타가 그곳으로 이미 매력적인 가정의 감정으로 들어 서 있음을 보고 있었다…

…그의 손은 그녀의 등을 건드렸고, 베르나트도 그녀를 마사지해 주고 싶었으나, 정말 그녀처럼 능숙한 사람이 아니라 그런지 카타에겐 견딜만한 추위와 떨림을 불러일으켰다. 그의 손아래에 그녀의 달콤한 몸이 떨기 시작함을 느낄 수 있었다… 그리고 그녀가 자신의 몸을 돌리자, 그녀 얼굴은, 그녀 웃음은 가까이 와 있었다.

"함께 있으니, 아주 좋군요, 카타."

카타는 대답하지 않았다. 그녀는 마치 머리를 다정하게 그의 가슴 쪽으로 밀었다. 마치 고양이가 사랑하듯이, 베르나트는 웃으면서 세게, 더욱 세게 그녀를 끌어안았다.

2월 태양은 하늘의 베일을 부수고는 구름의 감옥에서 생명의 신호를 보내 주었다. 쥐똥나무들 위의 여기저기엔 지난해부터 자라서 남은 작은 잎사귀들이 외로이 매달린 채 색이 바래, 어디에도 새로운 초록은 볼 수 없다. 모두 따뜻함을 학수고대하고 있다. 벌써 눈은 더는 내리지 않고, 앞서 내려 쌓인 눈은 더러워진 채, 거리마다 완전히 회색이 되어 버렸다. 정원 여기저기엔 아직도 하얀 부분이 보이지만, 모두 벌써 봄이 다가왔음을 느낄 수 있다. 그런 봄을 기다림은 대기에 부풀어 있고, 가까운 언덕 위의 집 주변에도 그런 기다림은 있다. 2월 말엔 추위도 한풀 꺾이고, 새들은 더욱 활발해졌다. 바람은 밤에만 부는 경우도 여러 번 있다. 자연은 낮에 침묵하고 있었다. 개는 벌써 새벽부터 어슬렁거리며 배회하고, 울타리 뒤편의 정원을 헤집고, 이곳저곳에 자신의 발자취를 남겨 놓았다. -그러다가 나중엔 출입문에 앉아 기다리고 있다. 그 개는 귀를 쫑긋-하여 거리에서 나는 소리를 무슨 소리든지 유심히 들었다. -그러나 정말 그 일은 그 개에겐 흥미롭지 않다. 그 개는 안에서, 집안에서 집주인 중 한 사람이 마침내 움직이기만 기다리고 있었다. 그 개는 지금 배가 고프다.

…카타는 앞으로 고개를 숙였고, 카타 손은 베르나트 허벅지 위에서 천천히, 달콤하고도 신경 써서 몸을 만지며 움직이고 있었다. 그 손은 더 가까이 있고, 때로는 더욱 더… 베르나트는 언제나 더 가쁜 숨을 내쉬었다. 베르나트는 자신에게 고개를 숙인 카타의 머리카락이 맨살에 닿자, 가려움을 여전히 느끼고 있었다.

16. 라카토스 부인의 이혼 소송

2월은 3월로 바뀌었다. 두 사람은 시내에서 멀리 떨어진 곳으로 산책했다. 사람들이 그 두 사람을 보는지 보지 않는지는 중요하지 않았다. 그 두 사람은 도로에서는 여전히 손을 잡지 않은 채 걸었지만, 그들이 사는 마을의 마지막 집을 지나면, 두 사람은 서로를 오랫동안 바라보았다. 그 산책길에는 산비탈 아래로 경사진 길이 나 있는 작은 숲이 있고, 두 사람은 산길을 좋아했고, 그런 산길은 두 사람이 같이 걷기에는 좁은 길이다. 베르나트는 자신이 카타에게 느끼는 감정을 정리해보려고 했으나, 그의 영혼은 그런 정리를 거부하고 있고, 그 사랑을 정리할 수 없고, 정리할 권리도 없었다. 하지만 그는 자신의 의식에게 명령하고 싶었다. 쉰을 넘긴 나이에 그가 자신의 딸보다 더 젊은 연인을 갖는다는 허황한 감정도 때로는 다정했다. 그러나 그는 한 번도 "연인"이라는 말을 해보지 않았다. 정말 카타는 연인보다 더 귀한 존재이다. 자주 베르나트는 아직 약한 빛을 발산하는 3월의 태양을 얼굴에 받으면서 정원에 멈추어 섰다. 카타를 향한 사랑은 -카타를 연인으로 보는 것보다 더 강한- 침대에서만 있는 일과는 사뭇 달랐다. 카타가 옆에 있기만 하면 그의 영혼은 어디서든지 충만하게 해주었다. 몇주일 그는 빌마나 소피아에 대해서, 도시에 대해서 전혀 생각하지 않았고, 그는 바깥으로 출입하여 자신의 일정을 점검하고는 이것저것 필요한 것을 사고 돈을 지급했다. 간혹 누군가와 대화를 나누기도 했다. 그러나 그는 비웃거나 쳐다보는 듯한 시선엔 개의치 않았고, 그의 두뇌는 없는 것 같았다.

…카타는 그가 다가옴을 느끼고 있었다. 그렇게 카타는 벌써 그가 기다려졌고, 언제나 새롭고, 또 다시… 카타는 두 사람이 얼마나 많은 밤을 보냈는지 생각해 본 적이 결코 없다. 앞으로 얼마나 많은 날이 될지도..? 카타는 베르나트를 받아들였고, 그에게 천 배의 기쁨을 주려고 하였고, 자신의 몸이 남자에게 많은 기쁨을 준다는 것을 알지 못했지만, 그 점을 자신은 본능적으로만 느꼈다. 카타는 베르나트 기쁨을 보았고, 자신도 똑같이 기뻤다. 베르나트는 –처음부터 벌써, 지난여름부터 벌써– 카타를 지금까지 아무도, 자신의 어머니조차도 대해주지 않은 태도로 카타를 대했다. 베르나트는 착한 사람이고, 지금 그는 남자고, <남자다.> 바레 데블라(Bare DEVLA)!

삼월 중순 어느 날 저녁, 베르나트는 카타에게 뭘 물어 보러 주방으로 갔다. 그러나 카타는 그곳에 없었다. 말끔히 정돈된 주방으로 보아, 방금 설거지를 끝냈음을 알 수 있었다. 그는 정원에 나가 둘러 보았지만, 그곳에도 카타는 없었다. 그는 집 안으로 되돌아와, 일층 여기저기서 카타를 찾아보다가 나중엔 층계를 따라 올라갔다. 그의 –그들의!– 침실도 비어 있었다. 카타는 자기 방에 가 있음이 틀림없었다. 그곳엔 카타가 최근 간혹 갔다. 베르나트는 조금 멈칫하다가 노크 없이 카타 방으로 들어갔다.

카타는 낮은 침대에 누워, 아직 잠자고 있지는 않았다. 베르나트는 잠시 머뭇거리다가 카타에게 다가섰다. 카타는 옷을 입은 채, 슬리퍼만 벗고 그 방에 누워 있었다. 아주 피곤한 기색이다. 베르나트는 순간 부끄러웠다. '내가 그렇게 힘들게 일을 시키는 잔인한 사람인가?'…그러나 그때, 베르나트는 카타의 입가에 웃는 모습을 보았다. 베르나트는 기뻤다. 베르나트는 그의 방에 카타가 없음을 알고, 카타가 보고 싶어 카타를 찾게 되었으니! 베르나트는 옆에 앉았다.

“무슨 일이 있었어요? 무슨 나쁜 일이라도?” 베르나트가 물었다.

“조금 피곤해서요.” 카타는 낮은 소리로 말했다. 베르나트의 손이 카타 이마에 닿았다. ‘피곤하다고? 카타는 스무살에 불과한데,’ 그 생각은 그의 머리를 스쳐 지나갔고, 마찬가지로 잠들기 전에 자신도 함께 행동했다는 걸 재빨리 계산해 보았다. 그가 빌마와 결혼해, 소피아를 낳았을 때, 카타는 아직 이 세상에 없었다. 그는 당시 서른 살이 넘었다. 카타는 그 몇 년 뒤에 태어났다. ‘그녀가 태어나기 전에 많은 일이 베르나트에게 있었고, 그가 지금 카타와 함께 사는 것이 당연한가?’ 그러나, 나중에 –여전히– 베르나트는 그런 생각을 떨쳐 버리고, 곧장 그런 생각을 잊어버렸다. 베르나트는 지금 카타를 걱정하고 있다.

“아프지는 않은 것 같네.” 그는 물으면서도 강조했다. 카타는 베르나트 손을 잡아 그 손으로 자신의 이마를 대고는 안심하게 했다. 카타는 베르나트를 보고, 카타의 시선에는 베르나트가 이제까지 한 번도 보지 못한 뭔가가 들어 있었다. 그러자 베르나트는 정말 어쩔 줄 몰라 했다. 그는 느꼈다. 뭔가가 일어났거나, 일어날 것 같았고, 카타가 아무 이유 없이 그렇게 있진 않았다. 몇 번의 그녀 움직임은 지금까지와는 사뭇 달랐고, 이런 상황에서…그녀가 온종일 여기 누워 있고, 그것을 베르나트에게 알리지 않았으니…

"아프지 않아요. 이건 아픈 게 아니에요." 카타는 그렇게 말하였고, 그 목소리에는 진지함이 숨어 있지만, 기쁨도 함께 있었다. 베르나트는 그녀가 무슨 말을 하고 있는지 도무지 알 수 없어, 그녀에게 더 가까이 다가갔다.

"그럼 무엇 때문에?" 베르나트는 카타 얼굴을 살피며 물었다.

카타에게 뭔가 낯선 점이 있었지만, 적대적이진 않았다. 카타는 베르나트 손을 자신의 배에 끌어당기고는 고개를 조금 들어 베르나트를 쳐다보았다. 두 눈엔 빛이 있었지만, 그녀 목소리는 불과 같았다.

"베르나트… 제가 아기를 가졌어요."

저녁에 베르나트는 정원으로 나갔다.

그는 조금 더 밝은 하늘에 그려 놓은 것 같은 소나무들의 까만 꼭대기를 쳐다보았다. 고슴도치 한 마리가 나타나 요란하게 집의 벽 쪽을 향해 가고 있었다. 가는 길에 고슴도치는 고양이와 맞닥뜨렸다. 고양이는 고슴도치를 향해 한 번 위협했으나, 그 고슴도치는 피하지 않았다. 그때 개는 풀밭에 있고, 베르나트 옆에 앉아 있었다. 만약 주인이 몇 미터 앞으로 가면 그 개도 기꺼이 주인을 따라가고, 다시 그의 보호자가 되고, 말 없는 동반자가 되었다.

베르나트는 하늘을 바라보았다. '두 사람이 아이를 갖는다?' 그는 그 아이가 태어나지 못하리란 생각은 1초도 하지 않았다. '어서 와, 이곳으로 와! 그 아이는 내 아이고 정말 내 아이야. 그리고 4분의 1은 집시 아이이기도 하다. 그건 중요치 않다. 원시의 피는 다른 사람의 피보다 나쁘진 않다. 아마 그 아이가 성실하면서 똑똑하고, 세상과 함께 배워나가는 카타를 닮을 거야. 그 아이가 아들이든 딸이든지 10살이 되면, 난 외국으로 여행할거야… 우리 세 사람은 외국으로 여행할 것이다. 아니면 그때 우린 가족이 3명 이상 일 수도 있겠지?' 베르나트는 자신의 이 행복함을 이 세상에 알리고 싶었다. 특히 하늘의 저 별들에게. 그러나 저 별들은 지금 그를 멀리서 신경쓰게 하고, 지구의 삶엔 전혀 무관심한 듯 보였다. 그러나 우리도 우주와 똑같은 물질로 만들어져 있다고 그는 어느 책에서 읽었던 구절이 생각났다. 모든 행성은 지구의 재질과 똑같이, 이 발 아래 먼지로 만들어져 있다. "우린 먼지로 만들어져 있어…" 그 남자는 그곳에 오랫동안 서서 그 풍경을 쳐다보았다. 베르나트는 그 시간부터 지금까지 큰 변화가 있었음에도 이 세상이 지금 어제와 똑같음에 스스로 조금 놀랐다! 카타의 몸은 그걸 증명해 주고 있었다. 생물의 영원한 법칙에 따라, 그곳엔 여전히 겨울인데도 뭔가 시작되고 있었다. 우리 눈에는 볼 수 없지만 작은 세포가 자라고 이것이 많아지게 되면, 여덟째 날에 그 세포는 사람으로 된다고들 한다. 몇 주간이 지나면, 그 세포는 사람 형태를 갖춘다. 머리와 몸체가 있는 태아. 그리고 지금도 자라고 있다… 카타는 자신의 몸에 그의 아이를 품고 있다. 베르나트는 그 점을 한시도 의심하지 않았다. 카타는 오로지 그의 여자이고 그만의 여자이다. 그러나 언제까지 그의 여자가 될 것인가?

그래서 카타에겐 새로운 삶이, 그 두 사람의 공동의 삶인 작은 생명이 시작되고 있다. 그 남자는 천천히 움직였고, 대문으로 산책하러 나가, 도로 쪽을 쳐다보았다. 지금은 날씨가 아주 차가웠다. 도로는 조용했고, 마찬가지로 저 멀리 도시도 조용했다. 가벼운 안개를 가르면서 가로등만 의무감과 의식적으로 차갑게 빛나고 있다. 지붕들도 조용했다. 이 시각에 도로엔 아무도 산책하고 있지 않았지만, 베르나트는 그래도 그 자리에 선 채 밤의 풍경을 보고 있었다. 앞으로 닥칠 일을 생각하며 즐거워하는 사람은 아무도 없을 것이다. 갑자기 그는 생각했다. '그것은 언제쯤일까?' 그는 계산해 보기도 했다. 카타는 2월에 알았다고 하지만, 확실하게 알진 못했고, 그 아이에 대해 말하기를 주저했다. 그래, 카타는 1월에 임신한 것 같았다. 베르나트는 손가락으로 세어 보았다. '2월, 3월,…8월…10월, 그래 아홉째 달은 10월이 된다. 10월에 그의 아이가 태어나겠구나! 딸이면?' 베르나트는 소피아 생각이 났고, 고개를 흔들었다. '그 아이가 소피아를 닮는다면? 그러나 아니다. 소피아는 빌마의 딸이고, 이 아이의 어머니는 카타다. 그래 그 아이는 전혀 다를 것이다.' 그러나 다른 뭔가가 그를 신경을 좀 날카롭게 만들었다. '만일 아들이라면 어느 선조의 혈통을 이어받을 것인가?' 그는 한 번도 카타의 선조에 대해 들어 본 적이 없고, 자신의 선조들에 대해서만 알고 있다. 그리고 그 선조는 건강하고 착한 사람들이다.

두 사람이 그 아이를 낙태시키지 않을 것은 베르나트가 잠시도 의심하지 않았다. 그러나 지금까지 자신의 앞에 보이는 도시를 바라보면서도. 계곡 위로 안개의 한 층이 빛을 다시 반사하고, 자동차들은 조용히 어디론가 달리고 있었다. 사람들이, 도시 사람들이 어떻게 말할지도, 그 점도 생각해 보았다. '사람들은 카타가 짊어질 수 없을 정도의 강한 압박을 가할 것이다. 그녀는 언제나 더 불러오는 배를 안고 이 도로를 오

갈 것이다. 모두가 카타를 비웃을 것이고, 베르나트 자신에게도 비난할 것이다.'

그러나, 그 속에는 이미 끈질긴 원함과 이를 이겨내려는 입장이 모여졌다. '사람들이 본 대로 말하라고 하지 뭐! 우리가 아기를 가졌다는 점, 그 점이 가장 중요해!'

그는 즐거운 마음으로 집으로 되돌아 왔다. 그는 주방창문을 통해 카타를 보았다. 커튼은 아직 한쪽으로 치워져 있지 않았지만, 카타는 바로 주방을 환기해 두고 있었다. 그는 창문 틈새로 카타가 작은 소리로 중얼대며 노래하고 있음을 들을 수 있었다.

내가 검다 해도 중요하지 않아요.
내가 행복하기만 하면….
내가 어느 남자를 사랑했네.
내가 그이를 놓치지 않을 거야…

베르나트는 그 노래를 들으면서도 카타의 두 눈을 바라보았다. 카타 얼굴에 비친 집안의 불빛에는 평화가 있었다. 카타가 이젠 창가로 다가왔고, 빛이 카타 얼굴에 떨어지자, 그 빛은 카타의 온몸을 황금빛처럼 노랗고 따뜻하게 휘감고 있다.

내가 검다 해도 중요하지 않아요.
내가 행복하기만 하면…

베르나트는 벽에 자신의 몸을 기대어 차가운 공기를 들이쉬었다. 그는 이미 가까워진 봄 향기를 느낄 수 있다. 소나무들은 가지를 펼치고, 어느 이른 꽃에는 봉우리가 맺혀 있었다. 하늘조차도 그 모습대로 그렇게 검게 보이지 않았다.

그리고 베르나트는 천천히 집 안으로 들어섰다.

17. 남편이 잠입하여

"증인으로 저를 추가해 주십시오."

변호사는 말했다.

판사는 무엇이 불법인가를 알고 있었다. 하지만 정말 판사는 이 일이 얼마나 필요한지도 알고 있다. 재판 심리를 이 증인이 결정하지 않아도, 사건의 모든 면을 보일 필요가 있다. 그 판사는 "모양새"라는 말을 좋아했다. 그는 이 말을 때때로 즐겨 사용했다. 사람이라면 누구나 자신이 좋아하는 낱말이 있다. "모양새"라. 그래서 지금 판사는 옆에 있는 두 동료 판사와 숙의하고는 변호사에게 손을 들어 말했다.

"그렇게 하십시오."

피고인의 변호사가 법정 중앙으로 걸어갔다. 변호사가 증인으로 나서는 경우가 아주 드물다는 점에도 불구하고 그는 아주 평소대로 나아 갔다. '그곳에서 바라보는 법정은 판사석도, 벽들도, 창문들도 전혀 달리 보이지.' 그렇게 판사는 재빨리 생각했다. 그 자신은 한 번도 그 증인석에 서본 적이 없고, 인생에서 한 번도 저 중앙이나 다른 법정에도 서지 않을 것이다. 이제 변호사는 질문을 기다리고 있고, 판사는 주저하지 않았다.

"사로시 씨가 라카토스 부인의 이혼 소송을 증인에게 요청한 적이 있습니까?"

"그렇습니다. 존경하는 판사님. 사로시 씨는 4월 말일 저를 찾아와, 그 사건을 제게 맡겼습니다. 그는 자신의 가정부 라카토스 부인이 벌써 1년 동안 자신의 집에 살면서, 그의 아이를 임신해, 그녀 남편과의 이혼을 원한다고 했습니다… 그 남편은 집시인데, 당시 수감되어 있었습니다.”

“그래, 그런 사정을 그가 말했다고요…..”

“…4월 말일에요.”

판사는 공문 하나를 꺼내면서도 주저하며, 그걸 보면서 말했다.

“증인 말씀이 맞군요. 계속해 보시오.”

“제가 그 이혼 소송을 맡았습니다. 사로시 씨에게 그 여성을 한 번 제게 보내 달라고 제가 요청했습니다. 우리는 적절히 그 날짜와 시간을 정했습니다. 제가 기억이 맞다면, 바로 그다음 날이었습니다. 그래서 라카토스 부인은 정말 그날 나왔습니다.”

“그녀는 어떻게 행동하던가요?” 판사가 물었다. 그러나 그는 곧 후회했다. 마침내 그것은 정말 그 일과는 전혀 관련 없는 일이다. 그는 검사를 쳐다보지 않았지만, 불만인 듯이 고개를 가로젓는 걸 추측할 수 있다.

“그 여성은 자연스럽게 행동했습니다.”

변호사는 놀라지 않고 말했다. “제가 그 여성을 만나기 이전의 생각보다 그녀는 더 태연했습니다. 그녀는 당시 저어, 그 사람… 즉 산도르 라카토스 씨의 법적 아내임을 입증하는 문서를 갖고 있었습니다. 그 여성의 말에 따르면, 자기 부친만 집시이고, 어머니는 집시가 아니라고 했습니다. 그 때문에 그녀 부모가 합법적이고 공개 결혼을 하도록 요청했다는 점도 말입니다.”

그때, 집시들은 술렁거리기 시작했다. 판사는 그 점을 들어

보려고 했다. 집시들은 서로 수군대고, 벤치에서 이곳저곳으로 미끄러지며, 소란을 일으켰다. 동시에 그들은 법정 바닥을 발로 차기도 하였다. 하지만, 지금 판사가 그들이 있는 쪽으로 단순히 시선을 한 번 주는 것으로 충분했다. 그러자 곧 일순간에 조용해진다. '이렇게 끝까지 조용히 있어 주었으면…' 그는 낙관적인 생각을 했으나, 법정에서의 평온은 언제나 우연한 상태임을 그는 잘 알고 있다.

"그래, 증인이 그 일을 착수하였다고요? 무슨 장애가 있었나요?" 판사가 물었다.

"그렇습니다. 존경하는 재판장님. 남편이 교도소에 있고, 실은 글을 읽거나 쓸 줄 모르는 문애자라, 그와 접촉할 때 애를 먹었습니다. 제가 교도소로 공식적인 편지를 보내기도 하고, 그 교도소 소장에게 전화도 걸었습니다. 저는 산도르 라카토스 씨가 그 이름대로 "문제를 일으키는 인물"임을 알게 되었고, 교도소 내에서도 계속 문제를 일으켰음을 알게 되었습니다. 그래서 그는 거의 쉴 새도 없이 그 무제를 일으킨 것에 대한 처벌을 받아야 했고, 더구나 아내의 이혼 의도를 알자, 그의 기분이 더욱 나빠졌습니다. 그 때문에 교도소 간수들이 많은 주의를 기울여야 했습니다. 그 교도관들은 그에게 이혼 소송이 진행되자, 슬픔에 잠겨 있다고 전했습니다… 당시 우리는 재판일정을 어떻게 잡아야 할지 잘 몰랐습니다. 남편이 어디로 나올 수 있는지, 아니면, 그를 대리한 변호사만 나올 권리가 있는지 잘 몰랐습니다. 5월 중순까지 그 점은 명확하지 않았습니다. 하지만 이혼 소송이 이미 공식적으로 시작되었고, 법정 심리 없이 임시로…" 변호사는 자신의 말을 중단했다. 어떻게 계속해나가야 할지 몰랐다. 맨 앞줄에 앉아 있는 피고인 석 옆에서 소란이 들려 왔기 때문이다. 판사는 한 번 그쪽을 쳐다본 뒤 말했다.

"고맙습니다. 변호사님."

변호사는 다시 자기 자리로 되돌아갔다. 법정은 벌써 무더웠다. "내가 휴식하러 자리를 떠야겠군." 그 판사는 생각에 잠기고는 한숨을 내쉬었다.

교도소의 사방 벽은 모두 적대적이다.

갈색 피부의 죄수들은 아주 고달프게 하루를 보내고 있다. 그들 피 속에는 방랑기가 있어 그들은 여기저기로 어디론지 떠돌아다닐 수 있으면, 그게 최고 바람이다. 한때 그들 부모가 그랬듯이, 그들 자신도 그렇게 해 왔듯이. 자주 그 사람들은 내부적으로 그런 그리움이 무엇을 뜻하는지 알지 못해, 그들은 저 벽과 저 간수들을 이젠 깨버릴 수 없는 바위로만 느낄 뿐이었다. 동물적 그리움은 그들의 영혼 속에서 점점 자라, 모양이 바뀐 채 새까맣게 된다.

죄수들은 많기도 하다. 그들 중 적지 않은 사람들은 이 세계만 알고 있다. 그들이 살아온 스무 살, 서른 살 나이에서 적어도 10년 아니면 더 많은 시간을 그런 쳇바퀴 뒤에서, 또는 그 사이에서 보내왔다. 그들은 그런 좁은 세계의 규칙만 알고 있다. 그들은 그 밖의 세상이 혼돈이고, 만약 때때로 그들이 자유를 되찾게 되어도, 머지않아 그들은 경찰에 다시 잡혀 온다. 그리고 그때마다 아무 이유 없이 오는 경우는 없다… 그러나 그들에겐 이곳의 모든 것이 명백하고, 모두가 그 한계를 알고 있다. 하지만 모든 사람은 그런 한계를 뚫고 나가려고 시도한다. 매일이 그런 크고 작은 성공과 실패의 연속이다.

죄수들은 저녁마다 노래를 부르곤 한다. 만약 간수들이 그 노래 부르는 것을 허락해주면, 그 노래가 자유 그 자체가 된다. 간수들은 되도록 불허하지는 않는다. 아마 그들은 그런 명령을 받아둔 모양이고, 그건 아마 어느 심리학자의 조언에 따른 것일 수 있다…. 처음에 갈색 피부의 4~5명의 사람이 창가에 앉는다. 그 창문을 통해서 별을 몇 개 볼 뿐, 다른 아무것도 볼 수 없다. 언제나 노래를 처음 시작하는 사람은 혼자이지만, 곧장 다른 사람들이 가세한다. 곡조를, 노랫말을 모르는 사람들은 다만 흥얼거리며 따라 부른다. 그러나 그들은 노래를 따라 부를 시간이 많다. 그들은 백일, 천일, 천일의 밤을 살아가고 있다. 그래서 그들은 자리에 앉아, 마치 자신의 속 깊은 곳에서 노래가 날아 나오듯이, 때때로 천천히 좀 거짓으로 나가다가, 자주 놀랄 정도의 빠른 리듬으로 부른다. 그 노랫말. 아픔.

“Sas ma, devla, piramji
Sukersej sas Romanji…
Haj avilas e balval,
Haj phurdindas la mandar…"

그 노래 중 어떤 것은 헝가리 말로도 부른다. 그들은 간수들을 화나게 하려 할 때는 헝가리말로 노래를 부른다.

“하느님이시여, 제겐 한때
아주 아름다운 집시가 있었는데,
바람이 그녀를 날려 보내더니
다른 사람이 집어갔네…”

규정 위반임을 알고서도 그들은 감옥 안으로 술을 몰래 가져오는 일에 성공하기도 한다. 그때는 그 까만 눈들이 빛나기 시작하고, 그때는 노래도 불같은 리듬을 탄다. 그러나 그들은 술을 오래 즐길 수 없다. -모니터 카메라의 매서운 눈길이 끊임없이 정탐하고, 벽 안에 유선이, 공중엔 보이지 않는 무선이 그 사건을 찾아낸다. 그런 범죄에 가담한 자들은 자유롭게 지낼 수 없다. 헛되게도 벽의 높이만 잰다. 하루에도 천 번씩.

그 뒤 어느 날 저녁, 잠을 자면서 어떤 남자가 운다. 그러면 오래지 않아 또 다른 노래가 나온다. 그들 영혼 속에 어떤 내적 의무감이 작용하는지, 무엇이 그들에게 차례로 노래를 의무적으로 내놓게 만드는지, 또 무엇이 노랫말에 멜로디를 달도록 하는지 아무도 모른다. 그러나 정말 그렇게 일이 진행된다.

그러나, 그곳의 일단의 사람들은 기꺼이 이미 알고 있는 멜로디로 노래한다. 이곳에서 젊은이들은 그것을 배우고, 노랫말이 끝날 때는 질질 끌면서, 온몸과 온 머리로 아파하면서 노래한다.

"하느님, 날 죽이지 마오,
하느님이 아니시면 누가 나를 돕겠어요?
집으로 가게 도와주오.
가족 한 번 만나 보게요.
하느님, 날 죽이지 마오!"

"아들이 맞을 거요." 베르나트가 말했다.

"딸이겠지요." 곧 카타는 놀리는 듯한 웃음으로 대답했다. 그녀가 정원 의자에 앉아 있었을 때는 오후 4시가 지나서였다. 베르나트 앞의 탁자에 신문이 놓여 있지만, 그는 지금 신문을 보고 있지 않다. 카타는 조금 차가운 우유를 큰 컵으로 한 잔 마셨다. 5월 초순이고, 정원에는 말 그대로 봄이 폭발하는 것 같았다. 새들은 쉼 없이 날고, 마치 열병을 앓고 있는 것 같다. 시시각각으로 꽃들이 제각각 피어나고, 풀은 오래전부터 놀랄 정도로 푸르렀고, 쥐똥나무에는 새 잎이 보였고, 어린 가지도 보였다. 소나무 가지 끝에는 올해 어느 방향으로 자랄 것인지를 이미 알려 주고 있었다.

"아들이 맞을 겁니다. 나라고 아들을 못 낳으란 말인가요?" 베르나트는 웃으며 마음을 가볍게 느꼈다.

"저라고 딸을 못 낳으란 말이에요?" 카타는 그와 똑같은 방식으로 말했다. 그들은 서로 바라보며 웃었고, 그들은 남자아이가 태어나든, 여자아이가 태어나든 모두 똑같은 마음임을 정말 알고 있다. "오직 그 아이가 건강한 아이이기만 하면,-" 그렇게 마을 사람들은 말하곤 한다. 베르나트는 두 눈을 감고 생각에 잠겼다. 카타가 이혼하게 되면, 그들은 결혼식을 올릴 수도 있다. 두 사람의 증인만으로, 그들 중 한 사람은 그 변호사가 될 것이다. 그들은 신혼여행을 가지 않을 것이다. 그런 상황에서는 이상하게 보일 것이고… 모든 것은 스캔달을 일으키지 않고 조용히.

베르나트는 지금 정원을 바라보며, 머릿속엔 새로운 생각이 떠올랐다. 머지않아 20세기가 끝날 것이고 그들의 아들은 —아니면 딸은?- 그 삶의 대부분을 이미 21세기에 보내게 될 것이다. 그리고 그 자신도 그 미래의 세기에 살 수도 있고, 그렇게 살아야만 한다. 2000년이 다가오면, 그는 예순 몇 살이 될 터이고, 이 세상은 정말 영광의 축제를 열 것이고, 그는 그

걸 꼭 보고 싶다. 그리고 자기 아이의 성장하는 모습도.

"그 아이가 모든 걸 받게 될 거요."

그 남자가 말했다.

카타는 뒤로 몸을 젖혀 우유컵을 내려놓았다. 그녀의 배는 이젠 정말 둥글고, 그 배 위로 두 손을 깍지를 낀 채 놓았다. 그는 그런 그녀 옆모습을 보았다. 그녀는 아름다웠다. 그랬다. 카타는, 그 삶은.

"그 아이에게 모두 줄 걸 저도 알고 있어요." 여인은 낮은 소리로 말했다.

"그리고 카타에게도." 베르나트는 기꺼이 다음 문장을 이어 가고 싶었다. '카타가 이미 이혼녀였으면 좋았을걸.' 그는 그 아이가 출생하기 전에 그녀와 결혼하고 싶었다. 그리고 베르나트는 한때 그녀 숙소였던 작은 방의 크기도 이미 자로 재어 두었다. 작은 침대도, 어린이용 가구도 사야 하고, 그가 직접 몇 개의 블록을 이용해 만들어 줄 것이다… 그리고 그는 다시 한때의 자신의 삶을 비추어 보았다.

한편 빌마는 카타가 임신한 걸 알고는 충격을 받았다. 정말 그녀는 알게 되었다. 그 "마음씨 고운 사람들이" 그녀에게 그 소식을 맨 먼저 전해주었다… 빌마에겐 지금까지 다른 어떤 남자도 나타나지 않았고, 앞으로도 그녀는 찾지 않을 것이다.

'그러나 난 빌마보다 나이가 많아도 진실된 동반자를 찾았다.' 베르나트는 생각했다.

좀 전에 카타도 바로 그 점을 생각하고 있지만, 카타는 머리속에서 빌마 음성을 듣는 것 같았다. "집시의 갈보년이!" … 그녀는 고개를 흔들었다. '카타는 베르나트의 아내가 될 것이지만, 그것 또한 자신에게 달려 있지 않다. 이 도시에는 여러 해가 지나도 사람들은 그런 카타를 인정하지 않을 것이다. 아니면 영원히 카타에게 또 그들의 아이들에게도 모멸감을 줄 것이다. 그 아이들이 성장해도…그 사람들은 잊고 사는 것이 바로 유일한 행동이 될 때에도, 그때에도 그걸 잊지 않을 것이다. 만약 그들이 다른 도시로 이사 간다면…? 하지만 정말 베르나트는 자신의 집을 떠나지 않을 것이고, 그리고 그는 정당하다. 도시마다 비슷하고, 이 나라에는 다른 종류의 도시란 존재하지 않는다. 왜냐하면, 다른 종류의 사람이 없기 때문이다. 집시는 집시로 남을 것이고, 헝가리 사람은 ─헝가리 사람으로.'

그래서 카타는 기뻐하지도 않고, 온 마음으로 편안한 마음으로 있지도 않다. 카타는 베르나트를 믿고 있었지만, 카타 마음 깊숙이에는 불명확한 축축하고 검은 느낌이 나날이 커가고, 그것이 언제나 더 큰 자리를 만들고 있었다. 낮에는 카타는 그 남자를 위해 일하면서 태어날 아이 생각에 많이 가 있었다. 그 두 가지 일에 카타가 몰두하고 있었다. 저녁엔 카타가 베르나트 옆에 누워, 그 남자는 카타와 태어날 아이에게, 나쁘게 하지 않는 한 기쁨을 그녀에게 지금도 주고 있다. 그리고 카타도 밤이 오기를 정말 기다리게 되었고, 카타가 그의 몸을 만지게 될 순간도 기다려졌다… 그러나 그가 잠든 뒤로 카타는 자신의 등을 바닥에 대고서 반듯하게 누워, 배 속의 새 생명에 대해서만 항상 생각하는 것은 아니었다. 그 검은 두려움은 그녀의 낮시간에도 그림자를 드리웠고, 밤에도 그 두려움은 자신의 은신처에서 나오기조차 하였고, 그녀 머리를 지배하고, 모든 것을 잠식해 버렸다. 카타는 그런 위험에 대해 생각하지 않으려 했으나, 최근 지난 몇 주 동안, 몇 달 동안 그 두려움이 가까이 오고 있음을 느꼈다. '그 두려움이 더욱 가까이 오면, 그녀는 그 두려움에 어떻게 대항하는가? 아무 방편이 없다. 아무 방편이 없다고?… 적어도 카타는 그 점을 그 남자에게 말해야 할텐데. 하지만 카타는 베르나트에게 무슨 말을 한단 말인가?' 그녀는 그 남자의 대답을 상상으로 들어 볼 수 있었다. "에이, 이 봐요. 그런 건 생각 말아요. 내가 여기 있고, 난 당신과 함께 있을 거요. 당신에게 나쁜 일이라곤 아무것도 일어나진 않아요…"

한 번은 5월 중순, 베르나트는 카타가 그런 상념에 잠겨 있는 바로 그때, 잠을 자다가 우연히 깼다. 자정이 훨씬 지났고, 카타가 잠을 못 이룬 채 침묵하고 있음을 베르나트는 알아차렸다. 새벽에 그가 평상시 느낀 그녀 숨소리와는 다른 숨소리가 들려 왔다. 그들이 같은 방을 쓴 이후로 이상하게도 베르나트는 안전함을 느껴왔다.

"잠을 자지 않구선?" 그는 낮은 목소리로 말하였다.

"저는 모르겠어요."

"무슨 생각을 하고 있어요?" 베르나트가 어둠 속에서 손을 내밀자, 카타가 그 손을 잡았다. 그것도 의사 표현이다. 두 손은 합쳐졌다. 그리곤 이번엔 카타가 먼저 말을 했다.

"난 두려워요. 정말 나쁜 일이 일어날 가능성이 많아요."

"그 생각을 하고 있었군요?" 베르나트는 손으로 카타의 배를 한 번 만져 보았다.

"그 생각과 우리 두 사람에 대해서도요."

"미친 세상에 우리가 살고 있음을 난 알고 있어요." 베르나트는 베개에 얼굴을 묻으며 말했다. "전쟁이 언제든지 일어날 수도 있고, 다른 전염병이… 그런 질병이 찾아올 수도 있고, 그건 틀림없이 올 수 있어요. 그러나 그런 이유로 아무도 아이를 낳지 않는다면, 그럼 그것도 정말 전염병이 되겠군요?"

카타는 아무 대꾸가 없다. 지금까지의 두려움은 사라졌다. 베르나트가 옆에 있음을 확인하자, 곧 더욱 따뜻하고, 더욱 안전하게도 느껴졌다. 그가 다른 무슨 말을 하였다 하더라도. 그러나 카타는 말이 없고, 그녀 침묵은 더욱 깊어졌다. 언제나 아주 더 적은 시간이 남아 있음에도.

베르나트는 내부적으로 새 힘이 느껴졌다. 그는 정말 일이 잘 풀려 갔다. 5월 20일경 젊고 부유한 부부가 그를 방문했다. 그 고객들은 이미 준비해둔 설계도를 보러 왔고, 그가 작성한 도면을 검토해 보고는, 그 두 사람 중에 부인이 즐겁게 말했다. "이 집엔 모든 것이 조화롭게 꾸며져 있군요. 여기서 우리가 즐겁게 살아갈 것이고, 그걸 누구나 볼 수 있겠군요." 바로 그때 베르나트는 자기의식의 좋은 기분이 작업에도 반영되었구나 하고 이해했다.

저녁에 지금도 그는 산책하고 있다. 날은 점점 길어졌고, 바로 그 때문에 그는 카타가 그의 집에 처음으로 발을 들인지 한 해가 곧 지나가게 된다는 점을 생각했다. 그는 자주 자동차 차고 앞에 멈추어 서서 주위를 둘러보고는 하늘도 쳐다보았다. 벌써 날은 어두워졌고, 개도 정원 울타리에서 어슬렁거리고 있었고, 소나무가 미풍에 흔들리고 있고, 베르나트는 이제 더는 자신의 병이나 쇠약함에 대해 생각하지 않았다. 새 힘이 그의 영혼과 몸을 긴장하게 해 주고, 그는 이젠 외로움에 두려워하지 않았다. 카타와 태어날 아이가 이 모든 것을 충만하게 해 주고, 그 둘이 병과 허약함과 은퇴보다는 새 삶을 제시해 주고 있다. 지금 그는 그 두 생명을 위해 열심히 행동하며 살아가야 한다. 베르나트는 그런 저녁마다 산책하면서, 때로는 풀밭 가운데 섰다. 그러자 그 자신도, 한때의 움직임이 없는 큰 식물처럼, 서서 그런 생각에 잠겼다. 그의 아이가 성장하게 되면 그는 나이가 칠십도 넘을 것이다. 그러나 카타가 젊어 아직도 그녀는 오랫동안 젊음을 누릴 것이다. 조금씩 조금씩 모든 인생의 짐은 카타의 두 어깨에 옮겨 갈 것이다. 특히 그들이 또 다른 아이를 나중에 두게 되면… 그는 그 아이들을 먹여 살릴 돈은 있을 것이다. 그러나 정말 이런 화제에 들어서면 좀 산만해진다. 사람은 자신이 언제나 충분한 일을 하게 될지, 자신이 얼마나 오랫동안 일하게 될지, 앞으로의 일이 어떻게 전개될지 아무도 모른다.

그러나 첫 아이가 태어날 것은 확실하고, 태어남은 분명하다!

때로는 카타가 -그가 무슨 생각에 잠겨 있는지 살펴보려는 듯이- 집의 대문까지 나왔다. 카타는 어둠 속에서 천천히 다가서는 남자를, 하얀 셔츠를, 익숙한 겉모습을, 발걸음을 보고 있었다.

"베르나트…"

"여기 있어요, 카타."

그리고 카타는 그 한 마디에 많은 시간을, 아마도 그날 밤엔 안정을 취할 수 있다. 베르나트가 이곳에 있다. 오직 그가 있다. 그래서 모든 것은 잘 되어 갔다. 잘 되어 갔다고……?

그들은 방으로 들어갔고, 베르나트는 다시 난로에 불을 피웠고, 두 사람은 그 불 앞에 앉았다. 그러나 지금은 카펫 위가 아니다. 카타가 불룩 나온 배를 하고서 안락의자에 앉고, 베르나트는 지금 마룻바닥에 앉아 있다. 그는 한 번은 불을, 한 번은 카타를 보고, 자주 그는 두 물체를 동시에 바라보았다. 벽난로와 그녀 얼굴에는 화염이 뛰놀아, 그 여인, 그의 여자는 한때 그림 속의 마돈나 얼굴과 아주 비슷했다.

카타는 지금 베르나트를 보지 않고, 불만 바라보고 있다. 어린 시절에도 그녀는 자주 그렇게 했다. 그녀는 아무것도 계산하지 않고, 얼마나 많은 밤이 지나갔는지 한 번도 알지 못할 것이다. 아마 이 불빛으로 인해 무슨 멜로디가 생각난 모양이다.

"천천히 밤은 지나가네
가난한, 가난한 집시에게도
우리 집시 모두에게도…"

그러나 베르나트는 고개를 내저었다.

'사랑에 대한 멜로디면 더 좋겠어요, 카타.'

카타의 두 눈은 그를 보며 빛나고 있었다. 사랑 노래를… 카타는 순간마다 그의 사랑을 느끼고 있고, 동시에 그녀 자신의 사랑도 느끼고 있다. 베르나트가 우주였고, 그녀의 가련한 영혼은 그렇게 자주 이 남자로 채워졌다… 그녀는 그를 위해서라면 모든 걸 줄 수 있었다. 베르나트는 카타가 지금까지 어디서도 만나지 못한 선의이요, 아름다움이요, 모든 것이었다. 베르나트는 낮의 밝음이요, 모든 것의 의미였다. 카타가 행동해 왔고, 생각해 왔고, 심어 놓은 모든 것은 베르나트 없이는 존재할 수 없을 것이다. 그것을 그녀는 생각보다 느낌으로 인식했다. 그러나 동시에 베르나트가 밤이고, 밤의 큰 기쁨이고, 안전하게 깨어남이었다.

"이 세상에 혼자,
터져 벌어진 꽃처럼
난 입 맞추러 태어나지 않았어요.
난 가난한 고아이라구요…"

베르나트는 누가 그를 비난하지 않았지만, 고개를 숙였다. 바로 며칠 전에 그는 변호사와 그 점을 이야기했다. '집시들이……?' 집시들은 아주 늦게 유럽에 들어왔다. 그들에겐 모든 악의 출발점이 바로 그 점에 있다고 그 변호사는 말했다. 그들은 이젠 그 세계에 동화할 줄 모르고, 동화될 기회도 없다. 왜냐하면, 온 세상의 삶이 그동안 속도를 더해 갔기 때문이었다. 옛날 방식의, 자기 나름의 속도로 살아가는 집시들은 그 속도를 따라잡을 수 없고, 정반대로, 그 속도에서 자유를 원하는 이들은 언제나 더 뒤처진 채 있고, 세상 속도는 그들에겐 무리이고, 집시들은 서쪽으로도 동쪽으로도 뒤따를 수 없고, 그들을 짓밟을 현대적 삶의 거대 기계가 다가오고 있다고 했다. 그리고 아무도 그 집시의 편에 서지 않을 것이다. 왜냐하면, 모든 민족이 제각기 해결해야 할 문제를 안고 있으니. 그 변호사는 풍부하고 다양한 전략을 구사하며, 그래, 맞다. 그가 카타 사건을 가장 잘 알고 있다. 자신의 집시에 대한 평소 생각을 단정적으로 말했다. 그들은 영원한 패배자들인데도 그 민족의 후예는 그 수효가 더 줄어들지 않고, 정반대로 더 많아졌다고 그 변호사는 강조했다.

"난 태어나고 싶지 않았어요.

난 평생 가난하게 살았어요.

이 거대한 세상에……"

"이 도시를 둘러 봐요." 그 변호사는 계속했다. 주제와 토론의 가능성은 그를 아주 열정적으로 만들었다. "그들 중 몇 사람만이 그 사회의 진흙 속에서 빠져나올 수 있어요. 자, 봐요. 음악하는 사람들이나 그들의 가족만이. 그들 전부가 아니구요. 그밖의 다른 사람들은, 그들 자신이 이젠 그 움막에 살고 있지도 않아도, 한 발은 여전히 그 집시 움막에 두고 있어요. 그들이 계산에 두고 있는 친척들은 잔인한 난간의 기둥처럼 있고, 때때로 그들을 착취하기도 해요. 그들은 자기 얼굴에 표시해 두고 있어요. 그들이 누구인지, 그들이 어디서 왔는지를요. 우리는 이렇게 믿고 있어요. 그들 얼굴을 보면 그들이 의도하는 바도 볼 수 있어요… 도둑질, 파괴, 음주? 그것도 진실이구요. 집시 집단에서 가장 큰 적은… 바로 그들 자신이라구요. 내 말을 믿으세요, 선생님, 바로 헝가리 사람들이, '백인들이' 그들을 증오하도록, 그 일에만 온 힘을 쏟고 있는지도 몰라요. 선생님, 우리가 그들이 풍기는 냄새나 맡는 인종주의자가 되면 안 됩니다. 물론, 만약 우리가 그들과 비슷한 집에 산다면, 우리도 그런 냄새를 풍기는 사람들입니다. 하지만, 정말, 누군가 다른 방식으로 살려면, 그 사람에게는 가능성이란 게 있습니다. 그러나 그 집시들은 자기네 방식으로 사는 걸 더 좋아합니다…"

카타의 머리속에는 다른 노래가 떠오르고 있다. 셋째 노래, 넷째, 열째…. 그러나 그녀는 잠자코 있었다. 베르나트는 그녀에게 몸을 천천히 돌려 자신의 생각에서 빠져 나왔다. 그리고 카타에게 웃으며 말했다.

"무슨 생각을 하고 있어요, 카타?"

그 여자의 지금 모습은 베르나트가 그녀를 지금까지 자주 보아 온 거의 앳된 얼굴이었다. 그녀는 낮은 목소리로 말했다.

"언젠가 선생님이 내게 나쁘게 한다면, 난 선생님 곁을 떠날 거예요. 내가 이 집에 올 때처럼 그렇게 떠날 거예요. 나는 갈색 가방에 옷 몇 점만 집어넣으면 돼요. 내가 지금 입고 있는 의복이나, 선생님이 나를 위해 사주었거나, 선물로 준 옷 모두는 -여기에 둘 거예요. 나만, 나만 떠날 거예요. 나는 다른 집시들처럼 그들이 떠나는 방식대로 사라질 거예요. 왜냐하면, 아무도 그들을 찾지도 않고, 염두에 두고 있지 않으니까요. 그들이 사람들 속에 파묻혀 버리면, 그들이 원한다면, 그들이 다시 나타나려면 몇 년이 지날지는 아무도 몰라요… 선생님이 나에게 나쁘게 한다면, 난 이곳에 남지 않겠어요."

"난 착한 사람이오." 베르나트는 말하면서도 그의 목에서 조금 압박감을 느꼈다.

벌써 낮에는 날씨가 따뜻해졌고, 밤에는 온화했다. 두 사람은 창문을 열어놓은 채 잠을 잤고, 적갈색의 새가 매일 아침 두 사람을 깨웠다.

잠에서 깨어 일어났을 때의 첫 움직임은 본능적이었다. 두 사람은 넓은 침대에서 서로를 바라본 채 누워, 서로 손을 뻗어 웃음으로 서로 인사했다. 새 한 마리가 미친 듯이 노래 부르고 있고, 그 남자에겐 행복감이 넘쳐 흘렀다. 많은 작은 행복들이 함께 같은 시간에. 태양은 지붕의 창문을 통해 빛나고, 그 태양은 흘러가는 황금 덩어리 같다. 카타는 잠자리에서 일어났다. 몇 분 뒤에는 그는 아래쪽의 욕실 문이 열리는 소리를 들었다. 베르나트도 그녀를 뒤따랐다.

카타의 이 집에서의 위치는 바뀌었지만, 정말 그 일은 천천히 진행되었고, 처음에는 그 두 사람 중 아무도 그 점을 알지 못했다. 나중에 그 일은 그렇게 자연스럽게 되어 버려, 두 사람이 그 점을 이야기할 필요도 없을 정도였다. 그녀는 이 집 가정부에서 실로 집 안주인이 되었고, 언제나 더욱 천천히 움직이게 되어도 그녀는 전과 똑같이 모든 일을 처리했다.

베르나트는 카타를 위해 임신과 육아 책을 가져다주었고, 텔레비전을 시청하는 대신에 저녁에 자주 그들은 함께 앉아 10월까지 무슨 일을 해야 하는지를 배웠고,… 그 10월이 지난 뒤에도 뭘 해야 하는지도… 만약 그 아기도 벌써 이 집의 한 구성원이 된다면? 카타는 이 집에서 자신의 새로운 위치를 인식하고자 했다. 카타는 이젠 좁은 방의 낮은 침대에서 더는 잠지지 않았고, 밤마다 베르나트와 함께 있었다.

카타도 집안의 의사 결정에 동참했다. 만약 그가 집에 없으면, 카타가 영수증을 받고 돈을 지급했으며, 독서를 즐기며, 글쓰기도 즐겁게 해갔다. 카타가 쓴 문자는 더욱 단단해졌고, 구입할 물품 리스트엔 잘못 쓰인 글자들은 덜 보였고, 낱말들은 이젠 한 자 한 자가 서로 비뚤게 놓이진 않았다.

조금씩 조금씩 카타는 응답이 무엇인지, 책임감이 무엇인지 배우게 되고, 카타는 두 사람이 함께한 결정은 그녀 자신의 미래 운명과 아기의 운명에도 영향을 미치고 있음을 느꼈다. 그래서 그녀는 신중해졌고, 처신도 신중하게 했으며, 베르나트가 아직도 몇 가지 일만은 직접 처리해 주었다. 그 남자는 때때로 자신이 카타를, 마침내 그녀를 전혀 다른 사람으로 만들 권리가 있는지, 다른 하느님이…? 그런 의구심도 가졌다. 그러나 그는 나중에 변호사가 해 주던 말을 떠올렸다. 카타가 이 세계에서 뒤처지지 않으려면 서둘러야 한다.

"아이를 출산한 뒤, 카타는 학교에 다니게 될 거요." 베르나트는 말했다. "만약 아이가 충분한 나이에 들면, 항상 옆에서 보살펴 주지 않아도 되면, 카타는 야간학교라도 나가서 많은 걸 배워요."

"그래요, 베르나트." 카타는 대답했다. 그리고 그때 그녀는 큰 걱정에 사로잡혀 질식할 것만 같았다. 그녀는 지금 전혀 다른 뭔가에 골몰해 있고, 무슨 일이 닥쳐올지, 그땐 그녀가 무엇으로 그이뿐만 아니라 자신과 앞으로 태어날 아이를 어떻게 지켜야 할지 생각해 보는 순간에 이른 것이다. 그녀는 아주 냉철하게 자신이 한때 잊어버렸던 것으로 추측된 얼굴이 눈앞에 떠올랐다.

만약 날씨가 온종일 따뜻하면, 이미 저녁에는 공기도 차갑지 않을 것이고, 그러면 그 두 사람은 견과나무 아래 앉아 밤의 노을이 어떻게 농밀해지는가를 보았다. 때때로 카타는 저기, 하늘 맨 꼭대기의 별이 사는 곳에 무엇이 있는지 물었지만, 베르나트 대답을 듣고 난 뒤, 자신에게서 가장 가까운 두 별만 바라보았다. 즉 그이의 두 눈을. 그리고 두 사람은 "상속인"에 대해 서로 의논하고, -베르나트는 아무 비밀도 만들지 않고 모든 걸 카타에게 말해 주고, 최근 이 도시에서 펼쳐져 있는 무거운 시도들과 고통당하고 있는 불쾌한 일도 말해 주었다.

그들에 대한 가장 최근의 비방에 대해서도.

"멍청한 늙은이가 되어 버렸다고 나를 두고 그렇게 말하는 소리를 들은 적이 있었어요." 어느 날 저녁 그가 말했다. 그리고 덧붙였다. "어느 늙은 소가 집시 갈보의 손아귀에 들어가 버렸다구요. 많은 사람이 그렇게 믿고 있어요. 삼백 년 전에 살았던 사람이라면, 그들은 카타를 나를 홀린 마녀로 만들어 버렸을거요…. 지금은 그들이 입방아로 으로내리며, 내가 아닌 다른 사람이 카타를 임신시켰다고 말하면서요. 카타가 당신과 같은 족속의 어느 놈과 잠자리를 같이 해 놓고, 카타가 나에겐 거짓말을 했다고 하더군요… 왜냐하면 카타가 내 돈과 이 집을 뺏으려고 한다고서요. 카타가 모든 걸 갖게 되면 나를 쫓아낸다고도 하고 그땐 그들이 나를 비웃을 거요…. 그렇게 그 사람들은 우리의 미래를 보고 있어요. 그들은 그런 식으로 계산을 하고 있어요."

카타는 그의 말을 잠자코 들으면서 이 도시 사람들이 하는 말이 얼마나 허무맹랑한 말인가를 알았다. 그런 일은 카타에겐 흥미로운 일이 아니었다.

배에 두 손이 닿자, 그리고 갑자기 모든 것은 달라졌다. 그리고 그의 목소리조차 멀리 있다. 기적의 느낌이 그녀를 휘감았다. 그녀가 매 순간 느끼고 있는 것은 모든 악의나 모든 비방이나 그 사람의 선의조차도 없애버리려는 것이었다. 그녀의 온몸에는 뭔가 낯선 것이, 그러나 낯설지 않은 사람이 움직이고 있다… 아니면 그녀가 그렇게 믿기만 하고 있는가? 그 여인은 자신의 두 손으로 더 세게 배를 누르자, 그 안에서 생명의 신호가 느껴졌고, 때로는 그 신호가 계속 때로는 간헐적으로… 그것만, 그것만 정말 소중했다.

그녀의 웃는 모습은 지금 옛날 어느 화가의 그림에서의 인물과 비슷했고, 스무 살 된 마돈나의 환희와도 흡사했다….

간밤에는 그들이 여러 번 노래를 불렀다. 남자들은 벽에 등을 기댄 채, 창밖으로 아무것도 볼 수 없었지만, 그런 것은 필요 없다. 그들은 영혼으로 하늘보다 더 멀리, 별보다 더 많이 보았다. 목마름과 여인과 멀리 떨어져 있음과 차가운 벽만 가까이 있음이 그들을 괴롭혔다. 그렇지만 그들은 노래를 불렀다.

"오, 엄마,
사람들이 날 붙잡아 가두었어요…"

간수는 문 앞에서 왔다 갔다 하지만 그들은 간수에겐 관심이 없다. 커다란 건물의 맞은편에선 죄수들이 똑같이 노래를 불렀다. 5월 말경 벌써 하늘에는 그렇게 수많은 별이 있었고, 맑은 공기에 노랫소리는 더 멀리 날아갔다… 반사경 불빛은 이곳저곳으로. 벽은 하염없이 높다랗다.

"오, 엄마,
나를 어디론가 데려가요.
난 어디로 가는지 몰라요?
떠나면 길이 나를 기다리고 있어요…"

이곳에는 밤에도 불이 환하게 켜져 있다. 텔레비전 카메라들이 언제나 마당과 외부 벽을 감시하고 있다. 아마 어느 감시탑에서 이번에 또는 다음번에 그림자가 움직인다. 그 그림자는 무기도 들고 있는 것 같다.

"벌써 잠들지 마, 소년아,
너를 둘러싸고 있는 건 감옥이야.

많은 창살과 문으로 된…."

손이 불끈 쥐어졌다. 바깥에선 명령하는 외침이 들려 왔다 남자들은 내키지 않는 듯이 자리에서 일어났다. 등을 기댔던 벽에서 떨어져 나왔고, 그들은 이젠 널빤지 침대에 눕는다. 거친 살갗에는 딱딱한 이불이 놓여 있다. 허공의 어디선가 신경 쓰이게 하는 목소리가 날아간다. 이젠 두 남자만 낮은 목소리로 노래한다.

"내가 어디를 쳐다보아도
벽만 보이고, 벽만 보여.
창살들만, 창살들만
불쌍한 나를 보고 있어요…"

판사는 교도소의 교육 장교가 보낸 편지를 읽고 있었다. 1분 전만 하여도 판사 목소리는 법정을 울렸다. 그는 큰 소리로 읽기를 좋아했고, 자신의 목소리를 좋아했다. 그는 지금 자신이 말한 바가 아주 정확했다고 느꼈다. 그리고 그가 다른 사람의 의견을 읽는다는 것은 중요하지 않았다. 동시에 그는 집시들이 점점 긴장하고 있음을 느낄 수 있었다. 그는 출입문마다 쳐다보았고, 푸른 제복을 입은 사람들을 보자, 마음이 안정되었다. 뭔가 일이 일어나면, 그가 손을 들어 법원의 정리들을 부르면 된다. 정리들은 무엇을 어떻게 해야 하는지를 알고 있고, 원색의 옷을 입은 집시들은 정리의 매일 고객이다. 작은 키의 남자들, 아주 뚱뚱한 여자들. 깡마른 소녀들. 법정에는 긴장만 높은 것이 아니라 기온도 높아갔다. 벌써 오후가 되고, 오늘은 판결을 내려야 한다. 검사는 인내심도 바닥이 났고, 지금까지 벌어진 모든 과정은 불필요하고 휴정 때는 다른 사람에게 그런 의사를 밝혔다는 소문도 있고, 몇분 뒤엔 그런 의사를 판사에게 몰래 알려 주었다는 소문도 있다. 다른 사람들은 오늘 판결도 못 하고 오후가 지나갈 걱정을 했다고도….? 판사는 잠시 뭔가를 생각하다가, 법정의 공방은 <그 점>에 정말 다다랐고, 이젠 그 점만 그 집에서 그날 밤, 5월 말경 무슨 일이 있었는지 분명하지 않았다…? 심리의 전 과정에서 가장 중요한 부분이 바로 그 점이다.

판사는 쉰 목소리로 말을 시작했다.

"증인을 불러 주세요… 라카토스 부인을."

"오늘이 며칠이지요?" 카타가 물었다.

"5월 28일요." 베르나트는 대답했다. 왜냐하면, 그는 언제나 그 점을 생각하고 있고, 덧붙였다. "이젠 넉 달 동안 <내> 아들이 자라고 있군!"

"당신의 딸요!" 카타가 장난스레 말하고는 주방으로 되돌아갔다. 주방 문턱을 지나면서 그녀의 얼굴표정은 바뀌었다. 그는 카타를 이젠 보지 않고, 그녀는 자신의 감정을 이젠 숨길 필요가 없다.

그녀는 큰 걱정을 하고 있다.

혼자서 베르나트가 집안의 여러 일을 처리해야 했다. 그는 집 뒤편으로 가서 땔감이 놓여 있는 작은 방으로 갔다. 그는 그곳에 놓인 각목을 톱으로 잘라, 그 각목에 못을 2개 박으면서 다른 생각을 하고 있다. 오늘 오전 길에서 그는 전처를 만났다. 그 두 사람은 벤진과 먼지가 싸인 아카시아꽃 내음을 맡으면서 서로 노려 보았다. 그들 두 사람은 상대방이 아직도 존재하는지, 살고 있는지에 대해 놀라고 있는 것 같았다. 그 두 사람은 서로를 비켜 갔으나, 어느 힘에 밀려 그 두 사람은 멈추어 서게 되었다. 그리고 그들은 몇 초간만 잠시 잠자코 있다간 나중에, 함께 지낸 많은 세월 때문에 몇 가지 낱말 정도는 해야 했다. 그 두 사람은 그동안 벌써 원수가 되어 버린 것 같기도 하였다.

"안녕…"

"안녕하세요."

그리고 그 두 사람의 목소리에는 평화란 없고 오로지 적대감만 있었다. 빌마는 두 눈을 반짝이며 말했다.

"그런데, 당신의 그 '가정부'는 잘 지내요?"

그 말 속에는 비웃음이 그만큼 들어 있음을 알자, 베르나트는 곧장 받아 말했다.

"잘 지내지. 그 사람도. 내 아이도. 당신이 온갖 악의를 다 부려도 <그 아이는> 당신이 괴롭힐 순 없어요."

물론 빌마에게 있어 가장 가슴 아픈 말은 '내 아이"라는 말이었지만, 정말 그 뒤로 그 두 사람에겐 이젠 다른 화제가 없었다. 베르나트는 빌마가 어린 소년들을 꾀어 아침에 카타를 길에서 만나면, 그 녀석들이 뒤따라가 섹스 서비스를 하자고 하거나, 지나가는 사람들에게 들리도록 카타에게 큰 소리로 비방하라며, 그 대가를 지급했음을 들어 알고 있었다. 그렇게 해서 새로운 험담이 생겨났다… 그는 침을 삼키고 말없이 계속 걸어갔고, 지금 정말 그들은 서로가 멀어져 있음을 느꼈다. 그는 마음을 고쳐먹고 그녀와 헤어졌다. 어느 길모퉁이에 다다르자, 그는 다시 한번 어깨너머로 그녀를 뒤돌아보았지만, 그녀가 마치 마침표처럼 그렇게 여전히 푸른 옷을 입은 채 그곳에 있음을 보았다. 그리곤 그는 더는 돌아보지 않았다.

저녁에 텔레비전에서는 죽어간 나무들에 대해 방영했다. 산성비로 인해 산의 표면을 죽여버렸고, 수 킬로미터의 산이 완전히 민둥산이 되어있다. 그런 비로 인해서 소나무들은 갈색으로 변했고, 나중엔 소나무 잎들이 떨어지고, 오직 앙상한 뼈대만 남아 있다. 그리고 바람이 불고, 새로 산성비가 내리면 그 나무둥치마저 쓰러져 버린다. 베르나트의 영혼은 두려움으로 사로잡혀 있었고, 그의 아들은 아마 저런 숲을 보며 살아갈 것이고, 아마 그 자신도, 정원의 비슷한 나무들도 오래지 않아 벌거숭이로 남게 될것인가…? 그는 어떤 위험이 그에게 닥쳐올지 몰랐지만 두려웠다. 잔혹한 위험이 기다릴지 몰랐다, 산성비보다 더 잔인한 위험이.

바로 그 사건은 벌써 가까이 와 있었다.

감옥에서는 일은 아침에 일어난다.

어디선가 창살 있는 문이 달그락거렸다. 그것은 아침마다 되풀이되는 의식이었다. 기분이 더러운 녀석들의 집단에서 몇 명은 그들과 전혀 다른 사람으로 출소하게 된다. 기분이 좋아 들떠 있는 남자들은 때로는 둘이, 때로는 더 많은 수효의 사람이 복도를 따라 걸어가며, 기쁜 마음으로 그곳에 남은 동료들을 보고 외치거나, 손을 흔들어 대기도 한다. 간수 한 사람만 그들을 데리고 간다. 지금은 아무도 바로 이 사람들을 두려워하지 않는다. 이 사람들이 도망을 간다든지, 소란을 일으킨다고는 아무도 믿지 않고 있다. 그들은 머릿속에 바깥 세계에 있는 녀석들에게 전해 줄 정보 소식도 갖고 있다. 그 정보들은 아무도 뺏을 수 없다.

그들 중 한 사람은 지금 즐겁고도 괴롭다. 그는 마음속으로 계산을 해 보고 있다. 곧 책상에 돈이 놓일 것이다. 그 돈은 많지 않다. 그러나 그 돈으로 뭔가를 하는 데는 충분하다. 그는 교도소 대문 앞에 자신을 기다려 주는 사람이 아무도 없다는 걸 이미 알고 있다. 그래도 좋다. 그와 같은 부류의 사람에겐 보통 기다려 주는 이가 없다. 좋다. 그는 그래도 자신이 원하는 건 뭐든지 할 수 있다. 그는 자신이 해야 할 일을 -그는 결심하고 있는 듯이 생각했다. 그는 손에 편지 1통을 들고 있고, 그 편지에는 주소가 있었다. 그리고 스탬프와 기관의 이름도.

그는 이젠 저녁의 합창이나 축구공을 꿰매는 일에 대해서도 생각하지 않는다. 그는 여전히 손가락에서 그런 움직임과 바늘 무게도, 특수 실의 부딪힘도 느낄 수 있고, 그는 아직도 일터의 내음과 먼지 가득한 공기도 느낄 수 있다. 가죽 접시의 <미끄러움>과 입안의 숟가락을, 딱딱한 널빤지 침대와 다른 사람의 주먹을, 그리고 그들 얼굴에 세게 때린 자신의 주먹도. 그는 빨리 죄수들 사이에서 권위를 획득했다. 그는 딱딱하고 거친 사람이다. 그런 딱딱하고 거친 사람들만이 여기서 진정 살아갈 수 있고, 그 사람들은 벌레들을 짓밟아버린다. 그리고 이곳에서는 벌레들과 짓밟는 사람들만 존재하고 여타의 다른 사람들은 없다. 이 세계는 그런 세계이다.

"정지!" 간수가 명령했다. 이미 옷을 담은 포대가 있다. 평상복이다! 정말 그렇다. 자유와의 첫 접촉. 그 옷이 어떤 옷인가. 당시 그를 붙잡아 왔을 때의 그 옷이 어떤 것인지 그는 당시의 모든 일을 잊어버렸다. 점퍼 소매는 아직도 피가 묻어 있고, 그 피는 정말 자신의 피가 아니었다. 그러나 그는 그 피가 누구의 피인지 몰랐고, 그렇게 많은 녀석들이 뒤엉켜 싸워, 복수했고, 승리했다….

“가도 좋다!” 누군가 말했다. 콧수염의 간수인 그는 이 사람을 잘 기억하고 있었다. 그 두 사람은 이 교도소에서 여러 번 마주쳤다. 이젠 그들이 혹시 “밖에서” 만나게 된다면… 하지만 정말 그들은 그렇게 만나지 않을 것이고, 그 점에 있어 그가 확신했다. 왜냐하면, 그는 지금 바로 기차역으로 간다. 술집엔 들러지도 않는다. 표를 살 정도의 돈은 충분했다. 그는 이곳에서 일하면서 적은 돈을 받았고, 그 돈으로 식대를 지급해야 했다. ‘얼마나 뻔뻔스러운가!’

그는 벌써 어떻게 열차의 발판에 오르게 될 것이며, 온 몸이 기차 바퀴에 따라 흔들리게 되는지 발에 그 움직임이 느껴지는 것 같았다. 그는 이곳을 떠나 다른 목적지를 향해 다가가고 있다.

그는 다가가고 있다.

베르나트는 문을 닫았다. 개가 풀밭에서 배회하고 있고, 그 개는 벌써 그런 행동을 하는 날이 많고, 옛날 어릴 때의 행동을 되새기는지 그런 행동을 했다. …배르나트는 휘파람으로 개를 불러 개의 이마와 귀밑을 쓰다듬어 주자, 그 개는 행복한 듯이 바로 서서는 낮은 소리로 짖고는 달아나버렸다. 베르나트는 이미 해가 지고 있음을 알았다. 긴 그림자는 조금씩 조금씩 밤과 하나가 되었다. 이젠 하늘만 밝은 회색이고, 모든 다른 사물은 검은 옷을 입었다. 평화로움이, 따뜻한 평화로움이 있다. 바람 한 점 없고, 소나무와 삼나무들은 마치 석주처럼 서 있다. 베르나트는 로마의 옛 무덤에서 비슷한 나무들을 보고, 그곳에서 그는 침묵의 무거운 기념 보호를 느낄 수 있다. 그래서 그는 지금 기뻤다. '난 정원에 조각품들도 세워두어야겠군.' 그는 어떤 여인상을 염두에 두고 있었다. 만약 가능하다면, 진짜 대리석으로 만든 —그로서는 아주 값비싼 것이 될지도 모르겠구나 하고 생각했다. '그리고 만약 산성비가 그 대리석 조각품도 파괴해 버릴 것인가?' 그는 두려워 주변을 둘러보고는 그런 일이 아직도 일어나지 않았음에 기뻐했다. 그의 집 소나무는 아직 건강하고 앞으로도 건강할 것이다. 아마 그 아들은 이 정원을 언젠가 바꾸게 될 것이다. 그의 아들이.

그는 문을 잠갔다. 그는 열쇠를 언제나 안쪽에 안전한 곳에 보관해 두었다. 그는 카타가 벌써 욕실에 들어 있음을 보고, 밖으로 새어 나온 광선이 그걸 보여주었다. 그는 소다수를 마시러 주방으로 갔고, 그 소다수 가스가 목을 간지럽혔지만, 상쾌했다. 그는 아주 잠이 고팠다. '오늘 밤엔 잠이 잘 오겠구나.' 그는 벌써 그런 생각에 즐거워했다.

늑대가 양들이 있는 주변에서 매복하여 있다. 늑대는 바람에서 냄새를 맡으며 기다리고 있다. 그 큰 짐승은 양들의 냄새를 맡지만, 사람 냄새과 지키는 개의 냄새도 맡는다. 그래서 늑대는 기다리면서 자신의 길을 찾는다. 늑대는 바람을 느끼고는, 원시적 피를 통해 바람을 안고 가게 한다. 그것은 본능이고, 사냥꾼과 동물의 옛 명령이다. 마찬가지로 소란을 피우지 않고 움직이는 의무감이 그의 유전자 속에 남아 있다. 그 큰 짐승의 발걸음은 나선형으로 점점 가까워지고, 그 큰 짐승은 무기도 갖고 있다. 더 가까이로, 언제나 더 가까이서 두 눈은 반짝이고, 머릿속에는 아직 밤인데 어떻게 잠입할지 의문이 생긴다. 그 큰 짐승은 시간이 별로 많지 않다.

카타는 어렵게 잠자려고 했지만, 침대는 이상하게도 지금은 편치 않고 딱딱하게 느껴졌다. 잠도 이젠 오지 않았고, 마침내 그녀가 잠들게 되자, 처음은 낯선 잠처럼 여겨졌다. 그게 그녀 자신의 잠이 아닌 것 같았다. 그 잠은 어렵사리 그녀의 의식 속으로 들어와, 온몸에서 낯선 힘의 진동을 느낄 수 있다. 그녀는 최근 모든 이상한 일은 그녀 배 안의 아기가 그렇게 하나 보다 하고 믿었다. 나중에 그녀는 자신의 어머니에 대해 생각해 보았다. '어머니는 올해 가을이면 할머니가 된다는 걸 아시면 무슨 말씀을 하실까? 그래도 부모님은 그녀를 찾아주질 않을 것이고, 그들은 베르나트가 사는 세계와는 멀리 떨어져 있고, 카타는 그들이 함께 나란히 있다는 걸 상상해 볼 수 없었다. 앞으로 부모님은 베르나트와 같이 살 수 있을까, 베르나트와 대화가 될까?… 아니야, 그 세 사람은 서로 떨어져 살아야 해.' 그녀는 지금의 그런 걱정으로 창백해졌고, 그 여인은 계속 공포감을 느꼈다. '이 아기에게 무슨 일이 생길까, 이 아기는 태어날 것인가, 건강한 아기일까? 그녀가 아이를 분만하면서 무슨 나쁜 일이 생길까?' 정말 카타는 이와 비슷한 경우에 대해 이미 들은 적이 있었고, 베르나트가 그녀에게 가져다준 출산 책에서도 그 점은 언급되어 있었다. 베르나트는….

그 남자는, 그녀의 진짜 남자는 옆에서 넓은 침대에서 코를 골며 자고 있었다. 그는 이미 잠들어 있었다. 가엽게도. 그는 젊지 않아도 무척 열심히 일했다. 그렇다. 정말로 그는 아직은 늙지 않았다… 오래, 오래 그들은 아직 함께 있을 것이다.

소란은 더 높아졌고, 판사의 엄숙한 시선만으로는 이젠 충분하지 않다. 그래서 그는 목청을 높였다. 헝가리 사람들과 집시들은 함께 소란을 떨었지만, 모두 다른 이유 때문이었다. 라카토스 부인이 법정에 서게 되었다. 그녀 몸은 좀 변형되어 있었지만, 그 얼굴은… 그 판사가 어느 박물관에서 본 어떤 미술품이 생각났다. 갈색 피부의 마돈나와 신성한 하나님, 어떻게 해서 그녀 얼굴에서 어느 성스러운 그림을 떠올리게 했는지 몰랐다. 그 그림에는 뭔가 온화함과 뭔가 위엄이 들어 있다. 만약 그녀에 대해 사람들이 비방한 것과 또 이곳에서도 부분적으로 이미 말한 것 모두가 진실이라면… 아니다. 저 여인은 사로시 씨를 완전히 파멸에 이끌려고 그를 "사로잡은" 정신병자인가? 정말 아니다. 그리고 그때 그날 밤엔 그녀는 어떠하였던가? 지금 그녀는 여섯 달째 임신 중이고, 그녀는 그 상태를 가볍게 참고 있었지만, 자신에 차 있었다. 마돈나.

"….그날 저녁은 아주 천천히 흘렀어요. 판사님, 우린 그런 날을 그렇게 말합니다. 밤은 천천히 흘렀다구요… 만약 우리가 잠을 잘 수 없으면, 우린 그렇게 말해요. 그리고 나는 잠을 잘 수 없었어요… 오랫동안 잠을 못 이루었어요." ―그녀 목소리는 깨끗하고, 10분 전에 개인적인 일에 대해 질문을 받은 그녀는 아직 그렇게 아름답게 평화롭게 말하지 못했다. 그녀는 피고인석을 쳐다보지 않았지만, 판사는 느낄 수 있다. '이 여인은 온 신경을 다해 저곳에 앉아 있는 남자 생각만 하는구나.'

소란은 좀 줄어들었지만, 사람들은 벤치에 앉아, 계속 소곤거렸다. "저 여자가 그…?" 남자가 흥분이 섞인 질문들을 들었다.

"…그리고, 하지만 나는 잠들 수 있었어요. 자정이 훨씬 지난 시간이었고, 그렇게 추측합니다. 난 잘 모르지만, 난 마음이 안정되지 못해 때때로 반쯤 깨어 있었어요… 그때 갑자기 집의 개가 짖어대더군요. 그리곤 갑자기 온 집안이 조용해지더군요. 그 개는 다시 짖지 않았어요. 그리고 아래층에서 무슨 소란 같은 걸 들을 수 있었어요. 우리 침실은 맨 위 다락방에 있기에 우리는 계단을 따라 내려와야만 되어요." −그녀는 설명을 이어갔다. 법정의 맨 뒤쪽 줄에 있던 누군가가 발로 바닥을 차자, 법원 정리 한 사람이 그쪽을 쳐다보자 곧 조용해졌다. 검사는 지금 아주 신경을 곤두세워 듣고 있으면서 한마디 한 마디를 적어 갔다. 다른 쪽에선 변호사가 그렇게 했고, 그들 중 아무도 방청석이나 판사석을 쳐다보지 않았다. 그들은 카타가 하는 한 마디 한마디의 말을 유심히 경청했다. 검사는 긴장을 뼛속 깊이 느꼈고, 신경이 쓰이는 듯이 안경을 벗기도 했다. 마침내 우리는 이 점에, 누군가 죽어야 했던 그 시점까지 왔고, 그 사람은 이제 죽을 시간이 되었다.

"…난 뭔가 탁탁거리는 소리를 들었어요. 그 소리는 금속성이었어요." 그 판사는 카타가 한 번도 그런 "금속성"이라는 표현을 사용한 적이 없음을 알았고, 그녀는 그 말을 어디선가 들었다가 그 낱말을 되풀이했다. 아마 경찰 심문에서 처음으로 그 말을 들었나 보다. "나는 믿어요, 베르나트도 그걸 들었으리라고 봐요. 하지만 그이는 계속 잠만 자고 있었어요. 그날 아주 피곤했거든요… 난 좀 두려움을 느꼈지만 그 일이 신경 쓰여, 내가 1층 창문을 열어 둔 채로 잤구나 하고 믿었어요. 그래서 나는 침대에서 일어나, 그걸 바로 해 두지 않으면, 난 잠이 오지 않을 것 같았어요. 동시에 목도 말랐어요. 그래서 나는 1층으로 내려가, 물을 마시고 창문도 점검해보려고 했어요…계단을 따라 아래층으로 내려갔어요."

법정 안에는 지금 커다란 침묵이 있었다. 다음에 무슨 일이 이어질지 알고 있었다. 그 당시 신문에는 이 모든 것이 기사로 쓰여 있었다. 그때 이후로 6주간이 지났을 뿐이고, 사람들은 아직 잘 기억하고 있었다. 그러나 신문이 무슨 소용이 있겠는가, 만약 지금 그 증인이 모든 걸 말한다면? 열려 있는 창문을 통해 시내의 외부 교통 소리가 들려 왔고, 저 멀리서는 구급차 차량이 왱왱-하는 소리를 내며 달리고 있었다.

"나는 계단을 따라 아래로 내려섰고, 그때 나는 다시 무슨 소리를 들었어요. 창문은 닫혀 있었어요. 앞서 생각하고 있던 점 때문에 난 좀 안정을 되찾았어요. 내가…." 카타는 침을 삼켰다. 그녀는 신경질적으로 손가락들을 깨물고는 자신의 발 앞쪽을 내려다보았다. 나중에 그 판사는 그녀의 한 손이 배에 가 있음을 알았다. 그것은 모든 어머니의 영원한 행동임을 그 판사는 기억했다. 그 판사의 아내도 똑같이 그렇게 했다… 그랬다. 그것은 오래전부터 있어 온 것이다. 그 자식이 벌써 자라, 그들을 떠나 살고 있다. 간혹 그 자식은 해변이나 종려수, 이국적인 집이 그려진 엽서를 간혹 보낸다. 그의 아내도 외국인이다. 그의 며느리는… 판사는 한숨을 내쉬었다.

"부인은 계속하시오."

"그랬어요. 현관에는 뭔가 이상한 것이 있었지만, 뭔지 잘 몰랐어요. 난 얼마 전부터 누군가 이곳에 와 있었지만, 나는 아무 발자취도 보지 못했어요. 하지만 난 그런 느낌은 갖게 되었어요… 창문 하나가 열려 있더군요. 나는 전등을 켜 그 문을 닫으려 내려갔어요." 그녀는 조금 주저했고, 판사를 향해 천천히 시선을 들었다. 그녀의 두 눈에 다시 어두운 걱정거리가 그렇게 강해서 그 판사조차도 느낄 수 있을 정도였다. "난 그 창문을 누군가 바깥쪽에서 부순 걸 알았고, 바닥에는 나무 널빤지들이 놀려 있고, 갑자기 나는 거울에 비친 사람을 보게 된 것은… 그곳엔 그 사람이 벽에 붙어 서 있어요…"

그 판사는 그가 누군지 알았지만, 물어야 했다.

"그 사람이 누굽니까?"

18. 가장 길었던 마지막 날 오후

베르나트를 깨운 것은 길게 딸그락딸그락하는 소리였다. 처음 1초간에는 그가 꿈을 꾸고 있겠지하고 생각했다. 그 뒤 그가 눈을 뜨자, 어둠만 보였고, 출입문이 약간 열려 있음을 알아차렸다. 그 출입문은 저녁에 그가 직접 문을 닫았는데 반쯤 열려 있었다… 밖에는 전등이 켜져 있고, 그 때문에 그는 완전히 잠에서 깼다.

“베르나아아아아트……!” 그 절망적인 고함이 오랫동안 질질 끌었다.

그는 침대에서 마치 튕기듯이 뛰쳐나갔다. 아직도 모든 것은 꿈인 것처럼 느껴졌지만, 한편 의식의 깊은 곳에선 이게 꿈이 아님도 느꼈다. 마룻바닥의 발아래에는 나무 널빤지가 카펫 가장자리와 계단의 날카로운 가장자리에도 보였다. —이건 정말 현실이었다. ‘카타다…! 카타가 소리지렀구나. 도움을 청하고 있구나! 카타가 넘어졌는가?’ 베르나트는 헐떡거리며 잠옷 차림으로 계단을 따라 아래로 내려 왔고, 금방 현관에 다다랐다…

처음에는 베르나트는 그 남자가 누구인지 이해가 되지 않았다. 전등 불빛은 그 남자의 얼굴을 가까스로 비추고 있었고, 그의 피부색은 갈색이었다… 그는 현관 중앙에 서 있고, 한 손엔 뭔가 들고 있고, 부숴 훔쳐갈 수 있는 흉기를 들고 있다. 남자의 키는 카타의 키와 똑같았고, 베르나트보다는 좀 작은 키였다. 집주인의 놀램은 1분간 계속되었다. 베르나트는 그때야 비로소 낯선 사람이 이 집에 들어왔으니, 틀림없이 강도라고 생각했다. '이 남자가 어떻게 내 집에 들어올 수 있었을까, 개는 왜 짖지도 않았을까…?' 좀 나중에야 그 낯선 사람이 손에 들고 있는 흉기를 알게 되었다. 그것은 도끼였다. 그러나 그때에도 베르나트는 무서워하지 않고, 진실로 위험한 일이 닥쳤는지 믿기지 않았다.

베르나트는 카타 때문에 더 두려웠다는 말이 더 맞다. 그 낯선 사람은 집주인이 가까이 오는 걸 보자, 재빨리 움직였다. 그 남자는 카타를 향해 뛰어갔다. 카타는 고함쳤다.

"슈치… 안돼!"

카타는 이미 밝은 상태에 노출되어 있었고, 슈치는 그때 그녀의 배를 보았다. 그의 머릿속으로 피가 솟구쳤고, 그는 창문 유리가 흔들릴 정도로 집시들의 말로 외쳤다.

"너…! 너를 배추처럼 부숴 버리겠어! 난 널 짓밟아, 창자를 쥐어짤거야! 내가 감옥에서 고통을 당하고 있을 때, 넌 다른 남자와 함께 살다니…!"

그리고 그 남자 입에선 수많은 낱말이 쏟아졌고, 아주 급히 말하면서도 카타를 향해 달려가, 도끼를 치켜들었다. 카타의 등은 두 창문 사이의 벽에 부딪혔다.

베르나트는 만사를 잊고 도끼만 보았다. 카타는 "슈치!"라고 외쳤다. 그러자 베르나트는 그 남자가 누군지 알게 되었다. 단순한 강도가 아니었다. 그 남자가 이 여자를 다시 데리고 가려고 왔음을 알았다.

슈치는 자신을 카타가 두려워하고 있음과 자신과 함께 가고 싶지 않음을 아직도 보지 못했다. 그 남자에게서 천 년의 복수심이 극단적으로 발동했다. 그 여자는 정말 그의 여자였고,

그는 그 여자와 결혼했고, 그의 친구들도 그들의 결혼식에 축하하러 참석해 주었다. '그가 감옥에 가 있는 동안 그 여자가 다른 남자와 하나가 되다니? 그녀가 그 다른 남자의 아이를 갖기조차 하다니!' 그 집시의 화는 하늘에 닿았고, 그는 이혼 절차를 밟는 일이 진행됨을 알았을 때는 더 했다. 이젠 모든 것이 명백해졌고, 그 집시는 이 두 사람을 벌주어야 한다. 그렇지 않으면, 마을 사람들이나 친지들이 그를 비방하며 책망할 것이다. 그 집시는 아내를 되찾아야 하고, 적어도 카타를 데리고 갈 것이다.

베르나트는 황급히 달려갔다.

"넌 나와 함께 가는 거야. 미친년!" 슈치는 카타의 팔을 잡았다. 그 여인은 옛날의 두려움이 되살아났다. 슈치는 술에 취해 집에 들어서면 카타를 때렸다. 그것도 수없이. 그녀는 뼛속에도 그 아픔을, 그 수치심을 느낄 수 있었다. '그와 다시 산다고? 안 돼, 이젠 그럴 수 없어. 정말 베르나트는… 그런데 과거가 갑자기 찾아와 카타를 붙잡고는 피난도 못하게 하는가…' 카타는 그의 손에서 팔을 빼내려고 했다. 카타는 가까이서 슈치의 핏발이 선 눈을 보았고, 물론 슈치는 지금도 술에 취해 있고, 확실히 취해 있다…

베르나트는 이젠 그들을 향해 거의 돌진해가자, 슈치가 갑자기 카타를 놓아주고는 베르나트와 맞서려고 몸을 돌렸다. 슈치는 도끼를 들어 세게 내리쳤다. 베르나트는 다행히도 바로 그 순간 돌진하다가 멈춰, 가까스로 그가 휘두른 도끼를 피했다. 그 도끼가 쉬—익—하는 소리를 내며 그의 얼굴 앞에서 날아, 테이블의 한 가장자리를 때렸다. 그러자 슈치는 그 도끼를 다시 들어 올렸다.

"이 놈이…" 베르나트가 슈치 어깨를 잡았다. 그러나 슈치는 간단히 그의 손에서 벗어났다. 카타가 날카롭게 소리쳤다. 베르나트는 카타에게 집 밖의 도로로 달려가 이웃사람에게 알려 도움을 청하라고 말해 주고 싶었다… 그러나 베르나트는 아무 말도 할 수 없었다. 그 집시의 손이 이미 베르나트의 목을 조르고 있었다. 그는 가까이서 날뛰고 있는 낯선 얼굴, 갈색피부와 검은 눈을 볼 뿐이었다. 방의 불빛은 약했고, 그 두 사람의 그림자는 벽에서 뛰어 다녔다.

이 모든 것은 허상인 것처럼 여겨졌다. 베르나트는 지금조차도 이 장면이 영화나 꿈에서나 가능한 일로 느껴졌다. 그러나 그 집시가 목을 강하게 누르자, 그는 이 장면이 실제임을 더는 의심하지 않고, 그리고 바로 언젠가 영화에서 본 적이 있는 장면의 도움으로 -그 영화 속에서 그는 그런 장면을 자주 보아 왔다…- 그는 상대방의 머리와 턱을 자신에게서 떼내려고 그의 양손으로 그의 얼굴을 눌렀다.

그가 그렇게 했지만, 그는 그 점을 느낄 수 없었다. 그는 온 힘으로 슈치에게서 벗어 날 수 있었다. 갑자기 목에서의 압박부터 풀렸다. 슈치는 다시 도끼를 들어 올리는 바로 그 순간, 카타가 그 두 남자에게 달려들어, 이전 남편의 손을 잡았다. 슈치는 그들 두 사람을 밀쳤다. 슈치는 정말 힘이 셌다. 근육이 풍부한 슈치가 갑자기 주먹 한 방을 날려 카타를 때리자, 카타는 현관 맞은편 벽에 부딪혔다. 카타가 다시 날카롭게 소리쳤다.

베르나트는 목의 압박으로 머리가 어지러움을 느꼈지만, 그 낯선 사람에게서 두 눈을 떼진 않았다. 그는 이제 그 남자가 누구인지, 그 남자가 원하는 바가 무엇인지 알았다. '그래 이 남자가 감옥에서 석방되었구나? 카타는 공식적으로 이혼 신청을 해 두었고, 그 서류에서 그녀의 새 주소를 볼 수 있었구나.' 그랬다. 그렇게 해서 슈치는 그 두 사람을 찾을 수 있었다. 아마 감옥에서 나오자마자 그 남자는 곧장 이곳을 왔나 보다. 복수심에 불타는 야만의 인간…

슈치의 머리는 감정이 복받쳤다. 슈치는 카타가 임신한 걸 본 뒤로, 붉은 베일이 자신의 두 눈앞에 떠올랐다. '이 얼마나 부끄러운 일인가!' 그리고 그 남자는 그 점을 집시의 말로 고함쳤고, 그 말은 카타의 머릿속으로 총알처럼 날아가자, 카타는 공포와 동시에 전신에 마비가 왔다. 그녀는 아직도 그 자리에서 피하진 못했다. 슈치의 입에서 침이 튀었다. "그런 여자는 진짜 남편이 세게 때려 주어야만, 피가 나도록 패 주어야 한다!"

베르나트는 그 상대방이 이젠 몸을 좀 돌려 카타를 향해 고함을 치는 걸 보았다. 베르나트는 바로 이때다 싶어 그 남자의 등을 때리려고 움직였다. 그러나 그때 허공으로 도끼가 번쩍하고 보였다. …베르나트는 울부짖었다. 아픔은 하얀 불이었고, 뼈까지 상한 날카로운 상처였고, 그렇게 한 번 맞은 뒤로 자신이 무력함을 느꼈다. 그 아픔은 그에게 마치 뜨거운 납처럼 녹아내렸고, 그 아픔으로 인해 움직임도 느렸다. 그는 머리에 상처를 입었음을 아직 모르고 있는 것 같았다. 휘두른 도끼에 그의 왼팔이 상처를 입혔다.

카타는 고함을 지르며 그들에게 달려가자, 슈치는 비난했다.

"이런 늙은이? 난 널 죽이고 말거야." 슈치는 숨을 헐떡이며 말했다.

"아무 것도 하지 말아요, 당시시인…. 아무것도!" 카타가 슈치 팔을 잡아 당겼다. 베르나트는 그 고통을 외칠 수도, 외쳐야 하지만 그는 아직 "늙은이"라는 말을 경멸의 표현으로는 이해하지 못했다. 베르나트는 숨을 헐떡거리고 있었다. 슈치는 그에서 물러나, 카타의 팔을 잡았다.

"가자, 이년!"

그는 문을 밀쳤다. 밖은 어두운 밤이었다. 카타는 아무것도 보이지 않았다. 베르나트는 비틀거리면서 문으로 다가가자, 그 집시의 등만 이젠 보였다. '카타와… 그의 아들이… 이 짐승 같은 놈은 그들을 데리고 간단 말인가? 아니면 그자가 그들을 죽이려는 걸까?'

카타는 두 손으로 문틀을 잡았지만, 슈치는 비웃음으로 그 두 손을 위에서 내리치고는 그녀를 밖으로 떠밀었다. 다시 슈치는 그녀에게 뭐라고 고함을 쳤다. 베르나트는 자신이 이젠 힘을 잃고 있구나 하고 느꼈지만, 카타는…그자가 카타를 그렇게 하도록 …카타를 내버려 둘 수는 없었다……

카타는 집안으로 다시 들어오려 하였고, 슈치는 문턱에 섰고, 주먹으로 카타를 한 방 때렸다. 카타는 무릎이 접혀 쓰러졌다. 베르나트는 이제 거의 문 앞에 다다랐고, 슈치는 급히 그에게 달려와, 그의 얼굴을 때렸다. 베르나트는 균형을 잃고, 한 손으로 문틀을 잡을 수 있지만, 그의 몸은 거의 바닥에 쓰러졌다. 그는 고통으로 고함을 지르게 되는 그 상처에서 불같은 아픔을 느꼈다.

"이젠 가는 거야!" 슈치가 큰 소리로 말했다. 아마 그는 카타가 이제부터는 그의 말을 순종하는 연합군쯤으로 믿었나 보다. 이제 카타는 정원으로 달려가려 하였고, 슈치는 길을 몰랐고, 아마 카타는 나무들 사이로 숨으면 되겠구나 하고 생각했는가 보다. 정말 그렇게 어두웠으니…그녀는 빨리 달리려고 하다가 그만 뭔가에 걸려 쓰러졌다. 푹신하면서도 딱딱한 물체가 문 앞에 누워 있었다. 슈치는 카타가 자기 앞에서 쓰러지자, 도끼를 들어 내리치려고 했다.

그때 카타는 눈물이 왈칵 쏟아져 나왔다. 그곳에는 개가 죽어 쓰러져 있었다. 슈치는 개에게 독약을 먹였고, 정말 그렇게 했다. 집시는 어느 집을 강탈하기 전에 그렇게 자주 한다…그 불쌍한 개는 마지막 숨을 거둘 때까지 문으로 기어 왔고, 그곳에서 그 개는 죽었다. 그리고 지금 개는 죽어서도 그녀를 도왔다. 만약 그녀가 비틀거리며 쓰러지지 않았다면 슈치의 도끼가 정통으로 그녀를 맞췄을 것이다. 카타는 슈치가 들고 있는 그 살인무기가 문 옆으로 살짝 비켜 날아가는 걸 느꼈다.

그 남자는 카타의 배를 걷어차려고 발을 들어 올렸다. 한편 그 남자는 카타의 몸에 밴 낯선 애새끼를 뭉개버리고 싶다고 고함을 질렀다… 카타는 본능적으로 등을 돌렸다. 그 발길질이 그녀 허벅지를 맞혔고, 뼈가 으스러지는 것 같이 아팠다…

"슈치, 안돼…!"

베르나트는 이제 두 눈에 어둠도 익숙해졌다. 그는 밖에서 벌어지고 있는 장면이 보였다. '적이 카타를 발길질하고 있구나. 저 여인과 아이를… 그의 여인과 그의 아이를. 그 녀석은 카타를 죽일 수도 있겠구나…' 베르나트는 잠시 아무렇게도 움직일 수 없었지만, 나중에 -그 자신도 어디서 그런 힘이 생겼는지- 새로운 힘이 그의 몸에 생겼다. 그 상처들, 온몸에 흐르는 피를, 피곤함을, 이 모든 것을 다 잊게 만드는 <그 힘>. 베르나트는 이젠 카타 생각도 나지 않았다. …베르나트는 자리에서 일어섰다.

슈치는 카타를 보며 소리쳤다. "일어서, 가자!" 카타는 땅에서 기어서라도 피해보려고 했지만, 슈치는 다시 카타에게 세게 발길질하려고 했다… 베르나트는 출입문에서부터 돌진해 갔다. 베르나트는 그 집시의 등 밖에 아무것도 보이질 않았다.

"너, 이 나쁜 놈…모두의 적…살인마…" 화가 온몸으로 퍼졌고, 그 화는 조금씩 그의 머릿속도 채웠다. 그리고 바로 그때, 슈치가 -본능적으로 동물처럼 위험을 느끼고는- 갑자기 돌아섰다. 슈치에게 벌써 가까이 온 베르나트는 이미 동물이 되어 있었다. 그의 목에서 울부짖음이 넘쳤고, 집도 도시도 사라졌고, 오로지 두 사람의 원시인이 강가의 동굴 앞에서 반쯤 타들어가는 장작불을 사이에 두고 싸움을 벌여, 그 싸움에서 이긴 쪽이 여자를 노획물로 가지기를 결정하는 것 같았다.

베르나트는 더는 이전처럼 착하고 온화한 사람이 아니었다. 과거는 이젠 무로 돌아갔고, 여러 해 동안 베르나트 안에 질식된 채 있었고, 숨겨 있던 모든 것이 갑자기 나타났다. 원시의 공격성과 동물적 두려움이 베르나트의 영혼 속에서 활동했고, 그 안에서는 승리하고 싶은 욕구도 있었다. 그 상대가 베르나트의 피를 흘리게 했으니, 지금은 베르나트가 똑같이 해주고 싶었다.

슈치는 도끼를 다시 치켜들었으나, 베르나트가 아직 다른 건강한 손으로 그의 팔목을 낚아채고는 온 힘을 다해 그 손목을 눌렀다.

"불쌍한 놈…" 그는 쉿소리를 냈다. 그 두 사람은 가까운 거리에서 밤의 어둠 속에서 서로를 노려보았고, 현관에서의 불빛에 그 두 사람의 모습이 어른거렸다… 카타가 울부짖었다. 이웃집 개들이 소리를 냈고, 전등이 켜졌다.

슈치가 다른 손으로 먼저 때렸다. 그의 주먹이 베르나트의 귀를 때리자 베르나트는 잠시 휘청거릴 뿐이었다. 베르나트는 자신의 손가락 힘으로 그 집시 남자의 손목을 세게 누르자 그 집시 남자는 아파 소리 질렀고, 집시 남자가 다시 한번 때리려 했지만, 이번에는 베르나트가 더 빨랐다. 베르나트는 그 집시 남자 얼굴을 세게 때렸고, 그 남자의 몸이 고꾸라지자, 그 때 베르나트가 그를 잡아당겼다. 슈치는 자신의 다리를 들어 무릎으로 베르나트의 배를 때렸고, 그러자 베르나트는 아주 아팠다. 조금씩 그는 사고력을 잃고, 이젠 그의 앞에 보이는 것이 없다. 그는 카타도, 아이도, 집도, 모든 걸 잊어버렸다. 이젠 오직 적만 존재하고, 그는 그들 둘은 이젠 말도 않았지만, 지금의 싸움은 생존을 위한 것임을 느꼈다. 그들 중 한 사람의 생존을 위해… 베르나트는 왼손을 이젠 쓰지 못하게 되자, 지금은 발을 사용하였고, 발로 그 집시남자의 다리를 걷어차자, 그 집시 남자는 균형을 잃고 쓰러지면서도 집주인을 놓지 않고 있었다. 슈치는 베르나트 가슴으로 달려들고, 자유로운 손으로 도끼를 잡으려고 했지만, 베르나트는 그때 두 눈을 감고, 자신의 머리와 이마로 그의 얼굴을 들이박았다. 그는 어렸을 적에 때로 머리로 싸운 적이 있었다. 그 이후 그런 행동은 그의 안에서 벌써 40년간 쓰지 않은 채 잠복해 있었다. 슈치의 근육 긴장이 좀 풀렸다.

“널 죽이고 말거야…” 그 집시는 중얼거리자, 그가 내쉰 숨에는 악취가 들어 있었다. 베르나트는 이젠 온몸이 아파옴을 느꼈다… 그는 카타가 도로로 피난해 울부짖으며 도움을 요청한 걸 듣지 못했다. 적은 다시 그의 목을 졸랐지만, 베르나트는 벌써 한 발을 잡아당겨 발길질로 그 집시 남자를 맞추자 그 압박은 느슨해졌다. 그때 베르나트는 그 낯선 사람을 밀쳐냈고, 베르나트의 건장한 손에 그 무기가 잡혔다. 베르나트는 상대방이 다음 세차게 때림은 피할 수 있었지만, 그것은 전혀 무의식적으로 이루어졌다. 그의 두 눈은 희미해지고, 아직도 피곤함과 아픔의 그물 속에 들어 있지만, 한 번은 온 힘을 다해 모아야 했다…

슈치가 베르나트 얼굴을 때리자, 베르나트는 눈이 아팠고, 베르나트는 지금도 생존을 위해 싸우고 있고, 만약 그 집시남자가 승리하면 베르나트는 그의 손에 죽을 것이다… 베르나트를 죽이기도 할 것이다. …베르나트는 도끼를 들어 올려 한번은 땅을 내리쳤다. 화가 나고 절망감에 온 머리가 휩싸여 있었지만, 다시 도끼를 휘두르자, 슈치가 맞았다. 하지만 베르나트는 그 상대방의 하늘을 지를 듯한 고함을 듣지 못했고, 그는 계속 도끼를 휘둘러 슈치를 맞혔다가 또 못 맞히기도 했다. 아픔과 화난 마음만 그의 온 의식을 지배하고 있었다. 그는 가벼움과 동시에 두려움을 느꼈다. 그의 손은 이젠 움직이지 않고, 다시 아픔이 그의 온몸에 희미하게 퍼졌고, 그는 의식을 잃자, 그 아픔은 한결 견디기 쉬웠다.

"…우린 도로로 나와 보았어요. 누군가 멍청하게 끊임없이 초인종을 누르고 있었어요. 그래 나가보니, 그곳엔 그녀가 서 있고,.. 라카토스부인 말입니다. 판사님. 그녀는 잠옷만 입은 채 고함을 지르고 있었지만, 처음엔 무슨 말을 하는지 몰랐어요. 개들이 하도 시끄럽게 짖어대니. 이웃의 다른 남자들도 나왔고, 마침내 그녀가 고함치는 걸 이해하게 되었어요. 이웃집에 마침 전화가 있어, 그 집에서 경찰에 연락을 했어요… 우리가 집에 들어서자, 도로쪽 대문은 열려 있었고, 두 남자가 쓰러져 있는 걸 보았어요. 그 집시여인은 그들 중 한 사람에게 달려가 살펴 보더니…그녀는 정말 많이 울더군요. 존경하는 재판장님, 귀가 찢어지는 정도로 울부짖었어요."

그 이웃 여인은 한 번의 손놀림으로 자신이 그때 본 것을 자신이 말할 수 있음을 보여주고 있었다. 아무도 지금 더 자세한 걸 묻고자 하지 않았다. 가장 많은 시선이 피고인과 카타에게 가 있었다.

판사는 방청석을 향해 재빨리 눈길을 돌렸다. '그가 걱정했던 일에 벌써 다다른 걸까?' 방청석엔 큰 소리의 웅성거림이 있었다. 집시 중에 누군가 자기네 말로 무슨 소리를 외치자, 그들 외에는 그 말을 이해하지 못했다. 그 판사는 할 수 없이 카타를 쳐다보았다. 그녀는 아직도 판사의 탁자 앞에 서 있었고, 판사를 바로 볼 수 있었다. 그 두 사람은 말이 필요 없고, 카타는 그 판사가 원하는 바를 알고 있었다. 카타는 소란 속에서도 그 판사가 자신의 목소리를 들을 수 있도록 더 가까이 걸어갔다.

"저 사람들은 이 법정에서 살인자에겐 유죄판결을 내려야 한다고 외치고 있습니다… 판사님.”

‘살인자를? 그래 정말이다. 그들 말대로 살인 사건이 있었으니…’ 변호사가 손을 들었지만, 그 소란은 여전히 계속되었다. 판사가 법원의 정리들을 쳐다보자 그 둥근 모자를 쓴 제복 입은 사람들이 움직였다. 어느 몸집이 좋은 경찰은 억센 손으로 방청석에서 집시 한 사람을 끌고 나갔다.

“조용해! 여기가 너희 집 안방인 줄 알아!”

검사는 피고인을 쳐다보았다. 그 피고인은 검사를 다시 쳐다보았다. 조금씩 소란이 잠잠해졌고, 그 사이 경찰들은 집시 두 사람과 헝가리인 한 사람을 복도로 내쫓았고, 그 뒤 다시 법정에 들어와 제자리에 섰다. 오후의 바깥 날씨는 벌써 흐렸다. 안에서의 소란과 욕설은 이제 그쳤다. 그때 판사는 자신의 목소리를 들을 수 있었다.

“라카토스 부인…그렇게 일이 벌어졌습니까?”

“예, 판사님, 그랬습니다.”

판사는 의자에 자신의 등을 기댔다. 곧이어 검사의 논고가 시작될 것이고, 그 뒤 변호사의 변론이 있을 것이다. 그리고 피고인도 뭔가 하고 싶은 말이 있을 것이다… 판사는 피고인을 향해 물었다.

“피고는 그 일에 대해 우리에게 아무 말도 하지 않았습니다… 일어나시오!”

피고인이 자리에서 일어나자, 판사는 말했다.

“베르나트 사로시 씨, 그 날 저녁에 벌어진 일에 대해 우리에게 말하시오.”

별들은 더욱 가까이, 가장 가까이 그렇게 있었다. 지금도 밤이고, "그 마지막 날"도 마찬가지였다… 집은 조용했다. 잔디의 향기와 질서는 지금도 외부 전등의 불빛에서도 볼 수 있다. 생명은 그동안 연장되었고, 잔디는 자라, 그 잔디에 가위가 지나갔고, 마른 나뭇잎들은 떨어졌지만, 사람들이 그 나뭇잎들을 쓸어 냈고, 마른 나뭇잎들 대신에 새파란 삶의 새싹들이 나고 있는 것을 보여 주고 있었다. 쥐똥나무들과 다른 나무들은 자라고, 고양이들은 자신의 길을 따라 왔다 갔다 했고, 밤에는 고슴도치가 약간 소란을 떨었고, 집 뒤의 어디선가에 족제비가 활발히 돌아다니고 있었다. 물은 수도에서 나오고, 불빛은 전선에서 나오고, 가구들은 아무 말이 없고, 때로는 마룻바닥이나 어느 오래된 장롱은 탁탁– 소리를 났다. 벽장의 책들은 기다리고 있었다.

이젠 모든 것이 다 없어졌다.

마지막 오후는 가장 길었다. 감옥에서의 6주간보다, 많은 조사보다, 많은 심문보다, 변호사와의 대화보다 훨씬 길었다. 그동안 거의 절망적이던 건강의 회복. 두려움과 절망의 여러 주간. 그리고 믿음과 살고 싶은 염원의 여러 주간. 그리고 이젠 끝이다.

두 눈을 감는 것만으로 충분하고, 이젠 사람들이 다시 법정에 모였다. 국가 문장(紋幛)은 벽에 걸려 있고, 그 맞은 편엔 세 사람이 있다. 최후 순간을 위해 다른 것들은 이젠 배역만 될 뿐이다. 신체가 아픈 만큼 영혼도 아플 수 있다. 그렇게 감옥의 병원에서 보낸 첫 몇 주간 동안, 그 큰 상처가 아픈 만큼 영혼도 그렇게 아프다. 병원에서는 상처를 돌봐 주었고, 의사들이 붕대를 만들어 주고, 매일 새것으로 바꾸어 주고, 그래도 그의 왼손은 이젠 영원히 힘을 쓸 수 없을 것이다. 도끼가 뼛속까지 파고들었으니…

판사는 발언하기 시작했다.

중요한 건 한 마디 뿐이다.

"정당방위"….

그리고 곧 카타의 두 눈.

만약 법정에서 그 말을 스스로 꺼낸다면, 그것은 석방을 의미했다. "베르나트!"…베르나트 사로시는 자신이 한 일이 정당하고, 동기도 정당방위로 판결이 났다…. 그 집에 누가 흉기를 들고 침입했다. 산도르 라카토스가 위협하여, 베르나트와 베르나트의 동거인인 라카토스 부인과, 동시에 라카토스 부인의 5개월된 태아 목숨을 노렸다…그래서 세 사람의 생명을 지키려고 베르나트는….처음에는 무기를 들지 않고 싸웠다…

검사도 항소를 제기하지 않았다.

그것으로 끝.

"우린 집에 왔어요." 카타는 따뜻한 목소리로 말했다. 카타가 앞장서서 걸었고, 대문을 열었다. 그리곤 카타는 주변을 둘러보자, 전과 똑같음을 느꼈으나, 뭔가 허전했다. 그래서 카타는 살짝 웃었다. "다른 개를 한 마리 사야겠어요."

어둠 속에서 빛이 만들어졌다.

그 집은 이미 이전의 집이 아니었다. 여기에 사는 사람들은 여기서, 출입문 앞에서 누군가가 죽임을 당했다는 걸 결코 잊지 못할 것이다. 창문이나 문, 마룻바닥이나 가구들이나, 집

전부를 새로 만들 수도 있고, 그러면 그땐 정말 그날 밤의 침입의 모든 물질적 자취는 사라질 것이다. 마당을 시멘트로 할 수도 있고, 바로 <그곳에> 나무를 한 그루 심을 수도 있다. 자연은 변화를 가져다주지만, 인간의 기억 뿌리만은 없앨 수 없다…..

"들어오세요, 여보." 카타가 말했다. 카타의 존재는 스스로 호소였고, 가벼운 즐거움이고, 어머니의 따뜻함이다. 카타가 앞장서서 주방으로 갔고, 그곳에도 전등을 켜고는 가정처럼 찻그릇들을 좀 요란하고, 아마 카타는 식탁에 찻잔을 놓나 보다.

'나는 위를 쳐다보았다. 별들이… 그들은 가까이서, 멀리서 우리를 보고 있다. 소나무 향기는 매혹적이고, 그 향기에 긴장이 풀린다. 바닷물이 만에 들어갔다 다시 나올 때처럼, 어린 나이에 나는 남쪽 어디선가 그것을 보았다. 나는 내 집 안으로 걸어갔다. 나는 환상을 따라가자, 계단 위의 어린 소년을 보게 되었다. 그 소년은 나에게 달려왔다.

"아버지!" 그는 그렇게 말했고, 뭔가 나의 목을 눌렀다… 나는 그 소년에게 오른손만 들어 보였고, 왼손은 그 소년에게도 전혀 올리지 못할 것이다. 앞으로 절대로.'

"곧 제가 저녁을 준비하겠어요." 카타는 말했다.

'우리는 서로 쳐다보았다. 카타, 내 사랑, 카타, 내 가정. 나는 '나와 함께 여기 남겠어요?'라고 물을 필요는 없다. 카타는 이미 결심했고, 나도 마찬가지다.'

집 밖은 밤. 집 안은 평화로움.

걱정하지 않아도 되는 안전함. 그리고 이 밤은 –매일 밤처럼 – 그렇게 지나갈 것이다. 천천히 지나가더라도 언젠가 여명이 오고, 새날은 다시 또다시 태어날 것이다.

황금빛 햇살이 온 세상을 비추기 시작하면, 그땐 우리는 눈이 부셔 두 눈을 감았다가, 나중에 다시 두 눈을 뜰 때 새날을 맞는 즐거움을 누릴 것이다. (끝)

에스페란토 원서 표지

István Nemere

PIGRE PASAS LA NOKTO

/서평/

통속 소설인 것 같지만, 정말 가치 있는 작품[5]

작가 스텐 요한손(Sten Johansson)

작가 이스트반 네메레(István Nemere)의 12번째 에스페란토 원작 『밤은 천천히 흐른다』(Pigre pasas la nokto)는 50대 헝가리 남성과 스무 살 집시 여인의 사랑을 다룬 작품입니다. 그런 인물을 주인공으로 한 통속적인 러브스토리라고도 볼 수 있지만, 작가는 자신의 재능을 진짜 입증해주는 귀중한 작품을 만들어 냈습니다. 이 러브스토리는 그 애정으로 인해 벌어지는 살인 사건에 대한 재판과 섞이게 됩니다.

작가는 주요 줄거리 속에 재판 과정을 교대로 배치해 놓고 있습니다. 그런 방식으로 작가는 강한 파도처럼 때로는 약한 물결처럼 읽는 이로 하여금 흥미를 갖게 해, 끝내 불안감과 긴박감은 드라마틱한 해결로 나아가게 만듭니다. 작가는 누가 살인을 저질렀는지에 대해 마지막 순간까지 숨기는 일은 성공합니다. -아마 불필요한 기교인지 모르지만, 이는 잘 작동합니다. 그럼 이 서평자도 작가의 뜻에 따라 그 점을 밝혀 두지는 않겠습니다!

소설 속 마지막 밤은 이 드라마의 클라이맥스까지 천천히 흐르고 또 아주 천천히 흐릅니다. 아니면 제 의견으로는 평온하게, 아무 서두름 없이 줄거리는 지나갑니다. 젊은 집시여인은 자신이 살던 집에서 쫓겨납니다, 우연히 그녀는 건축사를 만나게 되고, 그 남자의 집에 고용되어, 그곳에서 숙식을 해결합니다. 남자는 부유층 사람들에게 빌라를 설계하는 일을 하는 건축사입니다. 그

---

5) *역주: Originala Literaturo Esperanta (esperanto.net/literaturo/roman/libr/pigrepasasrec.html).

곳에서 그녀는 아침부터 저녁까지 일주일에 일곱 날을, 아침부터 저녁까지, 급료를 받고 일하지만, 그 급료는 겨울 외투를 사기에도 충분하지 못합니다. 마침내 기나긴 가을이 지나고, 그녀는 그 남자의 연인이 됩니다. 이 줄거리는 공산주의를 거쳐온 헝가리 사회에서 벌어지는 착취를 말하는 듯 보입니다. 하지만 이는 작가 이스트반 네메레의 의도가 아닙니다.

작가가 말하고자 하는 것은 나이, 계층, 민족적 문화와 교육이 서로 다른 두 사람이 천천히 만들어가는, 서로 알아 감, 친교, 사랑에 빠짐을 말하고자 했습니다. 전반적으로 말하자면, 작가는 이를 성공적으로 이뤄냈다고 할 수 있습니다. 정말 완전히 확신하게 하지는 않은 요소가 좀 있기는 합니다만, 남자는 모든 것을 가졌고, 여성은 아무것도 가지지 않음을, 겉으로 작가는 이 방식이 정신적 의미에서 유효하다고 가정하는가 봅니다. 이 소설은 작가의 다른 작품에 비해 더욱 사람들 개개인의 관계에 집중하고 있지만, 그래도 그 작가의 다른 작품에서처럼 사회적 주제를 함께 다루고 있습니다. 이번에는 그것은 인종주의 또는 한 민족의 구성원에 대한 다른 민족 구성원의 증오심을 다루고 있습니다. 다시 말해서, 집시 민족과 이에 대응하는 헝가리민족. 작가는 이 증오심을 멍청하고, 작은 세계관을 갖춘 사람의 감정이라고 표현하고 있습니다.

집시 카타는 인간의 존엄성과 안녕을 획득할 수 있습니다. 집시들 방식의 삶을 온전히 단절하고, 만일 내가 이 소설을 해석할 권한이 있다면, 그가 하고픈 말은 집시들은 자신들의 집시 생활을 포기할 때만 그들은 더 나은 환경에 도달할 수 있다고 말입니다. 하지만 그런 해결책은 쉽지 않아 보입니다, 왜냐하면 작가인 네메레에 따르면, 집시들은 '수천 년간 이어진 민족적 기질'에 따라, '그들 피 속에는 언제나 떠돌아 다니고 싶어하는 피가 흐르듯이' 행동한다고 말합니다. 그런 말은 작중 인물인 시민의 말이 아니라, 작가가 강조하는 말이기 때문입니다. 그의 그런 딜레마는 찰스 디킨스(Charles Dickens)의 작품 『올리버 트위스트』

(Oliver Twist)를 보는 것과 같습니다.

작가의 작품 속 남자 주인공 건축사 베르나트를 통해 좀 자긍심을 갖춘 소부르주아적 인간형을 생각해 내고 있음을 볼 수 있습니다. 그 작가의 어느 정도 제한된 전망에도 불구하고 작가는 정말 감동적인 이야기를 만들어 냈습니다. 바로 그 평화로운 진전은 가장 감동적이라 할 수 있습니다. 인간의 심리에 대한 묘사를 보면 더욱 그러합니다.

그의 다른 작품들에 비해 이 작품은 자신의 관심을 더욱 더 환경에 두고 있습니다. 이 작품에서 주거공간인 집이 시작부터 끝까지 수많은 사건을 만들어 내기에, 집 자체가 거주자이자 집주인 옆에서 다소 주인공 역할을 합니다.

베르나트가 카타를 처음 만나는 장면은 정말 인상적입니다. 업무로 인해 여행에서 돌아오는 길에 그는 어느 철길 사거리가 있는 마을에 자신의 자동차를 멈춰 세웁니다. 작가는 아주 실제적 감각이 있습니다. 마치 시간이 멈춘 듯, 반면에 그는 아무 일이 없다는 듯이 어느 천천히 지나가는 화물 기차가 지나가기를 기다리며, 자신의 자동차 옆의 가난한 집들과 사람들을 내려다보고 있습니다. 마치 무성영화처럼.

나중에 더 좋은 장면이 나옵니다, 예를 들어 베르나트의 정원을 통해 네메레 작가의 자연, 식물, 특히 나무에 대한 깊은 관심을 확인할 수 있습니다.

전반적으로 이 작품을 통해 이 이야기는 베르나트의 관점에 따라 진전이 되지만, 여러 곳에서 그 이야기는 카타의 관점을 이어가고 있습니다.

재판 과정은 우리에게 판사가 아주 활달한 역할을 하는 것이 좀 이상하게 보입니다. 하지만 반면에 이 사건을 고소한 검사와 방어하는 변호사 역할은 작습니다. 헝가리의 법적 체계를 잘 모르지만, 이 사건에서 가장 중요하게 여겨지는 것은, 이 재판이 실제

애정 소설의 도우미 역할을 한다는 점입니다. 법정 장면을 짧게 배치하고, 남자 주인공과 여주인공의 아주 더디고 늦은 전개는, 나중에 두 연인이 아주 극적인 흥분감을 가져오게 합니다.
마지막 결말 또한 아주 흥분시키게 합니다.

언어적 관점에서도 이 『밤은 천천히 흐른다』 라는 작품은 이스트반 네메레의 최고 작품이라 할 수 있습니다. 사람들은 정말 몇 가지 특별함을 발견할 것이고, 하지만 그것들은 독자를 괴롭히거나 쇼크를 가하지는 않습니다.
정리하자면, 이 작품은 좀 평범한 주제를 다룬 작품이지만 아주 가치 있다고 할 수 있어 강력추천합니다.

Kliŝodora sed valora

István Nemere: Pigre pasas la nokto. 151 p. Fenikso 1992.

La dekdua originala romano de István Nemere, Pigre pasas la nokto, temas pri amafero inter kvindek-kelkjara hungara viro kaj dudekjara ciganino. Sur tiu baza temo, radianta de tro konataj kliŝoj, la aŭtoro kreis unu el siaj plej valoraj romanoj, kio vere pruvas lian talenton.

La amhistorio miksiĝas kun tribunala proceso pri murdo sekvinta de tiu amafero. En sia rakontado la verkisto alternas inter la ĉefa fadeno kaj la juĝoproceso. Per tiu metodo li sukcese konstruas eksciton, kiu onde intensiĝas-malfortiĝas kaj fine kreskas en draman dissolvon de la suspenso. Li ankaŭ sukcesas kaŝi ĝis la lasta momento kiu murdis kiun - eble iom nenecesa artifiko, kiu tamen bone funkcias. Do, ankaŭ la recenzanto ne perfidu tion!

Pigre pasas la lasta nokto ĝis la drama klimakso, kaj tre pigre – aŭ eble mi diru trankvile, senurĝe – pasas la ĉefa intrigo. Juna ciganino estas forpelata de siaj familianoj, hazarde ŝi renkontas mezaĝan arkitekton kiu dungas kaj loĝigas ŝin en sia domo, kie li mem laboras desegnante vilaojn por riĉuloj. Tie ŝi laboras de mateno ĝis vespero sep tagojn de la semajno por salajro, kiu ne sufiĉas por aĉeti vintran mantelon, kaj fine, post longa aŭtuno, ŝi iĝas ankaŭ dumnokta kunulino de la mastro. Tiu historio povus nature iĝi socia indignaĵo pri postkomunisma ekspluatado, sed tio ne estis la intenco de Nemere. Li volis rakonti pri la malrapida interkonatiĝo, amikiĝo kaj enamiĝo de du homoj el malsama aĝo, klaso, etna kulturo kaj edukiteco. Ĝenerale direblas, ke li faris tion sukcese. Ja troviĝas eroj ne tute konvinkaj kaj eĉ iom incitaj. La viro havas ĉion, la virino nenion, kaj ŝajne la aŭtoro supozas, ke tio validas ankaŭ en spirita senco. Kelkfoje tio esprimiĝas eĉ parodie:

Kaj kiam poste aŭ antaŭe Bernat klarigis al ŝi ion, li vidis en ŝiaj okuloj la veran interesiĝon, kaj eĉ admiron. Ĉar Kata kredis lin ĉioscianta kaj tiel ŝi aŭskultis. Neniam ŝi dubis pri tio, kion li diris.
Bernat tre bone fartis. (p. 80)

Jes ja, kiu viro do ne bonfartus kun tia naiva, juna kaj bela admirantino? Efektive, la rilato inter la duopo kelkfoje iom tro similas tiun inter Robinsono kaj Vendredo.

Kvankam ĉi romano eble pli ol aliaj verkoj de Nemere okupiĝas ĉefe pri personaj rilatoj inter homoj, tamen kiel kutime ĝi traktas ankaŭ socian temon. Ĉi-foje tiu estas la rasismo aŭ malamo kontraŭ homoj de alia etna grupo, konkrete tiu de hungaroj kontraŭ ciganoj. La aŭtoro prezentas tiun malamon kiel senton de stultaj, etmensaj homoj. Tamen estus tute erare kompreni ĉi verkon kiel apologion por la ciganoj aŭ romaoj kiel etno. Tipe estas, ke la protagonistino Kata povas akiri homan dignon kaj bonstaton nur forlasante la ciganan medion komplete. La aŭtoro ja ne esprimas socian programon, sed se mi rajtas interpreti lian romanon, lia tezo ŝajnas esti, ke la ciganoj povos atingi pli bonan vivon nur ĉesante esti ciganoj. Tiu solvo tamen ŝajnas malfacila, ĉar laŭ Nemere la ciganoj agas laŭ "kelkmiljara genetika kodo" (p. 39). Kaj: "Ensange ili havas la iremon" (p. 122). Tiuj ne estas diraĵoj de la stultaj urbetanoj, sed asertoj de la aŭtoro. Lia solvo el tiu dilemo por sia heroino Kata iom similas tiun de Charles Dickens por sia Oliver Twist – ŝi efektive estas nur duoncigano, ĉar la patrino estas hungarino.

Entute mi sentas ke la aŭtoro kun sia arkitekto Bernat rigardas homojn el iomete memkontenta etburĝa perspektivo. "Ĉu ŝi reiros al la cigana domo, al stinkantaj ebriaj viraĉoj? Ĉu englutos ŝin la urbo? La placo de putinoj? Aŭ eksterurba luita ĉambro kaj laboraĉo en tekstilfabriko? Post kvin jaroj eĉ ŝia propra patrino ne rekonos ŝin, tiel ŝi aspektos. Tiaspeca laboro neniigas la virinojn." (p. 15).

Malgraŭ tiu certagrade limigita perspektivo Nemere kreis vere imponan rakonton, kie ĝuste la trankvila evoluo plej impresas. La homa psikologio, precipe de Bernat, estas konvinka. Male al pluraj el liaj aliaj verkoj, ĉi-libre li ankaŭ dediĉis multan zorgon al medioj. La verko komenciĝas per tre bona prezento de la domo, kie poste okazos preskaŭ ĉiuj scenoj, kaj la domo mem iĝas pli-malpli rolanto apud la loĝanto kaj mastro.

Alia tre sukcesa sceno estas la momento, kiam Bernat unue ekvidas Katan. Reveturante de labora vojaĝo, li devis haltigi sian aŭton en vilaĝo ĉe fervojkruciĝo, kaj la aŭtoro estigas tre realisman senton, kvazaŭ la tempo haltus, dum li nenifare atendas la pason de iu malrapida vartrajno, rigardante la domaĉojn kaj homojn ekster lia aŭto kvazaŭ mutan filmon.

Ankaŭ poste estas pluraj bonaj scenoj, ekzemple en la ĝardeno de Bernat, kie oni rekonas la inklinon de Nemere al naturo kaj ĝardenaj plantoj, precipe arboj.

Herbaro sub liaj piedoj, ombroj sur la herboj. Iuflanke la falsaj cipresoj estas cindrokoloraj, la lumo ŝteliras inter ili, makule sidiĝas sur la tero. La birdoj ankaŭ nun baraktadas sur la branĉoj de arboj... Bernat haltis inter siaj kreskaĵoj kaj tenis la vizaĝon al la suno. Li sentis, kiel subĉemize varmiĝas la haŭto. Odoretoj, fora hundobojo, krieto de infanoj. Post nelonge alvenos la tempo de la posttagmeza kafo... Bonege estas vivi! (p. 32)

Ĝenerale tra la verko la rakonto okazas laŭ la perspektivo de Bernat, sed kelkfoje ĝi dum kelkaj alineoj ŝanĝiĝas al tiu de Kata, ekz. en la paĝoj 67 kaj 76, kio funkcias bone.

La juĝproceso ŝajnas al mi iomete stranga pro tio ke la juĝisto tre aktivas, dum la akuzanta prokuroro kaj la defendanta advokato faras nenion. Nu, mi ja ne konas la hungaran juran sistemon, kaj plej gravas ĉi-kaze ke la proceso efike kunhelpas konstrui la romanintrigon. La alternado inter mallongaj scenetoj tribunalaj kaj pli longa kaj malrapida evoluo inter mastro kaj mastrumistino, poste geamantoj, estas bone trovita rimedo por konservi kaj kreskigi la eksciton, kaj la fina drama kulmino estas sukcesa.

Ankaŭ el lingva vidpunkto Pigre pasas la nokto estas unu el la plej bonaj verkoj de István Nemere. Oni ja rekonas kelkajn apartaĵojn, sed ili apenaŭ ĝenas aŭ ŝokas. Do, resume rekomendinda kaj valora plenumo de temo iom kliŝodora! (Sten Johansson)

작가 소개(부산일보 인터뷰)
- 헝가리 국민작가 이스트반 네메레[6]

'시대의 위험 일찍 알리는 것이 작가 역할'

사진: 헝가리 대평원 숲 속에 집을 짓고 사는 이스트반 네메레 작가가 가족과 다름없는 개와 함께 포즈를 취하고 있다.

1분에 200명의 아이가 태어난다. 이들 중 영어를 모국어로 하는 아이는 12명뿐이다. 전 세계 인구의 고작 6%다. 나머지

6) *역주:[출처:부산일보]
(http://www.busan.com/view/busan/view.php?code=20070602000178).

는 다른 모국어를 갖고 있다. 그런 까닭에 세상에는 영어 이외의 모국어로 된 문학작품이 더 많다. 하지만 현실은 그렇지 않다. 영문학이 주류고 비영문학은 비주류다. 헝가리 국민작가인 이스트반 네메레(63·Istvan Nemere)도 그런 문학인 중 하나다.

그럼에도 불구하고 그는 헝가리에서 가장 많은 책을 펴냈고 가장 많은 책을 판매한 작가다. 헝가리 전체 인구가 1천만명인데 헝가리 국내에서 팔린 그의 책이 무려 1천100만권이다. 하지만 그의 책은 아직 국내에 단 1권도 소개되지 않았다. 이유가 뭘까.

그 이유 중 하나는 한국만큼 영어로 된 책을 좋아하는 나라도 없기 때문이다. 우리가 그만큼 영어에 경도돼 있다는 얘기다. 아마 영어 이외의 언어라고 해도 일어와 중국어, 불어, 독일어, 스페인어 등의 범주를 벗어나지 못한다. 우리가 정녕 관심을 둬야 할 지구촌 언어가 5~6개에 불과하다는 사실은 이런 이유로 우리 스스로를 더욱 슬프게 한다.

그와의 접속은 이런 판단에서 이뤄졌다. 접속 언어는 한글도, 헝가리어도, 영어도 아닌 에스페란토였다. 그는 "헝가리어와 폴란드어, 에스페란토를 모두 모국어처럼 잘 사용할 수 있다"고 말했다. 모두 4차례에 걸쳐 34개의 질문을 던졌고, 그는 그때마다 장문의 답변서를 보내왔다.

"의외의 e-메일에 놀랐습니다." 그는 부산일보 독자들과의 e-메일 대화를 무척 즐겁고 행복하게 생각했다. 하지만 답변에 앞서 그는 헝가리 문학에 대해 한국민들이 좀 더 많은 관심을 가져줄 것을 주문했다. 그것은 헝가리 작가를 위해서 뿐만 아니라 한국민들을 위해서도 바람직한 일이라고 그는 주장했다.

"세상에는 영어 외에도 100여개의 흥미로운 언어로 쓰인 문학이 있습니다. 한국 문학도 그중의 하나일 겁니다. 그 문학은 영어권 작품보다 훨씬 더 다양하고, 훨씬 더 알찹니다."

질문은 일상에서부터 시작됐다. "오전 5시에 일어나고 오전 6시부터 글을 씁니다. 글쓰기는 대략 오후 2시나 2시30분까지 계속되죠. " 지난 1980년 이후 전업작가로 활동하면서 굳어진 습관이라고 했다. 하루 8시간씩 거의 매일 반복되는 작업이었다.

이런 이유로 그는 헝가리에서 가장 많은 책을 출간한 작가로 유명했다. 그는 이달 말로 467권의 책을 펴냈다고 했다. 믿을 수 없었다. 467권이라니! 첫 책이 출간된 것은 1974년이었다. 설핏 계산해도 매달 1권 이상을 펴냈다는 얘기였다. " 물론 늘 글을 쓴 것은 아닙니다. 어떤 작품은 5~6년 동안 소재만 모으기도 했죠." 그럼에도 불구하고 그는 "20여권의 작품을 이미 6~7개 출판사에 건넸고 곧 출간될 예정"이라고 말했다.

그는 82년 유럽 최고의 SF 문학상 중 하나인 '유로콘(유럽 SF 컨벤션) 상'을 받았다. 최근엔 노벨 문학상 후보로도 거론됐다. 하지만 이런 소문을 그는 꽤 부담스러워했다. 앞서 지난 2002년 같은 헝가리 작가인 임레 케르테스(78)가 먼저 노벨 문학상을 받은 이유에서였다. 그럼에도 그는 여전히 유력한 노벨 문학상 후보로 거론되고 있다. 이유는 그가 120년 전통의 에스페란토 문학계에서 상당한 권위를 부여받고 있기 때문이었다. 국제에스페란토펜클럽이 그를 적극 지원하고 있고 최근 유럽연합(EU)의 공식 공용어로 에스페란토가 부상하고 있는 까닭이었다. 그는 이런 배경을 감안했는지 "내 조국이 내 언어가 아니라 내가 쓰는 언어가 내 조국"이라며 에스페란토에 대해 특별한 의미를 부여했다.

그는 다작의 작가인 만큼 다양한 직업을 전전했다. "평생 18가지의 직업을 가졌죠. 그 직업을 통한 경험이 다작의 원천이 됐습니다." 노무자와 구급차 응급구조사, 책 외판원, 군인, 시체해부 보조원, 엑스트라 배우, 사서원, 보험설계사, 숲 관리사 등이 모두 그의 직업이었다.

관심 분야를 물었다. "첫 작품은 범죄소설이었죠. 하지만 지금은 역사와 초자연 현상에 더 많은 관심을 두고 있습니다." 수없이 전전했던 직업만큼이나 그의 관심 분야도 상당히 다양했다. 과학과 사회심리, 모험, 우주, 죄, 인류 등이 그가 쓴 소설의 주제였다.

하지만 그는 유난히 공산주의에 대해 강한 반감을 드러냈다. 옛 소련 치하의 헝가리를 기억하기가 싫은 탓인 듯했다. "이 세상에 존재했던 가장 잔인하고 반인륜적인 체제가 공산주의입니다." 그는 헝가리의 공산화 45년에 대해 치를 떨었다.

"하지만 저는 여전히 좌익 지식인으로 분류되고 싶습니다." 공산주의를 반대하는 것은 분명하지만 "지성인이라면 모름지기 우익을 찬양해서도 안 된다"고 그는 주장했다. 인권과 노동권, 자유, 연금제도, 건강보험 등의 가치를 지구촌에 뿌리내리게 한 것은 우익이 아니라 좌익 투쟁의 산물이었다고 그는 평가했다.

대화를 좀 더 진전시켰다. 세계화를 어떻게 보느냐고 물었다. 헝가리가 오는 2010년 EU에 합류함을 전제로 한 질문이었다. 그는 하지만 다른 의미의 세계화에 무게를 뒀다. "인류가 가장 중요하죠. 누구나 이 범주에 들어갑니다. 그 다음이 헝가리라는 국가이고, 또 그 다음이 지역입니다. 가족은 마지막 순서에 놓여집니다. 하지만 많은 사람들은 이런 평범한 가치를 역순서로 이해하려고 합니다. 갈등은 이런 사고방식에서 늘 발생하죠."

그는 지난 2001년부터 헝가리 대평원 숲에 집을 지어 아내와 살고 있다. "집 주변에 나무를 많이 심었는데 지금은 거의 숲 수준에 이르고 있다"고 그는 말했다. 마지막으로 작가의 역할에 대해 물었다. 그는 자신의 작품 중 하나인 '침묵은 외친다'의 한 구절을 언급했다. "다가올 시대의 위험을 좀 더 일찍 알려주고 뒤나 옆을 되돌아 볼 수 있게 하는 것이 작가의 존재 이유죠."

백현충기자 choong@busanilbo.com

에스페란토 번역=장정렬 한국에스페란토협회 교육이사

옮긴이의 글

사랑이란 무엇일까 또 언어가 서로 다른 이민족 간의 사랑이란 어떤 모습일까를 생각하게 하는 작품입니다.

헝가리 사회의 러브스토리를 애독자 여러분께 소개합니다.

작가 이스트반 네메레는 사건의 실마리를 개척해 나가는 능력은 아주 능수능란합니다. 이야기를 끌어가는 능력은 비일상적이고도 아주 효과적입니다. 이스트반 네메레 작가는 우리에게 공산체제를 벗어난 헝가리 사회와 인식을 여기에 건축가 베르나트와 집시 여인 카타의 사랑을 통해 보여줍니다. 헝가리 문학이나 사회에 또 에스페란토 문학에 관심을 가진 분들을 위해 또 국내에 활동하는 외국인 노동자들을 위해, 외국인들을 이해하려는 애독자들을 위해 이 작품을 소개하고 번역 출간해보았습니다.

제가 이 작품을 처음 듣게 된 것은 1990년대 중반 중국 에스페란토 번역가인 리스쥔(Li Shijun: Laŭlum) 선생님과의 만남에서였을 겁니다.

아마 『가을 속의 봄』(Julio Bahgy 지음, 에스페란토 원작)과 『봄 속의 가을』(중국 작가 바진(巴金) 지음, 리시쥔 에스페란토 옮김)을 번역[7]하며 당시 리스쥔 선생님을 뵐 기회가 있었습니다. 그때, 그분이 추천한 에스페란토 원작 두 작품 중 한 권이 바로 이 『밤은 천천히 흐른다』였습니다. 그런 만남과 추천이 계기가 되어 번역으로 이어졌습니다.

헝가리 작가 이스트반 네메레는 고등학교 때 에스페란토를 배워, 2019년 말 현재 726권의 저서를 발간한, 세계에서 가장 많은 작품을 발간한 작가라 할 수 있습니다. 그의 작품은 대부분이 헝

---

7) *역주: 이 두 작품은 한 권으로 묶어, 2007년 갈무리출판사에서 출간됨.

가리어로 발간되고, 소설, 역사, 공상과학, 아동을 위한 작품으로 분류할 수 있습니다. 그러나 에스페란토 원작품도 19개나 들어 있습니다.
이번에 한국 독서계에 소개하는 『밤은 천천히 흐른다』와 『메타 스텔라에서 테라를 찾아 항해하다(원제: TERRA)』는 작가 자신이 가장 아끼는 에스페란토 작품이라고 그의 <La Balta Ondo>잡지 인터뷰(https://sezonoj.ru/2020/01/nemere)에서 말하고 있습니다.

『밤은 천천히 흐른다』는 작가 작품 중 셋째로 한국에 소개됩니다. 첫 작품은 『DGSE(프랑스 비밀첩보국)』(박미홍 옮김, 파랑새열쇠, 2002년, 대구, 276페이지)입니다. 이 책의 에스페란토 제목은 『Vivi estas Danĝere』(1988)입니다. 1959년 알제리 반란을 다룬 작품입니다.
둘째 작품 『TERRA』는 이보다 한 해 앞서 발간된 우주 공상과학 소설입니다.

우리나라에도 주목할 작품이 있습니다.
에스페란토 사용자이면서도 작가인 분들이 자신의 삶을 배경으로 사랑을 주제로 한 작품을 펴냈습니다.
한반도를 배경으로 민족과 국적이 다른 두 주인공이 한반도의 해방공간과 6.25 사변이라는 역사의 소용돌이 속에서 자신의 사랑을 지켜가는 작품 『아름다운 인연』(장충식, 윤진, 2019년)과, 1980년대 한국인과 재일교포의 첫사랑을 그린 『첫사랑의 추억』(Bunsun kaj Aiko)(조성호, 좋은 땅/한국에스페란토협회, 2020년)이 바로 그것입니다.
일본어로도 출간된 『아름다운 인연』의 작가 장충식 박사님은 단국대 총장으로 재직 중 1980년대 한국에스페란토 협회 회장을 역임하시면서, 단국대학교에 제2외국어로서 에스페란토 교과목을 도입하고, 에스페란토 연구소도 설립해 에스페란토 운동에 크게 이바지하신 분입니다.
작품 『아름다운 인연』을 통해 작가는 독립운동가의 아들과 일본인 장교 부인의 완전한 사랑을 다뤘습니다.

“해방 후의 혼란과 정부수립, 동족상잔의 전쟁이란 격동의 비극적 현대사를 배경으로 펼쳐지는 그들의 러브스토리는 진실한 사랑은 불가능을 뛰어넘는다는 교훈을 확인시켜 준다. 나아가 순수한 사랑과 따뜻한 인간애는 독자에게 인간의 근본을 되돌아보게 한다. 그것은 바로 인간 본성에 대한 긍정이다. 절제된 문장은 헤밍웨이의 하드보일드 문체(hard-boiled style)를 연상시킨다. 무엇보다도 이 진하고 아름다운 러브스토리는 시종 저자의 용서와 화해의 철학과 경륜이 관통하고 있다.” (한국 링컨연구소장 김재일 님의 서평에서)

에스페란토로도 발간된 『첫사랑의 추억』(Bunsun kaj Aiko)은 재일교포로서 한국을 방문한 여학생이 첫 '홈스테이'한 곳의 대학생과의 사랑을 다루고 있습니다. 한국사회를 이해하지 못하는 재일교포 사회, 해외여행이 자유롭지 못하던 시절 청춘의 첫사랑을 작가는 다루고 있습니다.
인하대학교 교수로 퇴임한 작가 조성호 박사님은 에스페란토 교재도 발간하고, 춘향전 등을 에스페란토로 번역하시기도 했습니다.

“길고 먼 여행을 하였습니다. 이제 그만 여기서 멈추려 합니다.”(본문 중에서)

한편의 러브스토리를 읽음은 우리 독자들이 인간 본성을 이해하는 첫걸음이 아닐까 하는 생각을 해봅니다. 그게 애독자 여러분이 가진 독서의 힘이자 거울이자 간접 체험이기 때문일 것입니다.

역자의 번역 작업을 옆에서 묵묵히 응원하고 지원하는 가족에게 역자가 고마움을 전하는 말을 빠뜨린다면, 봄이 왔는데도 역자가 꽃 피는 봄을 보지 못함과 같습니다. 제 번역 작업을 기꺼이 책으로 출간해 주시는 진달래출판사 오태영 대표님께도 고마움을 전합니다.

애독자 여러분이 동유럽의 러브스토리를 즐거이 읽는 모습을 상상하며, 글을 마칩니다.

2022년 4월 부산에서

옮긴이 소개

장정렬 (Jang Jeong-Ryeol(Ombro))

1961년 창원에서 태어나 부산대학교 공과대학 기계공학과를 졸업하고, 1988년 한국외국어대학교 경영대학원 통상학과를 졸업했다. 현재 국제어 에스페란토 전문번역가와 강사로 활동하며, 한국에스페란토협회 교육 이사를 역임하고, 에스페란토어 작가협회 회원으로 초대된 바 있다. 1980년 에스페란토를 학습하기 시작했으며, 에스페란토 잡지 La Espero el Koreujo, TERanO, TERanidO 편집위원, 한국에스페란토청년회 회장을 역임했다. 거제대학교 초빙교수, 동부산대학교 외래 교수로 일했다. 현재 한국에스페란토협회 부산지부 회보 'TERanidO'의 편집장이다. 세계에스페란토협회 아동문학 '올해의 책' 선정 위원이기도 하다.

역자의 번역 작품 목록

-한국어로 번역한 도서

『초급에스페란토』(티보르 세켈리 등 공저, 한국에스페란토청년회, 도서출판 지평),

『가을 속의 봄』(율리오 바기 지음, 갈무리출판사),

『봄 속의 가을』(바진 지음, 갈무리출판사),

『산촌』(예쥔젠 지음, 갈무리출판사),

『초록의 마음』(율리오 바기 지음, 갈무리출판사),

『정글의 아들 쿠메와와』(티보르 세켈리 지음, 실천문학사)

『세계민족시집』(티보르 세켈리 등 공저, 실천문학사),

『꼬마 구두장이 흘라피치』(이봐나 브를리치 마주라니치 지음, 산지니출판사)

『마르타』(엘리자 오제슈코바 지음, 산지니출판사)

『사랑이 흐르는 곳, 그곳이 나의 조국』(정사섭 지음, 문민)(공역)

『바벨탑에 도전한 사나이』(르네 쌍타씨, 앙리 마쏭 공저, 한국외국어대학교 출판부) (공역)

『에로센코 전집(1-3)』(부산에스페란토문화원 발간)

-에스페란토로 번역한 도서

『비밀의 화원』(고은주 지음, 한국에스페란토협회 기관지)

『벌판 위의 빈집』(신경숙 지음, 한국에스페란토협회)

『님의 침묵』(한용운 지음, 한국에스페란토협회 기관지)

『하늘과 바람과 별과 시』(윤동주 지음, 도서출판 삼아)

『언니의 폐경』(김훈 지음, 한국에스페란토협회)

『미래를 여는 역사』(한중일 공동 역사교과서, 한중일 에스페란토협회 공동발간) (공역)

-인터넷 자료의 한국어 번역

www.lernu.net의 한국어 번역
www.cursodeesperanto.com,br의 한국어 번역
Pasporto al la Tuta Mondo(학습교재 CD 번역)
https://youtu.be/rOfbbEax5cA (25편의 세계에스페란토고전 단편소설 소개 강연:2021.09.29. 한국에스페란토협회 초청 특강)

<진달래 출판사 간행 역자 번역 목록>

『파드마, 갠지스 강가의 어린 무용수』(Tibor Sekelj 지음, 장정렬 옮김, 진달래 출판사, 2021)
『테무친 대초원의 아들』(Tibor Sekelj 지음, 장정렬 옮김, 진달래 출판사, 2021)
<세계에스페란토협회 선정 '올해의 아동도서'> 『욤보르와 미키의 모험』(Julian Modest 지음, 장정렬 옮김, 진달래 출판사, 2021년)
아동 도서 『대통령의 방문』(예지 자비에이스키 지음, 장정렬 옮김, 진달래 출판사, 2021년)
『국제어 에스페란토』(D-ro Esperanto 지음, 이영구. 장정렬 공역, 진달래 출판사, 2021년)
『헝가리 동화 황금 화살』(ELEK BENEDEK 지음, 장정렬 옮김, 진달래 출판사, 2021년)
알기쉽도록 『육조단경』(혜능 지음, 왕숭방 에스페란토 옮김, 장정렬 에스페란토에서 옮김, 진달래 출판사, 2021년)
『크로아티아 전쟁체험기』(Spomenka Štimec 지음, 장정렬 옮김, 진달래 출판사, 2021년)
『상징주의 화가 호들러의 삶을 뒤쫓아』(Spomenka Štimec 지음, 장정렬 옮김, 진달래 출판사, 2021년)
『사랑과 죽음의 마지막 다리에 선 유럽 배우 틸라』(Spomenka Štimec 지음, 장정렬 옮김, 진달래 출판사, 2021년)

『침실에서 들려주는 이야기』(Antoaneta Klobučar 지음, Davor Klobučar 에스페란토 역, 장정렬 옮김, 진달래 출판사, 2021년)
『희생자』 (Julio Baghy 지음, 장정렬 옮김, 진달래 출판사, 2021년)
『피어린 땅에서』 (Julio Baghy 지음, 장정렬 옮김, 진달래 출판사, 2021년)
『공포의 삼 남매』(Antoaneta Klobučar 지음, Davor Klobučar 에스페란토 역, 장정렬 옮김, 진달래 출판사, 2021년)
『우리 할머니의 동화』(Hasan Jakub Hasan 지음, 장정렬 옮김, 진달래 출판사, 2021년)
『얌부르그에는 총성이 울리지 않는다』 (Mikaelo Bronŝtejn 지음, 장정렬 옮김, 진달래 출판사, 2022년)
『청년운동의 전설』 (Mikaelo Bronŝtejn 지음, 장정렬 옮김, 진달래 출판사, 2022년)
『반려 고양이 플로로』 (Ĥristina Kozlovska 지음,
Petro Palivoda 에스페란토역, 장정렬 옮김, 진달래 출판사, 2022년)
『푸른 가슴에 희망을』 (Julio Baghy 지음, 장정렬 옮김, 진달래 출판사, 2022년)
『민영화 도시 고블린스크』 (Mikaelo Bronŝtejn 지음, 장정렬 옮김, 진달래 출판사, 2022년)
『메타 스텔라에서 테라를 찾아 항해하다』 (Istvan Nemere 지음, 장정렬 옮김, 진달래 출판사, 2022년)